Des erreurs et de la vérité, ou, Les h au principe universel de la science (1, Saint-Martin

Note de l'éditeur

Les descriptions du livre que nous demandons aux libraires de placer en évidence préviennent qu'il s'agit d'un livre historique contenant de nombreuses coquilles ou du texte manquant ; il n'est pas référencé ni illustré.

Le livre a été créé en recourant au logiciel de reconnaissance optique de caractères. Le logiciel est précis à 99 pour cent si le livre est en bon état. Toutefois, nous comprenons que même un pour cent peut représenter un nombre agaçant de coquilles ! Et, parfois, il peut manquer une partie d'une page voire une page entière dans notre copie du livre. Il peut aussi arriver que le papier ait été si décoloré avec le temps qu'il est difficile à lire. Nous présentons nos excuses pour ce désagrément et remercions avec gratitude l'assistance de Google.

Après avoir recomposé et reconçu un livre, les numéros de page sont modifiés et l'ancien index et l'ancienne table des matières ne correspondent plus. Pour cette raison, nous pouvons les supprimer ; sinon, ignorez-les.

Nous corrigeons attentivement les livres qui vendront suffisamment d'exemplaires pour payer le correcteur ; malheureusement, c'est rarement le cas. C'est pourquoi, nous essayons de laisser aux clients la possibilité de télécharger une copie gratuite du livre original sans coquilles. Entrez simplement le code barre de la quatrième de couverture du livre de poche dans le formulaire Livre gratuit sur www.RareBooksClub.com.

Vous pouvez également remplir les conditions pour adhérer gratuitement et à l'essai à notre club de livres pour télécharger quatre livres tout aussi gratuitement. Entrez simplement le code barre de la quatrième de couverture sur le formulaire d'adhésion qui se trouve sur notre page d'accueil. Le club de livres vous permet d'accéder à des millions de livres. Entrez simplement le titre, l'auteur ou le sujet dans le formulaire de recherche.

Si vous avez des questions, pourriez-vous d'abord consulter la page de notre Foire Aux Questions sur www.RareBooksClub.com/faqs.cfm ? Vous pouvez également nous y contacter.

General Books LLC™, Memphis, USA, 2012. ISBN: 9781235330575.

⚜ ⚜ ⚜ ⚜ ⚜ ⚜ ⚜ ⚜

òc de la Vérité,

o u

Les Hmomes rappelles au principe universel De La Science.

I.

C'E s T un spectacle bien affligeant, lorsqu'on v«ut contempler l'homme', de le voir à la sois tourmenté du desir de connoître, n'appercevant les raisons de rien, & cependant ayant l'audace & la téméricé de vouloir en donner à tout. Au lieu de considérer les ténebres qui l'entourent, & de commencer par en sonder la prosondeur; il s'avance, non seulement comme s'il étoit sûr de les dissiper, mais encore comme s'il n'y avoit point d'obstacles entre la *Science* & lui: bientôt même s'efforçant de créer une Vérité, il ose la mettre à la place de celle qu'il devroit respecter en silence, & sur laquelle il n'a presque aujourd'hui d'autre droit, que de la desirer & de l'attÇstdre, *l Partie. & t De la Cause des Erreurs'.*

Et en effet, s'il est absolument séparé de la Lumiere, comment pourra-t-il seul allumer le flambeau qui doit lui servir de guide? Comment pourra-t-il, par ses propres sacultés, produire une Science qui leve tous ses doutes? Ces lueurs & ces apparences de réalité qu'il croit découvrir dans les prestiges de son imagination, ne s'évanouissent-elles pas au plus simple examen? & après avoir ensanté des santômes sans vie & sans consistance, ne se voit-il pas sorcé de les remplacer par de nouvelles illusions, qui bientôt après ont le niême sort, & le laissent plongé dans les plus affreuses incertitudes?

Heureux, néanmoins, si sa soiblesse étoit l'uniue cause de ses méprises! sa situation en seroit beaucoup moins déplorable, car ne pouvant, par sa nature, trouver de repos que dans la vérité, plus les épreuves seroient douloureuses, plus elles serviroient à le ramener au seul but qui soit sait pour lui.

Mais ses erreurs prennent encore leur source dans sa volonté déréglée; on voit que loin d'employer à son avantage le peu de sorces qui lui restent, il les dirige presque toujours contre la Lot de son Etre: on voit, dis-je, que loin d'être retenu par cette obscurité qui l'environne, c'est de sa propre main qu'il se met le bandeau sur les yeux., Alors, n'entrevoyant plus la moindre clarté, le désespoir ou la frayeur l'entrainent, & il se jette lui-même dans des sentiers dangereux qui l'éloignent à jamais de sa véritable route.

C'est donc par ce mélange de soiblesses &; d'imprudences que se perpétue l'ignorance *dç* l'homme; telle est la source de ses inconséquences continuelles; en sorte que, consumant ses jours dans des efforts inutiles *Sç* vains, or» doit peu s'étonner que ses travaux ne produisenÇ aucuns sruits.,, ou ne laissent après eux que de l'aj mertume.

Toutesois lorsque je rappelle ici les écarts & la marche inconsidérée de mes semblables, je suis bien éloigné de vouloir les avilir à leurs propres yeux le plus ardent de mes vœux, au. con-r traire, seroit qu'ils ne perdisïfftt; jamais de vue lav grandeur dont ils sont susceptibles. Puissé-je ait moins y contribuer en essayant de saire évanouie devant eux, les: difficultés qui les arrêtent, en eir citant leur courage, & en leur montrant la voiçt qui mene au but de leurs desirs!

Au premier coup d'EÌi que l'homme

voudra jeter sur lui-même, il n'aura pas de peine à sentir, & à avouer qu'il doit y avoir pour lui une Science ou une Loi évidente, puisqu'il y en, a une pour tous les Etres, quoiqu'elle ne soit pas universellement dans tous les Etres, & puisqu© même, au milieu de nos soiblesses, de notre (Ai) ignorance *% De la Vérité.* ignorance & de nos méprises, nous ne nous occupons qu'à chercher la paix & la lumiere.

Alors, quoique les efforts que l'homme sait journellement pour atteindre au but de ses recherches, aient si rarement des succès, on ne doit pas croire pour cela que ce but soit imaginaire, mais seulement que l'homme se trompe sur la route qui y conduit, & qu'il est, par conséquent, dans la plus grande des privations, puisqu'il ne connoît pas même le chemin par lequel il doit marcher.

On peut donc convenir dès à présent que le malheur actuel de l'homme n'est pas d'ignorer qu'il y a une vérité, mais de se méprendre sur ïa nature de cette vérité; car ceux-mêmes qui ont prétendu la nier & la détruire, n'ont jamais Cru pouvoir y réussir sans avoir une autre vérité â lui substituer. Et en effet, ils ont revêtu leurs opinions chimériques, de la sorce, de l'immutabilité, de l'universalité, en un mot, de toutes les propriétés d'un Etre réel & existant par soi; tant ils sentoient qu'une Vérité ne sauroit être telle sans exister essentiellement, sans être invariable & absolument indépendante, comme ne tenant que d'elle-même la source de son existence j puisque, si elle l'avoit reçue d'un autre Principe, celui-ci pourroit la replonger dans le néant ou l'inaction dont il l'auroit tirée.

Ainsi ceux qui ont combattu la vérité, ont .. --J prouvé prouvé par leurs propres systêmes qu'ils avoient l'idée indestructible d'une Vérité. Répétons-le donc, ce qui tourmente ici-bas la plupart des hommes, c'est moins de savoir s'il y a une Vérité, que de savoir quelle est cette Vérité.

Mais ce qui trouble ce sentiment dans l'homme, & obscurcit si souvent en lui les rayons les plus viss de cette lumiere, c'est le mélange continuel de bien & de mal, de clartés & de ténèbres, d'harmonie & de désordres qu'il apperçoit dans l'Univers & dans lui-même. Ce contraste universel l'inquiete, & répand dans ses idées une consusion qu'il a peine à démêler. Affligé, autant que surpris, d'un si étrange assemblage, s'il veut l'expliquer, il s'abandonne aux opinions les plus sunestes, en sorte que cessant bientôt de sentir cette même Vérité, il perd toute la consiance qu'il avoit en elle. Le plus grand service qu'on pût lui rendre dans la pénible situation où il se trouve , seroit donc de lui persuader qu'il peut connoître la source & l'origine de ce désordre qui l'étonne, & sur-tout de l'empêcher d'en rien conclure contre cette Vérité qu'il avoue, qu'il aime, & dont il ne peut se passer.

Il est certain qu'en considérant les révolutions & les contrariétés qu'éprouvent tous les Etres de la Nature, les hommes ont dû avouer qu'elle étoit sujette aux inflnences du bien & du mal, ce (A 3) qui *6 Du bon & du mauvais Principe!* qui les amenoit nécessairement à reconnoître Inexistence de deux Principes opposés. Rien, en effet, de plus sage que cette observation, & rien de plus juste que la conséquence qu'ils en ont tirée. Pourquoi n'ont-ils pas été auflì heureux lorsqu'ils ont tenté d'expliquer la nature de «es deux Principes? Pourquoi ont-ils donné à leur science une base trop étroite qui les sorce de détruire eux-mêmes à tout instant, les systèmes qu'ils y veulent appuyer?

C'est qu'après avoir négligé les vrais moyens 'qu'ils avoient de s'instruire, ils ont été assez inconsidérés pour prononcer d'eux-mêmes sur cet objet sacré, comme si, loin du séjour de la lumiere, l'homme pouvoit être assuré de ses jugements. Aussi, après avoir admis les deux Principes, ils n'ont pas su en reconnoître la différence.

Tantôt ils leur ont accordé une égalité de sorce & d'ancienneté qui les rendoit rivaux l'un de l'autre, en les plaçant au même rang de puissance & de grandeur.
'

Tant't, à la vérité, ils ont annoncé le mal comme étant inférieur au bien en tout genre; mais ils se sont contredits eux-mêmes lorsqu'ils ont voulu s'étendre sur la nature de ce mal & sur son origine. Tantôt ils n'ont pas craint de placer le mal & le bien, dans un seul & même Principe, croyant honorer ce Principe en lui attribuant une Jîïe puissance exclusive qui le rend auteur de toutes choses sans exception, c'est-à-dire, que par-là ce Principe se trouve à la sois pere & tyran , détruisant à mesure qu'il éleve, méchant, injuste à sorce de grandeur, & devant par conséquent se punir lui-même pour le maintien de sa propre justice.

A la fin, las de flotter dans ces incertitudes, sans pouvoir trouver une idée solide, quelques-uns ont pris le parti de nier l'un & l'autre Principe; ils se sont efforcés de croire que tout marchoit sans ordre & sans loi, & ne pouvant expliquer ce que c'étoit que le bien & le mal, ils ont dit qu'il n'y avoit ni bien ni mal.

Quand, sur cette assertion, on leur a demandé quelle étoit donc l'origine de tous ces préceptes universellement répandus sur la terre, de cette voix intérieure & unisorme qui sorce, pour ainsi dire, tous les peuples à les adopter, & qui même, au milieu de ses égarements, sait sentir à l'homme qu'il a une destination bien supérieure aux objets dont il s'occupe; alors ces Observateurs continuant à s'aveugler, ont traité d'habitudes, les scntimens les plus naturels; ils ont attribué à l'organisation & à des loix méchaniques, la pensée & toutes les sacultés de l'homme; delà ils ont prétendu, qu'en raison de sa soiblesse, les grands événements physiques avoient dans tous ies temps produit en lui la crainte & l'effroi; (A 4) qu'éprouvant *8 Fausse Doctrine sur les deux Principes:* qu'éprouvant sans cesse sur son débile individa la supériorité des élémens & des Etres dont îl est entouré, il avoit imaginé qu'une certaine puissance indéfinissable gouvernoit & bouleversoit, à son gré, la Nature; d'où il s'étoit sait une suite de principes chimériques de subordination & d'ordre, de punitions & de récompenses, que l'éducation & l'exemple avoient perpétués, mais avec des différences considérables, relatives aux cir-

Des erreurs et de la vérité, ou, Les hommes rappellés au principe universel de la science (1) • Louis Claude de Saint-Martin

• 3

constances & aux climats.

Prenant ensuite pour preuve la variété continuelle des usages & des coutumes arbitraires des peuples, la mauvaise soi & la rivalité des Instituteurs, ainsi que le combat des opinions humaines, sruit du doute & de l'ignorance, il leur a été sacile de démontrer que l'homme ne trouvoit, en effet, autour de lui, qu'incertitudes & & contradictions, d'où ils se sont crus autorisés à affirmer de nouveau qu'il n'y a rien de vrai, ce qui est dire que rien n'existe essentiellement; puisque, selon ce qui a été exposé, l'existence & la vérité ne sont qu'une même chose.

Voilà cependant les moyens que ces Maîtres imprudents ont employés pour annoncer leur doctrine & pour la justifier; voilà les sources empoisonnées d'où sont découlés sur la terre, tous les fléaux qui affligent l'homme, & qui le tourmentent plus encore que ses miseres naturelles.

Combien nous auroient-ils donc épargné d'erreurs d'erreurs & de souffrances, si, loin de chercher la vérité dans les apparences de la nature matérielle, ils se sussent déterminés à descendre en eux-mêmes; qu'ils eussent voulu expliquer les choses par l'homme, & non l'homme par les choses, & qu'armés de courage & de patience, ils eussent poursuivi, dans le calme de leur imagination, la découverte de cette lumiere que nous desirons tous avec tant d'ardeur. Peut-être n'eût-il pas été en lcur pouvoir de la fixer du premier coup d'œil; mais srappés de l'éclat qui J'environne, & employant toutes leurs sacultés à la contempler, ils n'eussent pas songé à prononcer d'avance sor sa nature, ni à vouloir la saire connoître à leurs semblables, avant d'avoir pris ses rayons pour guides.

Lorsque l'homme, après avoir résisté courageusement , parvient à surmonter tout ce qui répugne à son être, il se trouve en paix avec lui-même, & dès-lors il l'est avec toute la nature. Mais si, par négligence, ou lassé de combattre, il laisse entrer en lui la plus légere étincelle d'un seu étranger à sa propre essence, il souffre & languit jusqu'à ce qu'il en soit entiérement délivré.

C'est ainsi que l'homme a reconnu d'une maniere encore plus intime, qu'il y avoit deux Principes différents, & comme il trouve avec l'un le bonheur & la paix, & que l'autre est toujours accompagne io *De la difference des deux PrintipeSì* accompagné de satigues & de tourments, il les a distingués sous les noms de Principe bon, & de Principe mauvais.

Dès-lors, s'il eut voulu saire la même observation sur tous les Etres de îunivers, il lui auroit *été* îâcile de fixer ses idées sur la nature du bien *Sc* du mal, & de découvrir par ce moyen quel est lenr véritable origine. Disons donc que le Hen est, pour chaque être, l'accomplissement *àe* sa propre loi, & le mal, ce qui s'y oppose. Rïfbns que chacun des Etres, n'ayant qu'une sotle loi, comme tenant tous à une Loi premiere qní est une, le bien, ou l'accomplissement de cette loi doit être unique aussi, c'est-à-dire, être seu! & exclusivement vrai, quoiqu'il embrasse finfinité des Etres. *Au* contraire, le mal ne peut avoir aucune convenance avec cette loi des Etres, puisqu'il la combat; dès-lors il ne peut plus être compris dans l'unité , puisqu'il tend à la dégrader, en roulant sormer une autre unité. En un mot, il est faux, puisqu'il ne peut pas exister seul; que malgré lui la Loi des Etres existe en même temps que lui, *8c* qu'il ne peut jamais la détruire, lors même qu'il en gêne ou qu'il en dérange l'accomplísfement.

J'ai dit, qu'en s'approchant du bon Principe, fhomme étoit, en effet, comblé de délices, & far conséquent, au dessus de tous les maux; c'est c'est qu'alors il est entier à sa jouissance, qu'il ne peut avoir ni le sentiment, ni l'idée d'aucun autre Etre; & qu'ainsi, rien de ce qui vient du mauvais Principe ne peut ié mêler à sa joie, ce qui prouve que l'homme est là dans son élément, & que sa loi d'unité s'accomplit.

Mais s'il cherche un autre appui que celui de cette loi qui lui est propre, sa joie est d'abord inquiéte & timide; il ne jouit qu'en se reprochant sa jouissance, & se partageant un moment entre le mal qui l'entraîne & le bien qu'il a

quitté, il éprouve sensiblement l'effet de deux loix opposées, & il apprend par le mal-étre qui en résulte, qu'il n'y a point alors d'unité pour lui, parce qu'il s'est écarté de sa loi. Bientôt, il est vrai, cette jouissance incertaine se sortifie, & même le domine entiérement; mais loin d'en être plus une & plus vraie, elle produit dans les sacultés de l'homme un désordre d'autant plus déplorable, que l'action du mal étant stérile & bornée, les transports de celui qui s'y livre, ne sont que l'amener plus promptement à un vuide & à un abattement inévitable.

Voici donc la différence infinie qui se trouve entre les deux Principes; le bien tient de luimême toute sa puissance & toute sa valeur; le mal n'est rien, quand le bien regne. Le bien sait disparaître, par sa présence, jusqu'à l'idée & aux moindres traces du mal*;* le mal, dans ses plus ïï *De la différence des deux Trìntìptíi* pins grands succès, est toujours combattu 5ff importune par la présence du bien. Le mal n'a par lui-même aucune sorce, ni aucuns pouvoirs $ le bien en a d'universels qui sont indépendants, & qui s'étendent jusques sur le mal même.

Ainsi, il est, évident qu'on ne peut admettre aucune égalité de puissance, ni d'ancienneté entre ces deux Principes; car un Etre ne peut en egaler un autre en puissance, qu'il ne l'égale aussi en ancienneté, puisque ce seroit toujours nne marque de soiblesse & d'infériorité dans l'un des deux Etres de n'avoir pu exister auísi-tôt que l'autre. Or, si antérieurement, & dans tous les temps, le bien avoit existé avec le mal, ils n'auroient jamais pu acquérir aucune supériorité, puisque, dans cette supposition, le mauvais Principe étant indépendant du bon, & ayant par conséquent le même pouvoir, ou ils n'auroient eu aucune action l'un sur l'autre, ou ils se seroient mutuellement balancés & contenus: ainsi, de cette égalité de puissance, il seroit résulté une inaction & une stérilité absolue dans ces deux Etres, parce que leurs sorces réciproques se trouvant sans cesse égales & opposées, il leur eût été impossible, à l'un & l'autre de rien produire.

On ne dira pas que pour saire cesser

cette inaction, un Principe supérieur à tous les deux aura augmenté les sorces du bon Principe, comme

étant &ant plus analogue à sa nature; car alors ce Principe supérieur seroit lui-même le Principe bon dont nous parlons. On sera donc sorcé, par une évidence srappante, de reconnoître dans le Principe bon, une supériorité sans meíúre, une unité, une indivisibilité, avec lesquelles il a existé nécessairement avant tout; ce qui suffit pour démontrer pleinement que le mal ne peut être venu qu'après le bien.

Fixer ainsi l'infériorité du mauvais principe, & faire voir son opposition au Principe bon, c'est prouver qu'il n'y a jamais eu, & qu'il n'y aura jamais entre eux la moindre alliance, ni la moindre affinité; car pourroit-il entrer dans la pensée, que le mal eût jamais été compris dans l'essence & dans les sacultés du bien, auquel il est fi diamétralement opposé?

Mais cette conclusion nous conduit nécessairement à une autre, tout aussi importante, qui est de nous saire sentir que ce bien quelque puissant qu'il soit, ne peut coopérer en rien à la naissance & aux effets du mal; puisqu'il saudroit, ou qu'avant l'origine du mal, il y eût eu dans le Principe bon quelque germe, ou saculté mauvaise; & avancer cette opinion, ce seroit renouveller la consusion que les jugements & les imprudences des hommes ont répandu sur ces matieres ou il saudroit que depuis la naissance du, mal, le bien eût pu avoir avec lui quelque com

çierce 14 *Le Mal, résultat de la Liberté.* merce & quelque rapport, ce qui est imposibîe & contradictoire. Quelle est donc l'inconséquence de ceux qui craignant de borner les sacultés du bon Principe, s'obstinent à enseigner une doctrine, fi contraire à sa nature, que de lui attribuer généralement tout ce qui existe, même le mal & le désordre.

11 n'en saut pas davantage pour saire sentir la distance incommensurable qui se trouve entre les deux Principes, & pour connoître celui auquel nous devons donner notre consiance. Puisque les idées que je viens d'exposer, ne sont que rappeller les hommes à des senti-

ments naturels, & à une science qui doit se trouver au sond de leur cœur; c'est en même temps, saire naître en eux l'espérance de découvrir de nouvelles lumieres sur l'objet qui nous occupe; car l'homme étant le miroir de la vérité; il en doit voir réfléchir, dans lui-même, tous les rayons; & en effet, fi nous n'avions rien de plus à. attendre que ce que nous promettent les systèmes des hommes, je n'aurois pas pris la plume pour les combattre.

Mais reconnoître l'existence de ce mauvais Principe, considérer les effets de son pouvoir dans l'Univers & dans l'homme, ainsi que les sausses conséquences que les Observateurs en ont tirées, ce n'est pas dévoiler son origine.. Le mal existe, nous voyons tout autour de nous ses traces hideuses, quels que soient les efforts qu'on a saits pour nier sa difformité. Or, íi ce mal ne vient point du bon Principe, comment donc a-t-il pu naître?

Certes, c'est bien là pour l'homme la question la plus importante & celle sur laquelle je desirerois de convaincre tous mes Lecteurs. Mais je ne me suis point abusé sur le succès, & toutes certaines que soient les vérités que je vais annoncer, je ne serai point surpris de les voir rejetées ou mal entendues par le plus grand nombre.

Quand l'homme, s'étant élevé vers le bien, contracte l'habitude de s'y tenir invariablement attaché, il n'a pas même l'idée du mal; c'est une vérité que nous avons établie, & que nul Etre intelligent ne pourra raisonnablement contester. S'il avoit constamment le courage *Sc* la volonté de ne pas descendre de cette élévation pour laquelle il est né, le mal ne seroit donc jamais rien pour lui; & en effet, il n'en ressent les dangereuses insluences, qu'à proportion qu'il s'éloigne du bon Principe; en sorte qu'on doit conclure de cette punition, qu'il sait alors une action libre; car s'il est impossible qu'un Etre non libre s'écarte par lui-même de la Loi qui lui est imposée, il est aussi impossible qu'il se rende coupable & qu'il soit puni; ce que nous serons concevoir dans la suite en parlant des souffrances des bêtes»

J&fin *i6 Origine du Mal.*

Ensin, la puissance & toutes les *vertus*, sormant l'essence du bon Principe, il est évident que la sagesse & la justice en sont la regle & la loi, & dès-lors c'est reconnoître que si l'homme souffre, il doit avoir eu le pouvoir de ne pas souffrir.

Oui, fi le Principe bon est essentiellement juste & puissant, nos peines sont une preuve évidente de nos torts, & par conséquent de notre liberté; lors donc que nous voyons l'homme soumis à l'action du mal, nous pouvons assurer que c'est librement qu'il s'y est opposé, & qu'il ne tenoit qu'à lui de s'en désendre & de s'en tenir éloigné; ainsi ne cherchons pas d'autre cause à ses malheurs que celle de s'être écarté volontairement du bon Principe, avec lequel il auroit sans cesse goûté la paix & le bonheur.

Appliquons le même raisonnement au mauvais Principe; s'il s'oppose évidemment à l'accomplissement de la loi d'unité des Etres, soit dans le sensible, soit dans l'intellectuel, il saut qu'il soit lui-même dans une fituation *désordonnée*. S'il n'entraîne après lui que l'amertume & la consusion, il en est sans doute à la sois, & l'objet & l'instrument; ce qui nous sait dire qu'il doit être livré sans relâche, au tourment & à l'horreur qu'il répand autour de lui.

Or, il ne souffre que parce qu'il est éloigné du bon Principe; car ce n'est que dësrinstant qu'ils en sont séparés que les Etres sont sont malheureux. Les souffrances du mauvais Principe ne peuvent donc être qu'une punition, parce que la justice étant Universelle, doit agir sur lui, comme elle agit sur l'homme; mais s'il subit une punition, c'est donc librement qu'il s'est écarté de ía Loi qui devoit perpétuer son bonheur; c'est donc volontairement qu'il s'est rendu mauvais. C'est ce qui nous engage à dire, que si l'Auteur! du mal eût sait un usage légitime de sa liberté il ne se seroit jamais séparé du bon Principe, & lé mal seroit encore à naître; par la même raison si aujourd'hui il pouvoit employer sa volonté á son avantage, & la diriger vers le bon Principe, íi cesseroit d'être mauvais & le mal n'ëxisteroi/' plus. / I f)

Des erreurs et de la vérité, ou, Les hommes rappellés au principe universel de la science (1) • Louis Claude de Saint-Martin

• 5

Ce ne sera jamais que par l'enchainemencK simple & naturel de toutes ces observations + que l'homme pourra parvenir à fixer lès idées sur l'origine du mal; car fi est en laifsant dégénérer sa volonté, que l'Etre intelligent & libre acquiert la connoissance & le sentiment dix mal, on doit être aflìiré que le mal n'a pas d'autre principe, ni d'autre existence que la volonté même de cet Etre íibre; que c'est par cette volonté seule, que le Principe, devenu mauvais, á donné originairement la naissance au mal, 8c qu'il y persévere encore aujourd'hui: en un mot 4 que c'est par cette même volonté que l'homme a? acquis & acquiert tous les jours cette Science suL *Partie, B) 12. De la Liberté ù de la Volonte'*. neste du mal, lamelle il s'ensouce dans les ténebres, tandis qu'il n'étoit né que pour le bien & pour la lumiere.

Si on a agité en vain tant de questions sur la Liberté, & qu'on les ait si souvent terminées par décider vaguement que l'homme n'en est pas susceptible, c'est qu'on n'a pas observé la dépendance & les rapports de cette saculté de l'homme avec sa volonté, & qu'on n'a pas su voir que cette volonté, étoit le seul agent qui pût conserver ou détruire la liberté, c'est-à-dire, qu'on cherche dans la liberté une saculté stable, invariable, qui se maniseste en nous universellement sans cesse, & de la même maniere, qui ne puisse ni diminuer, ni croître, & que nous retrouvions toujours à nos ordres, quel que soit l'usage que nous en ayons sait. Mais comment cocnevoir une saculté qui tienne à l'homme, & qui soit cependant indépendante de sa volonté, tandis que cette volonté' constitue son essence sondamentale? Et ne conviendra-t-on pas qu'il saut nécessairement, ou que la liberté n'appartienne pas à l'homme, ou qu'il puisse insluer sur elle, par l'usage bon ou mauvais qu'il en sait, en réglant plus ou moins bien sa volonté?

Et en ester, lorsque les Observateurs veulent étudier la liberté, ils nous sont bien voir qu'elle doit appartenir à l'homme puisque c'est toujours dans l'homme qu'ils sont obligés d'en íuivre les traces & les caracteres: mais s'ils corntinuent à la considérer, sans avoir égard à fá volonté, n'est-ce pas exactemeht comme s'ils Voûtaient lui trouver une saculté qui sût en lui; mais qui lui fût étrangere; qui íût à lui, mais sur laquelle il n'eût aucune influence j ni aucun pouvoir? Est-il rien de plus absurde & de plus contradictoire Est-il étonnant qu'on ne trouve rien en observant de cette maniere, & sera-ce jamais d'après des recherches aussi peu solides, qu'on pourra prononcer sur notre propre nature?

Si la jouissance de la Liberté ne dépendoit en rien de l'usage de la volonté; si l'homme ne pou voit jamais l'altérer par ses soiblesses & ses habitudes déréglées, je conviens qu'alors tous les actes en seroient fixes & unisormes, & qu'ainfi il n'y auroit point comme il n'y auroit jamais eu de liberté pour lun

Mais si cette saculté ne peut être telle que les Observateurs la conçoivent & voudroient l'exiger, fi sa sorce peut varier à tout instant, si elle peut devenir nulle par l'inaction, de même que par un exercice soutenu & par une pratique trop constante des mêmes actes, alors on ne peut nier qu'elle ne soit à nous & dans nous, & que nûus n'ayons, par Conséquent, le pouvoir de la sortifier ou de l'affoiblir; & cela par les seulá droits de notre Etre & par lè privilege de notra volonté, c'est-à-dire selon, l'emploi bon ou (, B %) mauvais x o *De la Liberté Ù de la Votoríti*. mauvais que nous saisons volontairement des *loît* qui nous sont imposées par notre nature

Une autre erreur qui a sait proscrire la liberté par ces Observateurs, c'est qu'ils auroient voulu se la prouver par l'action même qui en provient; en sorte qu'il sau droit, pour les satissaire qu'un acte pût à la sois, être & n'être pas, ce qui étant évidemment impossible, ils en ont conclu que tout ce qui arrive a dû nécessairement arriver & par conséquent, qu'il n'y avoit point de liberté. Mais ils auroient dû remarquer que l'acte, & la volonté qui l'a conçu, ne peuvent qu'être consormes & non pas opposés; qu'une puissance qui a produit son acte ne peut en arrêter l'effet; qu'ensin, la liberté, prise même dans facception vulgaire, ne consiste pas à pouvoir saire le pour & le contre à la sois, mais à pouvoir saire l'un & l'autre alternativement: or, quand çe ne seroit que dans ce sens, í'homme prouveroit assez ce qu'on appelle communément sa liberté, puisqu'il sait visiblement le pour & le contre dans ses différentes actions successives, & qu'il est le seul Etre de la nature qui puisse ne pa marcher toujours par la même route.

Mais ce seroit s'égarer étrangement que de ne pas concevoir une autre idée de îa liberté car cette contradiction dans les actions d'un. Etre, prouve, il est vrai, qu'il y a du dérangement & de la consusion dans ses sacultés, mats ne prouve point du tout qu'il soit libre, puisqu'il reste toujours à savoir, s'il so livre librement ou non, tant au mal qu'au bien; & c'est en partie pour avoir mal défini la liberté, que ce point est encore couvert des plus épaisses ténebres pour le commun des hommes.

Je dirai donc que la véritable saculté d'un Etre libre, est de pouvoir par lui-même, se maintenir dans la loi qui lui est prescrite, & de conserver sa sorce & son indépendance, en résistant volontairement aux obstacles & aux objets qui tendent à l'empêcher d'agir consormément à cette Loi; ce qui entraîne nécessairement la saculté d'y succomber, car il ne saut pour cela que cesser de vouloir s'y opposer. Alors on doit juger si, dans l'obfcurité où nous sommes , nous pouvons nous flatter de toujours parvenir au but avec la même sacilité; si nous ne sentons pas, au contraire, que la moindre de nos négligences augmente insiniment cette tâche, en épaisissant le voile qui nous couvre: ensuite portant îa vue pour un moment sur l'homme en général, nous découvrirons que si l'homme peut dégrader & affoiblir sa liberté à tous les instants, de mê-mel'espece humaine est moins libre actuellement qu'elle ne l'étoit dans ses premiers jours, & à plus sorte raison qu'elle ne l'étoit avant de naître.

Çe. n!est donc plus dans l'état actuel de (B j l'homme %2, *De la Liberté & de la Volonth* Vhomme, ni dans ses actes journaliers, que nou devons prendre des lumieres pour dJcider de sa vraie liberté, puisque rien n'est plus rare qu5 d'en voir aujourd'hui des effets purs & entiérement indépendants des causes qui lui sont étrangeres; mais ce seroit être plus qu'insensé d'en conclure qu'elle ne sut jamais au nombre de nos droits. Les chaînes d'un csclave prouvent, je le sais., qu'il ne peut plus agir selon toute l'étendue de ses sorces natu-r telles, mais non pas qu'il ne l'a jamais pu . ay conrraireelles annoncent qu'il le pourroit encore, s'il n'eût pas mérité d'être dans la servir tude; car, s'il ne lui étoit pas possible de. jamais recouvrer l'usage de ses sorces, sa chaîne ne seroit pour lui, nj une punition,, ni une h,onte.

En méme temps, de ce que l'bomme, est fi djfficilement fi obscurément & si raremenC libre aujoprd'hui, on ne seroit pas plus raisonnable d'en inférer que ces actions soient indiffé-? rentes, & qu'il, ne soit pas obligé de remplir la ruesure de bien qui lui est imposée méme dans cet état de servitude *y* car la privation de sa liberté consiste en effet à ne pQuvoir, par ses pro-î pres sorces, obtenir la jouissance entiere des avantages renfermés, dans le bien 'pour lequel il a été sait, mais non à pouvoir s'approcher di mal sana se rendre encore plus coupable: puisque puisque l'on verra que son corps matériel ne lui a été prêté que pour saire continuellement la comparaison du saux avec le vrai, & que jamais l'insensibilité où le conduit chaque jour sa négligence sur ce point ne pourra détruire son essence; ainsi, il suffit qu'il se soit éloigné une sois de la lumiere à laquelle il devoit s'attacher, peur rendre la suîce de tes écarts inexcusable, & pour qu'il n'ait aucun droit de murmurer de ses souffrances.

Mais, fàut-iî le dire, si íes Observateurs ont tant balbutié íur la liberté de l'homme, c'est: qu'ils n'ont pas encore pris la premiere notion de ce qu'est sa volonté: rien ne le prouve mieux que leurs recherches continuelles pour savoir comment elle agit: ne pouvant soupçonner que son principe dût être en elle-même, ils l'onc cherché dans des causes étrangeres, & voyant, en esset qu'elle étoit ici-bas si souvent entraînée par des motiss apparents ou réels, ils ont conclu, qu'elle n'agissoit point par elle-

même, & qu'elle avoit toujours besoin d'une raison pour se déterminer. Mais si cela étoit, pourrions-nous dire avoir une volonté puisque, loin d'être à nous, elle seroit toujours subordonnée auxi différentes causes qui agissent sans cesse sur elle? N'est-ce pas alors tourner dans le mêmet cercle, & renouveller la même erreur que nous, awns dissipée «lative/ nent à. la liberté *l* En u»

£4 *De la Liberté & de la Volonte'*, mot, dire qu'il n'y a point de volonté sans motifs c'est-à-dire que la liberté n'est plus une saculté qui dépend de nous, & que nous n'avons jamais été maîtres de la conserver. Or, raisonner ainsi c'est ignorer ce que c'est que ' la volonté qui annonce précisément un Etre agissant par lui-même, $c sans le secours d'aucun autre Etre.

Par conséquent, cette multitude d'objets ôc de motiss étrangers qui nous séduisent & nous déterminent si souvent aujourd'hui, ne prouve pas que nous ne puissions vouloir sans eux, & que nous ne soyons pas susceptibles de liberté, mais seulement qu'ils peuvent prendre empire sur notre vo-r lonté, & l'entraîner quand nous ne nous y opposons pas. Car, avec de la bonne soi, on conviendra que ces causes extérieures nous gênent & nous tyrannisent; pr, comment pourrions-nous le sentir & l'appercevoir, si nous n'étions pas essentielle ment saits pour agir par nous-mêmes, & non par l'attrait de ces illusions?

Quant à la maniere dont la volonté, peut se déterminer indépendamment des motiss & des objets qui nous sont étrangers, autant cette vérité paroîtra certaine à quiconque voudra oublier tout ce qui l'entoure, & regarder en soi, autant l'explication en est-elle un abyme impénétrable pour l'homme & pour quelque Etre que ce soit, puisqu'il saudroit pour la donçer corporiser Kncorporel j ce seroit de toutes les recherches les plus nuisibles à l'homme, & la plus propre à le plonger dans l'ignorance & dans F abrutissement, parce qu'elle porte à saux & qu'elle use en vain toutes les sacultés quî sont en lui, Aussi, la peu de succès qu'ont en les Observateurs íur cette matiere, n'a servi qu'à jetter dans le décou-

ragement ceux qui ont eu l'imprudenee de les suivre, & qui ont voulu chercher auprès d'eux des lumieres que leur saustè marche avoit éloignées. Le Sage s'occupe à chercher la cause des choses qui en ont une, mais il est trop prudent $c trop éclairé pour en chercher *ì* celles qui n'en ont point, & la volonté naturelle à l'homme est de ce nombre, car elle est cause elle-mme.

Par cette raison, dés qu'il lui reste toujours une volonté, & qu'elle ne peut se corrompre que par le mauvais usage qu'il en sait, je continuerai à Je regarder comme libre, quoiqu'étant presque toujours asservi.

Ce n'est point pour l'hamme aveugle, frivole.

& sans desir, que j'expose de pareilles idées; comme il n'a que ses yeux pour guides, il juge les choses sur ce qu'elles sont, & non sur ce qu'elles ont été; ce seroit donc inutilement que je lui présenterais des vérités de cette nature, puisqu'en les comparant avec ses idées ténébrea fes, & avec les jugemens de ses sens, il n'y trouyeroit que des contradictions choquantes., qui i » tf *ife la Liberté & Je la Volonte"*. lui seroient nier également ce qu'il auroit déja conçu, & ce qu'on lui seroit concevoir de nouveau, pour se livrer ensuite au désordre de ses affections, & suivre la loi morte & obscure de l'animal sans intelligence.

Mais l'hamme, qui se sera assez estimé pour chercher à se connoitre, qui aura veillé sur ses habitudes, & qui ayant déja donné ses soins à écarter le voile épais qui l'enveloppe, pourroit tirer quelques sruits de ces réflexions; celui-là, dis-je, peut ouvrir ce livre, je le lui consie de bon cœur, dans la vue de sortifier l'amour qu'il a déja pour le bien.

Cependant quels que soient ceux entre les mains de qui cet écrit pourra tomber, je les exhorte à ne pas chercher l'origine du mal ailleurs que dans cette source que j'ai indiquée, c'est-à-dire, dans la dépravation de la volonté de l'Etre ou du Principe devenu mauvais. Je ne craindrai point d'affirmer qu'en vain ils seroient des efforts pour trouver au mal une autre cause; car, s'il avoit une base plus fixe & plus solide, il seroit

Des erreurs et de la vérité, ou, Les hommes rappellés au principe universel de la science (1) • Louis Claude de Saint-Martin

• 7

éternel & invincible, comme le bien; si cet Etre dégradé pouvoit produire autre chose que des actes de volonté, s'il pouvoit sormer des Etres réels & existants, il auroit la méme puissance que le Principe bon; c'est donc le néant de ses œuvres qui nous sait sen-, tir fa. soiblesse & qui interdit absolument toute comparaison comparaison entre lui & le bon Principe dont il s'est séparé.

Ce seroit être encore bien plus insensé, de cheïcher l'origine du bien ailleurs que dans le bien même; car après tout ce qu'on vient de voir, si des Etres dégradés, comme le mauvais Principe & l'homme, ont encore le droit d'être, la propre cause de lears actions, comment pourroit-on resuser cette propriété au bien, ÏJm, comme tel, est la source insinie de toutes les propriétés, le germe même & l'agent essentiel de tout ce qui est parsait? Il saudroit donc n'avoir pas le sens juste, pour aller chercher la cause & l'origine du bien hors de lui, fi elles ne sont & ne peuvent être que dans lui.

J'en ai dit assez pour saire concevoir l'origine du mal; cependant l'exposé que j'en ai sait, m'oblige, priémiérement, à donner quelques notions sur la nature Sç l'état du mauvais Principe avant sa corruption; secondement, à prévenir une difficulté qui pourroit arrêter ceuxmêmes qui passent pour les plus instruits sur ces objets; savoir, pour-i quoi l'Auteur du mal ne sait aucun acte de liberté, pour se réconcilier avec le, bon Principe; mais je ne m'arrêterai qu'un jnstant sur ces. deux ob-, jets, pour ne pas interrompre ma marche, & pour ae pas trop m'écarter des bornes qui me sont prêt crites.

En, ajinonçant que le Principe du mal s'étoiç rendis *it JÎncïen Etat iu mauvais Principe* rendu mauvais par le seul acte de sa volonté; j'ai donné à entendre qu'il étoit bon avant d'ensanter cet acte. Or étoit-il alors égal à ce Principe supérieur que nous avons reconnu précédemment? Non, sans doute; il étoit bon sans être íon égal; il lui etoit inférieur, sans être mauvais; il étoit provenu de ce même Principe supérieur, & dès-lors il ne pouvoit l'égaler ni en sorce, ni en puissance; mais il étoit bon, parce que l

' Etre qui l'avoit produit, étoit la bonté & l'excellence même; enfin, il lui étoit encore inférieur, parce que ne tenant pas sa loi de lui-même, il avoit la saculté de saire ou de ne pas saire ce qui lui étoit imposé par son origine; & par-là , il étoit exposé à s'écarter de cette loi & à devenir mauvais, tandis que les Principe supérieur, portant en lui-même sa propre loi, est dans la nécessité de rester dans le bien qui le constitue, sans pouvoir jamais tendre à une autre fin.

Quant au second objet, j'ai donné à connoître que fi F Auteur du mal usoic de sa liberté pour se rapprocher du bon Principe, il cesseroit d'être mauvais & de souffrir, & que dès-lors il n'y auroit plus de mal; mais on voit tous les jours par ses œuvres qu'il est comme enchaîné à sa volonté criminelle, en sorte qu'il n'en produit pas un seul acte qui n'ait pour but de perpétuer *h* consusion *§ç* le désordrc.

C'est sur ee point que les sataistes ont cru triompher, prétendant que le mal porte en soi la raison & la nécessité de son existence; ils jettent ainsi les hommes dans le découragement & le déséípoir, pnisque, si le mal est nécessaire, il est impossible, à jamais, d'éviter ses coups, & de conserver aucnne espérance de cette paix & de cette lumiere qui sait l'objet de tous nos desirs & de toutes nos recherches; mais gardonsnous d'adopter ces erreurs, & détruisons les conséquences dangereuses qui en sont les suites *f* en exposant la véritable cause de la durib du mal.

En descendant en nous-mêmes, il nous sera aisé de sentir que c'est une des prernieres loix de la Justice universelle,, qu'il y ait toujours un rapport exact entre la nature de la peine & celle du crime, ce qui ne se peut qu'en assujettissant le prévaricateur à des actes impuissants, semblables à ceux qu'il a criminellement produits, & paf Conséquent opposés à la loi dont il s'est écarté Voilà pourquoi l'Auteur du mal s'étant corrompu par le coupable usage de sa liberté, persévère» dans *fk* volonté mauvaise, de la mérae maniere qu'il l'a conçue, c'est-à-dire, qu'il ne cesse do s'opposer aux actes & à la volonté du

Principes bon, & que, dans ces vains efforts, il éprouves une continuité des mêmes consiances, afin que, selon les loix de la justice ce soie dans l'exerciceî mêm«

'5 ô *ïnéonipàtïbiUté du bien & du mat* même de son crime qu'il rencontre sa punitioilí

Mais ajoutons encore quelques réflexions sur un sujet aussi important

Si le bon Principe est: l'unité essentielle-, s'il est la bonté, la pureté & la persection même, il ne peut souffrir en lui ni division, ni contradiction ni souillure; il est donc évident que l'Auteur dû mal dût en être entièrement séparé & rejette par le seul acte d'opposition de sa volonté à la volonté du bon Principe $ en sorte que dès-lors il ne pût lui rester qu'une puissance & une volonté mauvaise, sans communication ni participation de bien. Ennemi volontaire du bon Principe, & de la regle unique, éternelle & invariable, quel bien, quelle loi pouvoit-il y avoir en lui hors de cette regle, puisqu'il, est impossible qu'un seul & même Etre soit à la sois bon & mauvais, qu'il produffe en même temps l'ordre & le désordre, le pur & l'impur? Il est donc aisé de se convaincre, que sa séparation entière d'avec le bon Principe, l'ayant nécessairement éloigné de tout bien, il ne sut plus en état de connoître & de pro- duire rien de bon, & que désormais il ne put sortir de sa volonté que des actes sans regle & sans ordre, & une opposition absolue au bien & à Ja vérité..

C'est ainsi qu'abymé dans ses propres ténebres, il n'est susceptible d'aucune lumiere & d'aucun retour au bon Principe car, pour qu'U qu'il pût diriger ses desirs vers cette vraie lumiere, il saudroit auparavant que la connoissance lui en sût rendue, il saudroit qu'il pût concevoir une bonne pensée; & comment trouveroit-elle accès en lui, si sa volonté & toutes ses saculés sont tout-à-sait impures & corrompues? En un mot, dès qu'il n'a par lui-même aucune correspondance avec le bien, qu'il n'est en son pouvoir, ni de le connoître, ni de le sentir, la saculté & la liberté d'y revenir sont toujours sans effet pour lui, c'est ce qui rend si horrible la privation à laquelle il se trouve condamné.

La loi de la Justice s'exécute égalment sur l'homme, quoique par des moyens différents; ainsi, elle nous sournira de même, des lumieres qui nous guideront dans les recherches que nous aurons à saire sur lui. I

Il n'y a personne de bonne soi, & dont la raison ne soit pas obscurcie ou prévenue, qui ns convienne que la vie corporelle de l'homme est une privation & une souffrance presque continuelles. Ainsi, d'après les idées que nous avons prises de la Justice, ce ne sera pas sans raisoa que nous regarderons la durée de cette vie corporelle comme un temps de châtiment & d'expiation j mais nous ne pouvons la regarder comme telle, sans penser aussi-tôt qu'il doit y avoir eu pour l'homme un état antérieur & préférable i *fiés deux États de VHommeî* table â ceìui où il se trouve à présent, & nouá pouvons dire, qu'autant son état actuel est borné, pénible & semé de dégoûts, autant l'autre doit avoir été illimité & rempli de délices. Chacune de ses souffrances est un indice du bonheur qui lui mànque; chacune de ses privations prouve qu'il étoit sait pour la jouissance; chacun de ses assujettissements lui annonce une ancienne autorité; en un mot, sentir aujourd'hui qu'il n'a rien, c'est une preuve secrete qu'autresois il avoit tout.

Par le sentiment douloureux de l'assreusë situation où nous le voyons aujourd'hui, nous pouvons donc nous sormer l'idée de l'état heureux où il a été précédemment. Il n'est pas à présent le maître de ses pensées, & c'est un tourment pour lui que d'avoir à attendre celles qu'il desire, & â repousser celles qu'il craint; de-là nous sentons qu'il étoit sait pour disposer de Ces mêmes pensées, & qu'il pouvoit les disposer à son gré d'où il est aisé de présumer les avantages inappréciables, attachés à un pareil pouvoir. Il n'obtient actuellement quelque paix & quelque tranquillité que par des efforts insinis & des sacrifices pénibles; de-là nous concluons qu'il *étot* sait pour jouit perpétuellement & sans travail, d'un état calme & heureux, & què lé séjour de la paix a été sa véritable demeure. Ayant la saculté de tout voit & de tout connoître,

U *iì* rampe néanmoins dans les téenbres, mais c'est en srémissant de son ignorance & de sons aveuglement; n'est-ce pas une preuve certaine que la lumiere est son élément? Ensin, son corps est sujet à la destruction, & cette mort, dont il est le seul Etre qui ait l'idée dans la nature, est! le pas le plus terrible de sa carriere corporelle » l'acte le plus humiliant pour lui, & celui qu'il a les plus en horreur; pourquoi cette loi, fi sévere & íì affreuse pour l'homme, ne nous seroit-elle pas concevoir que son corps en avoit reçu une insiniment plus glorieuse, & devoit jouir de tous les droits de l'immortalité?

Or d'où pouvoit provenir cet état sublime quî rendoit l'homme si grand & si heureux, si co n'est de la connoissance intime & de la présence continuelle du bon Principe, puisque c'est en lui seul que se trouve la source de toute puissance & de toute félicité? Et pourquoi cec homme languit-il à présent dans l'ignorance, dans la soiblesse & dans la misere , si ce n'est parce qu'il est séparé de ce même Principe, qui esf la seule lumiere & l'unique appui de tous les Etres?

C'est ici qu'en rappellant ce que j'ai dit plus haut de la justice du premier Principe, & de la liberté des Etres provenus de lui, nous sentirons parsaitement que si par une suite de son crime, le Principe du mal subit encore les 1. *Partie.* (C) pâciments.

54 *Des deux Etats de VHomme:* pâtiments attachés à sa volonté rebelle, de méme les souffrances actuelles de l'homme ne sont que des suites naturelles d'un premier égarement; de même aussi cet égarement n'a pu provenir que de la liberté de l'homme, qui ayant conçu une pensée contre la Loi suprême, y aura adhéré par sa volonté. D'après la connoiïance des rapports, qui se trouvent entre le crime & les souffrances du mauvais Principe, je pourrois, en suivant leur analogie, saire présumer quelle est la nature du crime de l'homme originel, par la nature de sa peine. Je pourrois même, par ce moyen, appaiser les murmures qui ne cessent de s'élever, sur ce que nous sommes condamnés à participer à son châtiment, quoique nous n'ayons point participé à son crime. Mais ces vérités seroient méprisées par la multitude, & goûtées d'un si petit nombre, que je croirais saire une saute en les exposant au grand jour. Je me contenterai donc de mettre les Lecteurs sur la voie, par un tableau figuratis de l'état de l'homme dans sa gloire, Sç des peines auxquelles il s'est exposé, depuis qu'il en est dépouillé.

Il n'y a point d'origine qui surpasse la sienne; car il est plus ancien qu'aucun Etre de Nature, il existoit avant la naissance du moindre des germes, & cependant il n'est venu au monde qu'après eux. Mais ce qui l'élevoit bien au-dessus de tous ces Etres, c'eft qu'ils étoient foumis à naître d'un pere & d'une mere, au lieu que l'homme n'avoit point de mere. D'ailleurs, leur fonction étoit tout-à-fait inférieure à la tienne; celle de l'homme étoit de toujours *combattre* pour faire cefler le défordre & ramener tout *k V Unité;* celle de ces Etres étoit d'obéir à l'homme. Mais comme les *combats* que l'homme avoic à faire , pouvoient être très-dangereux pour lui, il ecoit revêtu d'une *armure* impénétrable, dont il varioit l'ufage à fon gré, & dont il devoit même *former* des copies égales & abfolument conformes *à* leur modele.

En outre, il étoit muni d'une *lance* compofée de quatre *métaux* fi bien amalgamés, que depuis! l'exiftence du monde, on n'a jamais pu les fépa— rer. Cette lance avoit la propriété de brûler comme le feu même; de plus elle étoit fi aiguë que rien pour elle n'étoit impénétrable, & fi activa qu'elle frappoit toujours en *deux endroits* à la fois. Tous ces avantages joints à une infinité d'autres dons que l'homme avoit reçus en même temps, le rendoient vraiment fort & redoutable.

Le Pays où cet homme devoit *combattre* étoifi couvert d'une forêt formée de *fept* arbres, qui avoient chacun *feie* racines & *quatre cents quatrevingt-dix* branches. Leurs fruits fe renouvellant &ns ceflè, fournifibient à l'homme la plus excel

C *x* lente

VV *Dégradation de VHomme:* lente

Des erreurs et de la vérité, ou, Les hommes rappellés au principe universel de la science (1) • Louis Claude de Saint-Martin

• 9

nourriture, & ces arbres eux-mêmes lûï servoient de retranchement, & rendoient son *Poste* comme inaccessible.

C'est dans ce lieu de délices, le séjour du bonheur de l'homme, & le trône de sa gloire, qu'il auroit été á jamais heureux & invincible j parce qu'ayant reçu ordre d'en occuper le *centre y* il pouvoit de-là observer sans peine tout ce qui se pasioit autour de lui, & avoit ainsi l'avantage d'appercevoir toutes les ruses & toutes les marches de ses adversaires, sans jamais en être apperçu; aussi, pendant tout le temps qu'il garda ce poste, il conserva sa supériorité naturelle, il jouit d'une paix & goûta une félicité qui ne peuvent s'exprimer aux hommes d'à présent; mais dès qu'il s'en sut éloigné, il cessa d'en être le maître, & un autre *Agent* sut envoyé pour prendre sa place; alors l'homme après avoir été honteusement dépouillé de ses droits, sut précipité dans la région des peres & des meres, où il reste depuis ce temps dans la peine & l'affliction de se voir mêlé & confondu avec tous les autres Etres de la Nature.

Il n'est pas possible de concevoir un état plus triste & plus déplorable que celui de ce malheureux homme au moment de sa chûte; car non seulement il perdit aussi-tôt cette lance sormidable à laquelle nul obstacle ne résistoit,.'. *í*.. mais maïs l'armure métne dont il avoic *été* revêtu, disparut pour lui, & elle sut remplacée, pour un temps, par une autre armure qui, n'étant point impénétrable comme la premiere, devint pouc lui une source de dangers continuels, en sorte qu'ayant toujours le même combat à soutenir, il sut insiniment plus exposé.

Cependant, en le punissant ainsi, son pere ne voulut pas lui ôter tout espoir & l'abandonner entièrement' à la rage de ses ennemis j touché de son repentir & de sa honte, il lui promit qu'il pourroit, par ses efforts, recouvrer son premier état; mais que ce ne seroit qu'après avoir obtenu d'être remis en possession de cette lance qu'il avoit perdue, & qui avoit été consiée à l'agent par lequel l'homme étoit remplacé, dans le centre même qu'il venoit d'abandonner.

C'est donc à la recherche de cette arme incomparable, que les hommes ont dû s'occuper depuis, & qu'ils doivent s'occuper tous les jours, puisque c'est par elle seule qu'ils peuvent rentrer dans leurs droits, & obtenir toutes les saveurs qui leur surent destinées.

Il ne saut pas non plus être étonné des ressources qui resterent à l'homme après son crime j c'étoit la main d'un pere qui le punissoit, & c'étoit aussi la tendresse d'un pere qui veilloit sur. lui, lors même que sa Justice l'éloignoit de sa présence. Car le lieu dont l'homme est sorti *(C3)* est 3 8 *Voie de sa réhabilitation.* est disposé avec tant de sagesse, qu'en retournant sur ses pas, par les mémes routes qui l'ont égaré, cet homme doit être sûr de regagner le point central de la sorêt dans lequel seul il peut jouir de quelque sorce & de quelque epos.

En effet, il s'est égaré en allant de *quatre* à *neuf* & jamais il ne pourra se retrouver qu'en allant de *neuf* à *quatre.* Au reste, il auroit tort de se plaindre de cet assujettissement; telle est la Loi imposée à tous les Etres qui habitent la légion des peres & des meres; & puisque J'homme y est descendu volontairement , il saut bien qu'il en ressente toute la peine. Cette Lói est terrible, je le sais, mais elle n'est rien comparée à la Loi du nombre *cinquante-fix* , Loi effrayante, épouvantable pour ceux qui s'y exposent, car ils ne pourront arriver à *soixantequatre,* qu'après l'avoir subie dans toute sa ri-, gueur.

Telle est l'histoire allégorique de ce qu'étoit l'homme dans son origine, & de ce qu'il est devenu en s'écartant de sa premiere Loi í : j'ai tâché par ce tableau de le conduire jusqu'à la source de tous ses maux; & de lui indiquer, mystérieusement il est vrai, les moyens d'y rémédier. Je dois ajouter que, quoique son crime & celui du mauvais Principe soient également le sruit de leur volonté mauvaise, il saut remarquer néanmoins néanmoins que l'un & l'autre de ces crimes fonc de nature très-differente, & que par conséquent, ils ne peuvent être assujettis à une égale punition, ni avoir les mémes suites; parce que d'ailleurs la Justice évalue jusqu'à la différence des lieux où leurs crimes se sont commis. L'homme & le Principe du mal ont donc continuellement leur saute devant les yeux, mais tous deux n'ont pas les mêmes secours ni les mêmes consolations.

J'ai donné à entendre précédemment que le Principe du mal ne peut par lui-même que persévérer dans sa volonté rebelle, jusqu'à ce que la communication avec le bien lui soit rendue. Mais l'homme, malgré sa condamnation, peut appaiser la Justice même, se réconcilier avec la vérité, & en goûter de temps en temps les *douceurs* , comme si en quelque sorte, il n'en étoit pas séparé.

U est vrai de dire néanmoins que le crime de l'un & de l'autre, ne se punit que par la privation, & qu'il n'y a de différence, que dans la mesure de ce châtiment. Il est bien plus certain encore que cette privation est la peine la plus terrible, & la seule qui puisse réellement subjuguer l'homme. Car, on a eu grand tort de prétendre nous mener à la Sagesse, par le tableau effrayant des peines corporelles dans une vie à venir; ce tableau n'est rien, quand on ne les sent pas. Or, ces aveugles Maîtres ne pouvant nous saire connoîtrq (C4) q«'n ijo *Travaux de tHomme.* qu'en idée les tourments qu'ils imaginent, doivent nécessairement saire peu d'effet sur nous.

Si au moins ils eussent pris soin de peindre à l'homme les remords qu'il doit éprouver, quand il est méchant, il leur eût été plus sacile de le toucher, parce qu'il nous est possible d'avoir ici-bas le sentiment de cette douleur. Mais combien nous eussent-ils rendus plus heureux, & nous eussent-ils donné une idée plus digne de notre Principe, s'ils eussent été assez sublimes pour dire aux hommes, que ce Principe étant amour, ne punit les hommes que par l'amour, mais en même temps que n'étant qu'amour, lorsqu'il leur ôte l'amour, il ne leur laisse plus rien.

C'est par-là qu'ils a«roient éclairé & soutenu les hommes, en leur saisant sentir que rien ne devroit plus les effrayer que de cesser d'avoir l'amour de Principe, puisque dès-lors ils sont dans le néant; & certes ce néant que l'homme peut éprouver à tout instant, si on le lui peigrtoit dans toute son horreur, seroit pour lui, une idée plus efficace &

plus salutaire que celle de ces éternelles tortures, auxquelles malgré la Doctrine de ces Ministres de sang, l'horome voit toujours ùne fin & jamais de commencement.

Les secours accordés à l'homme pour sa réhabilitation, quelque précieux qu'ils soient, tiennent cependant à des conditions très-rigoureuses. Et vraiment plus les droits qu'il a perdu sont glorieux glorieux, plus il doit avoir à souffrir pour les recouvrer; ensin étant assujetti par son crime à la loi du temps, il ne peut éviter d'en subir les pénibles effets, parce que s'étant opposé lui-même tous les obstacles, que le temps renserme, la loi veut qu'il ne puisse rien obtenir qu'à mesure qu'il les éprouve, & qu'il les surmonte.

C'est au moment de sa naissance corporelle, qu'on voit commencer les peines qui l'attendent. C'est alors qu'il montre toutes les marques de la plus honteuse réprobation; il naît comme un vil insecte dans la corruption & dans la sange; il naît au milieu des souffrances & des cris de sa mere, comme fi c'étoit pour elle un opprobre de lui donner le jour; or quelle leçon n'est-ce pas pour lui, de voir que de toutes les meres, la semme est celle dont l'ensantement est le plus pénible & le plus dangereux! Mais à peine commence-t-il lui-même à respirer, qu'il est couvert de larmes & tourmenté par les maux les plus aigus. Les premiers pas qu'il sait dans la vie, annoncent donc qu'il n'y vient que pour souffrir, & qu'il est vraiment le fils du crime & de la douleur.

Si l'homme, au contraire, n'eût point été coupable, sa naissance auroit été le premier sentiment du bonheur & de la paix. En voyant la lumiere, il en auroit célébré la splendeur par de viss transports, & par de tributs de louanges envers le Principe de sa sélicité. Sans trouble sur 42. *Travaux de VHomme.*

íùr la légitimité de son origine, sans inquiétude sur la stabilité de son sort, il en eût goûté tous les délices, parce qu'il en auroit connu sensiblement les avantages. O homme, verse des larmes ameres sur l'énormité de ton crime, qui a si horriblement changé ta condition; srémis sur le suneste arrêt qui condamne

ta postérité à naître dans les tourments & dans l'humiiiation, tandis qu'elle ne devoit connoître que la gloire, & un bonheur inaltérable.

Dès les premieres années de son cours élémentaire la situation de l'homme devient beaucoup pins effrayante, parce qu'il n'a encore souffert que dans son corps, au lieu qu'il va souffrir dans sa pensée. De même que son enveloppe corporelle a *été* jusques là en butte à la sougue des éléments, avant d'avoir acquis la moindre des sorces nécessaires pour se désendre; de même sa pensée va être poursuivie dans un âge où n'ayant pas encore exercé sa volonté, l'erreur peut le séduire plus aisément, porter par mille sentiers ses attaques jusqu'au germe, & corrompre l'arbre dans sa racine.

Il est certain que l'homme commence alors nne carriere si pénible & si périlleuse, que si les secours ne suivoient pour lui la méme progr esfïon il succomberoit insailliblement; mais la même main qui lui a donné l'être, ne néglige rien pour sa conservation; à mesùre qu'il avance en âge que les obstacles se multiplient & s'opposent à l'exercice de ses sacultés, à mesure auïlì son enveloppe corporelle acquiert de la consistance; c'est-à-dire, que sa nouvelle armure se sortifie & devient plus puissante contre les attaques de ses ennemis, jusqu'à ce qu'ensin le temple intellectuel de l'homme étant élevé, cette enveloppe devenue inutile, se détruise, laissant l'édifice à découvert & hors de toute atteinte.

Il est donc évident que ce corps matériel que nous portons, est l'organe de toutes nos souffrances 5 c'est donc lui qui sormant des bornes épaisses à notre vue & à toutes nos sacultés, nous tient en privation & en pâtiment; je ne dois donc plus dissimuler que la jonction de l'homme à cette enveloppe grossiere, est la peine même à laquelle son crime l'a assujetti temporellement, puisque nous voyons les horribles effets qu'il en ressent depuis le moment où il en est revêtu jusqu'à celui où il en est dépouillé; *gc* que c'est par-là que commencent & se perpétuent les épreuves, sans lesquelles il ne peut rétablir les rap-

ports qu'il avoit autresois avec la Lumiere.

Mais malgré les ténebres, que ce corps matériel répand autour de nous, nous sommes obligés d'avouer aussi qu'il nous sert de rempart & de sauvegarde contre les dangers qui nous environnent, & que sans cette enveloppe, nous serions insiniment plus exposés.

Ce sont là, n'en doutons point les idées que 44-*Origine da Matérialisme.* les Sages en ont eu dans tous les temps. Leur premiere occupation a été de se préserver sans cesse des illusions que ce corps leur présentoit. Ils Pont méprisé, parce qu'il est méprisable par sa nature; ils l'ont redouté par les sunestes suites des attaques auxquelles il les exposoit, & ils ont tous parsaitement connu qu'il étoit pour eux la voie de l'erreur & du mensonge.

Mais l'expérience leur a appris aussi que c'est le canal par où arrivent, dans l'homme, les connoissances & les lumieres de la Vérité; ils ont senti, que puisqu'il nous sert d'enveloppe, & que nous n'avons pas méme la pensée à nous, il saut bien que nos idées venant toutes du dehors, s'introduisent nécessairement par cette enveloppe, & que nos sens corporels en soient les premiers organes.

Or, c'est à ce sujet que l'homme par la promptitude & la légéreté de ses jugements, a commencé à se livrer â des erreurs sunestes qui ont produit dans son imagination les idées les jlus monstrueuses; c'est de-là, dis-je, que les Matérialistes ont tiré cet humiliant système des sensations qui ravale l'homme au-dessous de la bête, puisque celle-ci, ne recevant jamais a la fois qu'une seule sorte d'impulsion, n'est pas susceptible, de s'égarer, au lieu que l'homme étant placé au milieu des contradictoires, pourroit, selon cette opinion se livrer en paix indifféremment à toutes les impressions dont il seroit affecté.

Mais d'après les lumieres de justice que nous avons déja reconnues en lui, il ne se peut que nous adoptions ces opinions avilissantes. Nous avons démontré que l'homme, chargé de sa conduite est comptable de toutes ses actions; je me garderai bien à présent de lui laisser enlever un privilege auflì sublime, & qui l'éleve fi fort au dessus de toutes les Créatures.

Rien ne m'empéchera donc d'assurer à mes semblables, que cette erreur est la ruse la plus adroite & la plus dangereuse qui ait pu être employée pour les arrêter dans leur marche, & pour les égarer. Ce seroit pour un voyageur une incertitude des plus désesperantes, de rencontrer deux routes opposées, sans connoître le lieu où l'une & l'autre aboutiroient. Cependant, en observant le chemin qu'il auroit déja fait, se rappellant le point d'où il seroit parti & celui auquel il tend, il seroit peut-être assez de combinaisons pour se déterminer & pour choifir juste; mais si quelqu'un se présentoit à lui, & lui disoit qu'il est très-inutile de prendre tant de peines pour démêler la véritable route, que celles qui s'offrent à ses yeux menent également au but, & qu'il peut suivre indifféremment l'une ou l'autre; alors la situation du voyageur deviendront bien plus facheux & plus embarrassante que lorsqu'il étoit réduit à prendre 46 *Système des Sensations.* dre conseil de lui-même;.car enfin il lui fêroît impossible de se nier l'oppofirion qu'il verroît entre ces deux routes; & le premier sentiment qui devroit alors naître en lui, seroit de se défier des conseils qu'on lui donne, & de se persuader qu'on veut lui, tendre un piege.

Voilà cependant quelle est la position actuelle de l'homme, relativement aux obscurités que les Auteurs du système des sensations ont répandu sur sa carriere. Lui annoncer qu'il n'a d'autres loix que celles de ses sens, & qu'il ne peut avoir d'autre guide, c'est lui dire qu'en vain chercheroit-il à faire un choix parmi les choses qu'ils lui présentent, puisque ces sens eux-mêmes sont sujets à varier dans leur action, & qu'ainsi l'homme ne pouvant pas en diriger les mobiles, eflayeroit inutilement d'en diriger le cours & les effets.

Mais, ainsi que le voyageurs, l'homme ne peut se refuser à sa propre conviction; il voit bien que les sens amenent tout en lui, mais en même temps, il est forcé d'avouer que parmi les choses qu'ils lui amenent, il y en a

qu'il sent être bonnes, comme il y en a qu'il sent être mauvaises.

Quelle devroit donc être sa défiance contre ceux qui le voudroient détourner de faire un choix, en lui insinuant que toutes ces choses sont indifférentes ou de même nature? Ne de vroit-il

Troit-il pas en ressentir la plus vive indignation, & se mettre en garde contre des maîtres auffi dangereux?

C'est cependant là, je le répete, la plus commune tentative qui se soit faite contre la pensée de l'homme; c'est en même temps la plus séduisante, & celle dont le Principe du mal tireroit le plus d'avantage; parce que s'il pouvoit nourrir l'homme dans la persuasion qu'il n'y a point de choix à faire parmi les choses qui l'envirônnent, il viendroit facilement à bout de faire passer jusqu'à lui, l'horrible incertitude & le désordre dans lequel il se trouve lui-même plongé par la privation où il est de toute Loi.

Mais fi la Justice veille toujours sur l'homme, il faut qu'il ait en lui les moyens de démêler les stratagêmes de son ennemi, & de déconcerter, quand il le voudra, toutes ses entreprises; sans quoi il ne pourroit être puni de s'y laifier surprendre: ces moyens doivent être sondés for sa propre nature, qui ne peut pas plus changer que la nature même du Principe dont il est provenu; ainsi sa propre essence étant incompatible avec le mensonge, lui fait connoître tôt ou tard qu'on l'abuse, & le ramene naturellement à la Vérité.

J'emploierai donc ces mêmes moyens qui mp sont communs avec tous les hommes, pour leur montrer le danger & l'absurdité de cette opinion

«ennemie *l 'Faculté innée dans fHomme]* ennemie de leur bonheur, & qui n'est propre qu'à les abymer dans le crime & dans le désespoir. J'ai suffisamment prouvé par nos souffrances, que nous étions libres; ainsi je m'adresserai aux Matérialistes, & je leur demanderai comment ils ont pu s'aveugler assez pour ne voir dans l'homme qu'une machine.? Je voudroîs au moins qu'ils eussent eu la bonne foi d'y voir une machine active, & ayant en elle-même son Principe d'action, car si elle-étoit parement passive, elle rece-

vroit tout & ne rendroit rien.

Alors, dès qu'elle manifeste quelque activité, il faut qu'elle ait au moins en elle le pouvoir de faire cette manifestation, & je ne crois pas que personne prétende que ce pouvoir-là nous vienne par les sensations. Je crois en même temps que sans ce pouvoir inné dans l'homme, il lui èroit impossible d'acquérir ni de conserver la ícience d'aucune chose, ce qui s'observe sans aucun doute sur les Etres privés de discernement. Il est donc clair que l'homme porte en lui la semence de la lumiere & des vérités dont il offre si souvent les témoignages. Et faudroit-il quelque chose de plus pour renverser ces principes téméraires par lesquels on a prétendu le dégrader?

Je sais qu'à la premiere réflexion, on pourra m'opposer que non seulement les bêtes, mais même tous les Etres corporels, rendent aussi une action extérieure, d'où il faudra conclure que tous ces Etres ont aussi quelque chose en eux, & ne sont pas de simples machines. Alors „ me demandera-t-on, quelle est la différence de leur Principe d'action d'avec celui qui est dans l'homme? Cette différence sera facilement apperçue de ceux qui voudront l'observer avec attenH tion, & mes Lecteurs la reconnoîtront avec moi *J* en fixant un moment leur vue sur la cause de cette méprise.

Il y a des Etres qui ne sont qu'intelligens, if y en a qui ne sont que sensibles; l'homme est *i* la fois l'un & l'autre. Voilà le mot de l'énigme Ces différentes clastes d'Etres ont chacune un Principe d'action différent; l'homme seul les réunie tous les deux; & quiconque voudra ne les pas confondre, sera sûr de trouver la solution de toutes les difficultés.

Par son origine, l'homme jouissoit de tous les droits d'un Etre intelligent, quoique cependant 11 eût une enveloppe; car, dans la région temporelle, il n'y a pas un seul être qui puiflç s'en passer. Et ici, l'ayant déja fait assez entrevoir,. j'avouerai bien que l'armure impénétrable áont j'ai parlé précédemment, n'étoit autre chose que cette premiere enveloppe de l'homme. Mais pourquoi étoit-elle impénétrable? C'est qu'étant une & simple, à cause de la supériorité cle sa nature, elle ne pouvoit nullement Z *Partie*. (D) ;o *De la nouvelle enveloppe de VHomme'.* se décomposer, & que la loi des assemblages élémentaires n'avoit absolument aucune prise sur elle.

Depuis sa chute, l'homme s'est trouvé revêtu d'une enveloppe corruptible, parce qu'étant composée, elle est sujette aux différentes actions du sensible, qui n'operent que successivement, & qui par conséquent se detruisent les unes & les autres. Mais par cet assujettissement au sensible, il n'a point perdu sa qualité d'Etre intelligent; en sorte qu'il est à la sois grand & petit mortel & immortel, toujours libre dans l'intellectuel, mais lié dans le corporel par des loix indépendantes de sa volonté; en un mot, étant un assemblage de deux Natures, diamétralement opposées, il en démontre alternativement les effets, d'une maniere si distincte, qu'il est impossible de s'y tromper. Car, fi l'homme actuel n'avoit que des sens, ainsi que les systêmes humains le voudroient établir, on verroit toujours le même caractere dans. toutes' ses actions, & ce seroit celui de ses sens; c'està-dire, qu'à l'égal de la bête, toutes les sois qu'il seroit excité par ses besoins corporels, il tendroit avec effort, à les satissaire, sans jamais résister à aucunes de leurs impulsions, fi ce n'est pour céder à une impulsion plus sorte, mais qui dès-lors doit se considérer comme agissant seule, flc qainaíssaht toujours du sensible ,, agît dans les sens & tient.toujours aux sens.

Pourquoi donc l'homme peut-il s'écarter de la Loi des sens? pourquoi peut-il se resuser à ce qu'ils lui demandent? pourquoi, pressé par la saim, est il néanmoins le maître de resuser les mets les plus exquis qu'on lui présente, de se laisser tourmenter, dévorer, anéantir même par le besoin, & cela à la vue de ce qui seroit le plus propre à le calmer? pourquoi, dis-je,y at-il dans l'homme une volonté qu'il peut mettre n opposition avec ses sens, s'il n'y a pas en lui plus d'un Etre? Et deux actions si contraires quoique se montrant ensemble, peuvent-elles tenir à la même source?

En vain on m'objecteroit, à présent, que quand sa volonté agit ainsi, c'est qu'elle est déterminée par quelque motis, j'ai assez sait entendre , en parlant de la liberté, que la volonté de l'homme étant cause elle-même, devoit avoir le privilege de se déterminer seule & sans motis autrement elle ne devroit pas porter le nom de volonté. Mais en supposant que dans le cas donc il s'agit, sa volonté se déterminât en effet par un motis, l'exiftence des deux Natures de l'homme n'en seroit pas moins évidente; car il saudroic toujours chercher ce motis ailleurs que dans l'action de ses sens, puisque sa volonté la contrarie; puisque, lors même que son corps cherche toujours à exister & à vivre, il peut vouloir (D 1) le

'fi *Le senjlble seul dans la BÊte.* le laisser souffrir, s'épuiser & s'éteindre. Cette double action de l'homme est donc une preuve convaincante qu'il y a en lui plus d'un Principe.

Au contraire, les Etres qui ne sont que sensibles) ne peuvent jamais donner des marques que de ce qu'ils sont. Il saut il est vrai, qu'ils aient le pouvoir de rendre & de manisester ce que les sensations operent sur eux; sans cela, tout ce qui leur seroit communiqué, seroit' comme nul, & ne produiroit aucun effet. Mais je ne crains point d'errer, en assurant que les plus belles affections des bêtes, leurs actions les mieux ordonnées, ne s'élevent jamais au-dessus du sensible; elles ont comme tous les Etres de la Nature, un individu à conserver, & elles reçoivent avec la vie, tous les pouvoirs nécessaires à cet objet, en raison des dangers auxquels elles doivent être exposées, selon leur cspece, pendant le cours de leur durée, soit dans les moyens de se procurer la nourriture, fbit dans les circonstances qui accompagnent leur reproduction, & dans tous les autres événements qui se multiplient & varient suivant les différentes classes de ces Etres, ainsi que pour chaque individu. Mais je demande si jamais qn a apperçu dans les bêtes quelqu'action qui n'eût pour unique but leur bien-être corporel, & si elles ont jamais rien manisesté qui sût le véritable indice de l'intelligence.

Ce f *De r Etre aclif dans la Bête.*

Ce qui trompe la plus grande partie des hommes à cet égard c'est de voir que parmi les bêtes, il y en a plusieurs qui sont susceptibles d'être sormée! à des actes qui ne leur sont point naturels; elles apprennent, elles se ressouviennent, elles agissent même souvent en conséquence de ce qu'elles ont appris, & de ce que leur mémoire leur rappelle. Cette observation pourroit en effet nous arrêter, sans les principes que nous avons établis.

J'ai dit que dès que les bétes manisestoient 'quelque chose au dehors, il salloit nécessairement qu'elles eussent un Principe intérieur & actis, sans lequel elle n'existeroient pas; mais ce Printipe, je l'ai annoncé comme n'ayant que le sensible pour guide, & la conservation du corporel pour objet. C'est par ces deux moyens que l'homme parvient à drefler la bête; il la srappe, ou il lui donne à manger, *Sc* parlà il dirige, à sa volonté, le Principe actis de f'animal, qui ne tendant qu'au maintien de son Etre, se porte avec effort à des actes qu'il n'auroit jamais pratiqué, s'il eût été laissé à sa propre Loi. L'homme, par la crainte, ou par l'attrait de la nourriture, le presse & l'oblige à étendre & à augmenter son action; il est donc évident que ce Principe, étant actif & sensible, est susceptible de recevoir. des impressions *j* s'il peut recevoir des impressions, 1 Pt (D) âuîB 54 *Des habitudes dans la Bête.* auîîl les conserver, car il suffit pour cela, que la même impression se prolonge & continue son action. Alors, recevoir des impressions & les' conserver, c'est prouver, en effet, que ranimai est susceptible d'habitude.

Nous pouvons donc, sans danger, reconnoître que le Principe actif des bêtes est capablp d'acquérir l'habitude de différents actes par l'industrie de l'homme; car soit dans les actes que la bête produit naturellement soit dans ceux auxquels elle est dressée, on ne voit aucune marche, ni aucune combinaison dans lesquelles le sensible ne soit pour tout & le mobile de tout; alors donc, quelques merveilles que la bête étale à mes yeux, je la trouverai certainement trèsadmirable, mais mon admi-

Des erreurs et de la vérité, ou, Les hommes rappellés au principe universel de la science (1) • Louis Claude de Saint-Martin

• 13

ration n'ira pas jul qu'à reconnoître en elle un Etre intelligent, pendant que je n'y vois qu'un Etre sensible, car ensin le sensible n'est pas intelligent.

Pour mieux sentir la différence de l'Animal avec l'Etre intelligent, saut-il considérer les classes qui sont au dessous de ce même Animal, tels que le végétal & le minéral? Dès que ces classes inférieures operent des actes extérieurs, comme la croissance, la sructification, la génération & autres, nous ne pourrons douter qu'elles n'aient aussi bien que l'animal, un Principe actis, inné en elles, & d'où émanent toutes ces différentes actions.

Néanmoins

Néanmoins, quoique nous appercevions en elles une Loi vive, qui tend avec sorce à son accomplissement, nous ne leur avons jamais vu produire les moindres signes de douleur, de plaisir, de crainte, ni de desir, toutes affections qui sont propres à l'Animal, de-là nous pouvons dire, que de même qu'entre l'Animal & les Etres inférieurs, il y a une différence considérable dans les Principes, quoiqu'il aient les uns & les autres la saculté végétative, de même l'homme a de commun avec l'Animal un Principe actis, sosceptible d'affections corporelles & sensibles, mais il en est essentiellement distingué par son Principe intellectuel, qui anéantit toute comparaison entre lui & la bête.

C'est donc uniquement pour avoir été séduit par cet enchaînement universel, dans lequel unEtre tient toujours à celui qui le suit, & à celui qui Je précede, qu'on a consondu les différents anneaux qui composent l'homme actuel & qu'on ne l'a pas cru différent de ce Principe inférieur & sensible, auquel il n'est attaché que pour un temps.

Quelle consiance pouvons-nous avoir alors aux systêmes que l'imagination de l'homme a ensantés sur ces matieres, quand nous les voyons poser siir une base aussi évidemment sausse? Et quelle plus sorte preuve pouvons-nous desirer, que celle du sentimsnt & de l'expérience?

(r; A 5 6 *Maniere de distinguer les trois Règnes.*

A cette occasion, je vais entrer dans quelques détails sur la distinction & l'enchaîneanent des trois regnes de la nature, pour tâcher de nous consirmer dans les principes que nous venons d'établir sur la différence des Etres, malgré leur affinité. Je préviens néanmoins que ces discussions devroient être étrangeres à l'homme, 6 que c'est un malheur pour lui d'avoir besoin de ces preuves pour se connoître, & pour croire à sa propre nature; car elle porte en elle-même des témoignages bien plus évidents que ceux qu'il peut trouver dans ses observations sur les objets sensibles & matériels.

Les sciences humaines ne sournissent aucune regle sûre pour classer réguliérement les trois Regnes; on n'y pourra jamais parvenir qu'en suivant un ordre consorme à la Nature; en ce cas il saut premièrement mettre au rang des Animaux les Etres corporels qui portent en eux toute l'étendue du Principe de leur sructification, qui par conséquent n'en ayant qu'un, n'ont pas besoin d'être adhérents à la terre, pour le saire agir, mais prennent leur corporisation par la chaleur de la semele de leur espece, soit qu'ils lacquierent dans le sein de cette même semele, ou par le seu extérieur qu'elle leur communique, comme il arrive pour la sructification des ovipares, soit qu'ils l'ac quierent quierenc par la chaleur du soleil, ou par celle de tout autre seu.

Secondement, il saut placer au rang des Végétaux tout Etre qui, ayant son matras dans la terre, sructifie ainsi par l'action de deux agents, & maniseste tune production, soit au dehors, soit au dedans de cette même terre.

Enfin, on doit regarder comme Minéraux tous les Etres qui ont également leur matras dans la terre, & y prennent leur croissance & leur végétation, mais qui, provenant de l'action de trois agents, ne peuvent donner aucun signe de reproduction, parce qu'ils ne sont que passiss, *Òc* que les trois actions qui les constituent, ne leur appartiennent pas en propre.

Ces regles, une sois établies, pour savoir fi un Etre est Végétal ou Animal, il saut voir s'il tire sa substance des sucs de la terre, ou s'il se nourrit de ses pro-

ductions. S'il est attaché à *h* terre, de maniere qu'il meure, lorsqu'il en est détaché, il n'est que Végétal. S'il n'est point lié à cette même terre, quoiqu'il se nourrisse de ses productions, il est Animal, quel qu'ait été le moyen de sa corporation.

La différence, je le sais, est insiniment plus difficile à saire entre le Végétal & le minéral, qu'entre le végétal & l'Animal, parce qu'entre les Plantes & les Minéraux, il y a une si grande affinité, & ils ont tant de sacultés qui leur sont » eommunes, 5 S *ProgrtJJìon Quaternaire universelle.* communes, qu'il n'est pas toujours aisé de les demêler.

Cette difficulté vient de ce que la différence des genres de tous les Etres corporels est toujours en proportion géométrique Quaternaire. Or dans l'ordre vrai des choses, plus le degré des puissances est élevé, plus la puissance est affoi,blie, parce qu'alors elle est plus éloignée de la puissance premiere, d'où toutes les puissances subséquentes sont émanées. Ainsi, les premiers termes de la progression, étant plus voisins du terme radical, ont des propriétés plus actives, Foù résultent par conséquent des effets plus sensibles & par-là plus saciles à distinguer: & cette force, dans les sacultés, diminuant, à mesure que les termes de la progression se multiplient, ii est clair que les résultats des derniers termes doivent n'avoir que des nuances en quelque sorte imperceptibles.

Voilà pourquoi le Minéral est plus difficile à distinguer du Végétal, que le Végétal de *V*Animal; car c'est dans le Minéral que se trouve le dernier terme de la progression des choses créées.

Il saut appliquer le même principe à tous les Etres qui semblent intermédiaires entre les différents regnes, & qui paraissent les lier, parce que la progression du nombre est continue, sans borne *de* sans aucune séparation; mais, pour connoître parsaitement la puissance d'un terme quelconque de la progression dont il s'agit, il saudroit au moins connoître une des racines, & c'est une des choses que l'homme perdit, lorsqu'il sut privé de son premier état; en effet, il ne connoît aujourd'hui la racine d'aucun nombre, puisqu'il ne connoît pas la premiere de toutes les racines, ce que l'on verra par la suite.

Il saut également appliquer le principe de la progression Quaternaire, aux Etres qui sont au dessus de la Matiere, parce qu'il s'y sait appercevoir avec la méme exactitude, & d'une maniere encore plus marquée en ce qu'ils sont moins éloignés du premier terme de cette Progression; mais peu de gens me comprendroient dans l'application que j'en pourrois saire à cette Classe, aussi mon dessein & mon devoir m'empêchent d'en parler ouvertement.

Si l'homme avoit une Chymie , par laquelle il pût, sans décomposer les corps, connoître leurs vrais Principes, il verroit que le seu est le propre de l'Animal, l'eau le propre du Végétal, & la terre le propre du Minéral; alors il auroit des lignes encore plus certains pour reconnoître la véritable nature des Etres, & ne seroit plus embarrassé, pour discerner leur Rang & leur Classe.

Jt 6 *Union des trois Elémtntsl* Je ne m'arrâte pas à lui saire observer qne ces trois Eléments, qui doivent servir de signes pour démêler les différents Regnes, ne peuvent pas exister chacun séparément & indépendamment des deux autres; je présume que cette notion est assez commune pour ne devoir pas rappeller ici que dans l'Animal, quoique le seu y domine, l'eau & le terre *y* doivent exister nécessairement, & ainsi des deux autres Regnes, où le Principe dominant est de toute nécessité accompagné des deux autres Principes. Il n'y a pas, jusqu'au mercure même, sur qui cette observation ne s'applique avec la même justesse, quoique certains Alchymistes ne lui trouvent point de seu . mais ils devroient saire attention que le mercure minéral n'a encore reçu que la seconde opération, & qu'ainsi, quoiqu'il ait en lui, comme tout Etre corporel, un seu élémentaire, cependant ce seu n'est pas sensible, jusqu'à ce qu'un seu supérieur vienne l'agiter, & c'est-là la troisieme opération que je démontrerai nécessaire pour compléter toute corporisation; voilà pourquoi le mercure, quoiqu'avec un seu élémentaire, est cependant le corps de la nature le plus sroid.

C'est, je le répete, uniquement pour désendre *h* nature-de l'homme, que je me sois laissé entraîner à tous ces détails. J'ai roulu montrer à ceux qui l'avilissent, en le consondant avec les bêtes, qu'ils tombent, à son sujet, dans une méprisë qui n'est pas pardonnable, même sur les Etres purement élémentaires, puisque d'un Regne à l'autre, nous trouvons des différences infinies, quoique tous ce Regnes aient des parités & des similitudes sondamentales.

Nous voyons que dans toutes les Classes, l'inférieure n'a rien de ce qui se maniseste d'une maniere particuliere dans la supérieure. Ainsi, dès que dans les Etres corporels, au dessous de l'homme, nous n'avons apperçn aucune des marques de l'intelligence, nous ne pouvons lui resuser qu'il ne soit ici-bas le seul savorisé de cet avantage sublime, quoique, par sa sorme élémentaire, il se trouve assujetti au sensible, & à toutes les affections matérielles de la bête.

Ceux donc qui ont essayé de dépouiller l'homme de ses plus beaux droits en se sondant sur son assujettissement & sa liaison à l'Etre corporel qui l'enveloppe, n'ont présenté, pour preuve, qu'une vérité que nous reconnoissons comme eux, puisque nous savons tous qu'il ne reçoit aucune lumiere que par les sens. Mais, pour n'avoifc pas porté plus loin leur observation, J's sont restés dans les ténebres, & y ont entraîné la multitude.

z De la pensee de î Homme.

Dans la malheureuse condition de l'homme actuel, aucune idée ne peut en effet se saire sentir en lui, qu'elle ne soit entrée par les sens; ensorte qu'il saut convenir encore, que ne pouvant pas toujours disposer des objets & des Etres qui actionnent ses sens, il ne peut, par cette raison, être responsable des idées qui naissent en lui; de saçon que reconnoissant, comme nous l'avons sait', un Principe bon & un Principe mauvais, & par conséquent un Principe de pensées bonnes & un Principe de pensées mauvaises, on ne doit pas être surpris que l'homme se trouve exposé aux unes &' aux autres, sans pouvoir se dispenser de les sentir.

C'est là ce qui a sait croire aux Observateurs que nos pensées & toutes nos sacultés intellectuelles n'avoient point d'autre origine que nos sens. Mais, premiérement, ayant consondu en un seul les deux Etres qui composent l'homme d'aujourd'hui, n'ayant pas apperçu en lui ces deux actions opposées, qui en manisestent si clairement les différents Principes, ils ne reconnoissent en lui qu'une seule sorte de sens, & sont vaguement dériver tout, de sa saculté de sentir. Cependant, après tout ce que nous avons dit, il n'y sauroit qu'à ouvrir les yeux, pour convenir que l'homme actuel ayanc en lui deux Etres différents à goi verner, erner 1 & que ne pouvant en effet connoitre les besoins de l'un & de l'autre que par Ja sensibilité, il salloit bien que cette saculté sût double, puisqu'il étoit double lui-même; auffi quel sera l'homme assez aveugle, pour ne pas trouver en lui une saculté sensible relative à l'intellectuel, & une saculté sensible relative au corporel? Et ne faut-i pas convenir que cette distinction, prise dans la Nature même, auroit éclairci toutes les méprises? Je dois dire néanmoins, que dans ces ouvrage, j'emploierai le plus souvent ces mors de sens & de sensible, dans l'acception corporelle, & que lorsque je parlerai du sensible intellectuel ce sera de manière qu'on ne puisse pas consondre l'un avec l'autre.

Secondement, sous quelque point de vue que les Observateurs eussent considéré la saculté sensible de l'homme, s'ils avoient mieux pesé leur système, ils auraient vu que nos sens sont bien, à la vérité, l'organe de nos pensées, mais qu'ils n'en sont pas l'origine; ce qui sait sans doute une trop grande différence pour qu'on soit excusable de ne savoir pas apperçue.

Oui, telle est notre peine, qu'aucune pensée ne puisse nous parvenir immédiatement, & sans le secours de nos sens qui en sont les organes nécessaires dans notre état actuel; mais si nous avons reconnu dans l'homme un

Principe 64. Droits de F Homme fur fa Pensée. Principe actis & intelligent qui le distingue si parsaitement des autres Etres, ce Principe doit avoir en lui-même ses propres sacultés; or la

Des erreurs et de la vérité, ou, Les hommes rappellés au principe universel de la science (1) • Louis Claude de Saint-Martin

• 15

seule, dont l'usage nous soit resté dans notre pénible situation, c'est cette volonté innée en nous, dont l'homme a joui pendant sa gloire & dont il jouit encore après sa chute. Comme c'est par elle qu'il s'est égaré, c'est par la sorce de cette volonté-seule qu'il peut espérer d'être rétabli dans ses premiers droits; c'est elle qui le préserve absolument des précipices où l'on veut le plonger, & de croire à ce néant auquel on voudroit réduire sa nature: c'est par elle, en un mot, que n'étant pas le maître d'empêcher que le bien & le mal se communiquent jusqu'à lui, il est cependant responsable de l'usage qu'il sait de cette volonté, par rapport à l'un & à l'autre. Il ne peut saire qu'on ne lui offre, mais il peut choisir, & choisir bien; & je n'en donnerai pas, pour le moment, d'autres preuves, fin on qu'il souffre, & qu'il est puni quand il choisit mal.

Le Lecteur intelligent, pour qui j'écris, n« peut pas ignorer que la peine & les souffrances, dont je veux parler, sont d'une nature bien différente des maux passagers, corporels ou conventionnels, les seuls qui soient connus de la multitude.

Toutes Toutes les attaques, que l'on a portées-contre la dignité de l'homme, ne sont don? plus d'auj cune valeur pour nous, ou bien il suudroit renverser les premiers & les plus sermes fondements de la Justice que nous avons posés précédemment, ainsi que les notions invariables que nous savons être communes à tous les hommes, & qu'aucun Etre intelligent & raisonnable ne pourra jamais révoquer en doute

Je ne m'arréte point à examiner si dans ià conduite ordinaire de l'homme, sa vplontl attend toujours une raison décisive pour se dé terminer, ou si elle est dirigée par l'attraiç seul du sentiment; je la crois susceptible de l'un & de l'autre mobile; Sç je d r i que pour U régularité de sa marche, l'homme ne doit exclure ni l'un ni l'autre de ces deax moyens, car autant la réflexion fans le intiment le rendroit sroid & iramob e, autan: le sentiment sans la réflexion seroit sujet à i égarer.

Mais, je le répôte, ces questions sont étrangères à ' mon sujet, & je les crois

abusives & in» sructueuses; ainsi je laisse à la Métaphysique de l'Ecole à cherchôr comment la volonté se determine & comment elle agit; il suffit à l'homme de reconnoître que c'est toujours librement, & que cette liberté est un malheur de plus pour lui & la raison de toutes ses souffrances, quand il X *Partie.* (E) abandonna t,& *Grandeur de Tiïommf.* abandonne les Loix qui doivent la diriger. Revenons à notre sujet.

Quoique nous ayons reconnu que tous les Etres avoient nécessairement quelque chose en eux, sans quoi ils n'auroient ni vie, ni existence, ni action, nous n'admettrons pas pour cela qu'ils aient tous la même chose. Quoi-que cette Loi d'un Principe inné soit unique & universelle, nous nous garderons bien de dire que ces Principes soient égaux & agissent unisormément dans tous les' Etres puisqu'au contraire nos observations nous sont connoître une différence essentielle entre eux, & sur-tout entre les Principes innés dans les trois Regnes matériels & le Principe sacré dont l'homme est le seul savorisé parmi tous les Etres qui composent cet Univers.

Car cette supériorité du Principe actis & intelligent de l'homme ne doit plus nous étonner, fi nous nous rappelions la propriété de cette progression quaternaire qui fixe le rang & les sacultés des Etres, & qui ennoblit leur essence, en raison de ce qu'ils sont plus voisins du premier terme de la progression. L'homme est la seconde Puissance de ce premier terme générateur universel; le Principe actis de la matiere n'est que le troisieme; en sautil davantage po-ar recQnnoître que l'on ne peut. absolument admettre entr'eux aucune égalité."

La

La source des systêmes injurieux à l'homme Vient donc de ce que leurs Auteurs n'ont pas distingué ià nature de nos affections; D'un côté, ils ont attribué à notre Etre intellectuel, les mouvements de l'Être sensible j & de l'autre ils Ont consondu les actes de l'intelligence avec des impulsions matérielles, born es dans leurs principes comme dans lente effets. Ií n'est pas étonnant qu'ayant ainsi défiguré

l'homme, ils lui trouvent des ressemblances avec ià bête & qu'ils ne lui trouvent que cela il n'est pas étonnant, dis-je, que par ce moyen, étousant dans lui toute notion, toute réflexion, loirt de l'éclairer sur le bien & le màl, ils le tiennent sans cesse dans le doute & dans l'ignorance sur (a propre nature, puisqu'ils effacent à ses yeux les seules différences qui pourroient l'en instruirei

Mais, après avoir enseigné, comme rtouâ l'avons sait, que l'homme étoit à la sois intelligent & sensible, nous devons observer que ces deux sacultés différentes doivent nécessairement s'annoncer en lui par des signes & des moyens différents, & que les affections qui leur sont particulieres, rl'étant nullement les mêmes ne peuvent en aucune maniere se présenter fous là même sace

Le principal objet de l'homme devroit donc être d'observer continuellement la différend (£ %) »nsini# 68 *Moyens (Péviter ces Méprises.* insinie qui se trouve entre ces deux sacultés & entré les affections qui leur sont propres; & comme elles sont unies dans prefjue toutes ses actions, rien ne doit lui paroître plus important que de distinguer avec précision ce qui appartient à l'une ou à l'autre.

En effet, pendant le court intervalle de la vie corporelle de l'homme, la saculté intellectuelle se trouvant jointe à la faculté sensible, ne peut absolument rien recevoir que par le canal Je cette saculté sensible; & à son tour, la saculté inférieure & sensible doit toujours être dirigée par la justesse & la régularité de la saculté intelligente. On voit par conséquent que dans une union austi intime, si l'homme cesse de veiller un instant, il ne démêlera plus ses deux natures, & dès-lors il ne saura où trouver les témoignages de l'ordre & du vrai.

De plus, chacune de ces sacultés étant susceptible de recevoir en son particulier des impressions bonnes & des impressions mauvaises l'homme est exposé, à chaque instant, à consondre nonseulement le sensible avec Tintellectuel, mais encore ce qui peut être avantageux ou nuisible á l'un ou â Fautre.

J'examinerai les suites & les effets de ce danger attaché à la situation actuelle de rhomme; je dévoilerai les méprises où sa négligence gîigence à discerner ses différentes sacultés l'a entraîné, tant sur le Principe des chases, que sur les ouvrages de la Nature & sur ceux qui sont sorcis de ses propres mains & de fbn imagination; Sciences divines, intellectuelles & physiques, Devoirs civils & naturels de l'homrae, Arts, Législations, Etablissements & Institutions quelconques, tout rentre dans l'objet dont je m'occupe. Je ne crains point méroe de dirs que je regarde cet examen comme une obligation pour moi, parce que, si l'ignorance & l'obscurité où nous sommes sur ces points importants, ne sont pas de l'essence de l'homme, mais l'effet naturel de ses premiers écarts & de tous ceux qui en sont provenus, il est de son devoir de chercher à retourner vers la lumiere qu'il a abandonnée, & si ces connoissances étoient son appanage avant sa chûte, elles ne se sonc point absolument perdues pour lui, puisqu'elles découlent sans cesse de cette source inépuisable où il a pris naissance: en un mot, si malgré l'átat d'obscurité où il languit, l'honime peut toujours espérer d'appercevoir la Vérité, & s'il ne lui saut pour cela que des efforts & du courage, ce seroit la mépriser, que de ne pas saire tout ce qui est en nous pour nous rapproches d'elle. ':.:,

L'ufàgc continuel que je sais dans-cet Ou 70 *Des Qualités Occultes.*

Vrage, des mots *facultés, acíions , Causes, Principes , Agents , propriétés , Vertus*, réveillera fans doute le mépris & le dédain de mon siecle pour les qualités occultes. Cependant il seroit injuste de donner ce nom à cette doctrine uniquement parce qu'elle n'offre rien aux sens. Ce qui est occulte pour les yeux du corps c'est ce qu'ils ne voient point; ce qui est occulte pour l'intelligence, c'est ce qu'elle ne conçoit point; or, dans ce sens, je demande s'il est quelque chose de plus occulte pour les yeux 5ç pour l'intelligence, que les notions généralement reçues sur tous les objets que je v;ens d'an-» noncer? Eiles expliquent la Matiere par h Matiere, elles expliquent l'homme par les sens, elles, expliquent l'Auteur des choses par la Nature élémençaire.

Ainsi les yeux du corps ne voyant que des assemblages cherchent en vain les Principes élément taries qu'on leur annonce, & ne pouvant ja-. mais les appercevoir, il est clair qu'on les a trompés.

L'homme voit dans ses sens le jeu de ses organes, mais il n'y reconnoît point son intelligence.

Ensin la Nature visible présente aux yeux ouvrage d'un grand Artiste, mais n'osfranfr point à l'intelligence la raison des choses, elle laisse ignorer-la. Justice du Maître, la tendresse du Pere & tous les conseils du Souverain; de saçon qu'on ne peut nier que ces erplications ne soient absolument nulles & sans vérité, puisqu'elles ont toujours besoin d'être remplacées par de nouvelles explications

Alors, íl je ne m'actache qu'à éloigner de tous ces objets les enveloppes qui les obscurcissent, íî je ne porte la pensée des hommes que sur le vrai Principe en chaque chose, ma marche est donc moins obscure que ce'le des Observateurs; & en effet, s'ils ont vraiment de la répugnance pour les qualités occultes, ils devroient commencer par changer de route; car très-certainement il n'en est pas de plus occulte & de» plus ténébreuse que celle dans laquelle ils voiw droient nous entraîner.;, *j Source univerfetîe des Erreurs.* 2.

_£ O u T ce que j'ai dit de l'homme, confidéré Jâris Ton origine & dans fà premiere fplendeur dfl fa volonté impure qui l'en a fait déchoir *te* de l'affligeante fituation où il s'eft plongé, fe trouve confirmé par les obfervations que nous. allons faire fur *ù* conduite '& far les opinions qu'il enfance journellement.

Oft peut faire les mêmes Obfervations fur la pureté originelle, la dégradation & les *t* UrrHcrtts ccV.cls du Principe qui s'eft rendu mauvais; la marche dd tous ces écarts eft uni-» &r.me *y* les premieres erreurs, celles qui ld». ont fuivies & celles qui fuivrent ont eu & auront perpét e'lement les mêmes caufes; en. u i mot *'j* c'eft toujours à la volonté mauvaife, qu'il faut attribuer les faux pas de l'homme & de tout autre Etre revêtu du privilege de la Liberté; car, je l'ai dJja dit, pour démontrer que le prin-

cipe d'une action quelconque eft légitime, il en faut confidérer les fuites; fi l'Etre eft malheureux, à coup fûr, il eft coupable, parce qu'il ne peut être malheureux, s'il n'eft libre.

On auroit pu, fans doute, m'arrêter à Cette DrpDQfitipn en, m'oppofant les fouf*stances* de la béte, mais l'objection ne m'a point echappé; & comme je puis ici la résoudre sans interrompre mon sujet, j'y vais travailler avant d'entrer en rnariere.

Je sais qu'en qualité d'Etre sensible, la béte souffre & qu'ai.si l'on peut en quelque sorte lá regardet comme malheureuse; mais je prie d'observer si le titre de malheureux n'appartiendtoit pas avec plus de raison aux Eres, qui connoisfant qu'ils devroient être heureux par leur nature, éprouvent intérieurement le désespoir de ne l'être pas. Dans ce sens, il ne pourrait convenir â la béte, qui est á sa place ici-bas, & qui n'est pas saite pour un àutre bien-être que celui de ses sens; lors donc que ce bien-être est dérangé, elle souffre, sans doute, comme Etre sensible, mais elle ne voît rien au-delà de ses souffrances; elle les. supporte, elle travaille méme à les saire cesser, seulement par l'action de sa saculté sensible, & sans avoir pu juger qu'il y ait pour elle un autre état; c'est-à-dire qu'elle n'a point ce qui sait le malheur de l'homme, ce remords & cette nécessité de s'attribuer comme lui, ses souffrances. Eh! comment le pourroitelle? Elle n'agit point, on la sait agir.

Cependant il reste toujours à savoir pourquoi elle souffre, & pourquoi elle est privée fi souvent de ce bien-être sensible qui la ren-, droit 7% *Des Souffrances de la B été.* droit heureuse à sa maniere. Je pourroîs rendre raison de cette difficulté, s'ilm'étoit permis de m'étendre sur la liaison des choses, & de saire voir jusqu'où le mal a gagné par les écarts de l'homme, mais c'est un point que je ne serai jamais qu'indiquer, & pour le présent, il suffira de dire que la Terre n'est plus vierge, ce qui l'expose elle & ses sruits, à tous les maux qu'entraîne la perte de la Virginité.

Nous pouvons donc dire avec raison qu'il ne peut y avoir d'Etre vraiment malheureux que l'Etre libre, à quoi j'ajouterai que si c'est librement que l'homme s'est plongé dans les peines & dans les douleurs, cette même Liberté lui impose l'obligation continuelle de travailler à réparer son crime; car plus il se négligera sur ce point, plus il se rendra coupable, *Sc* par conséquent plus il se rendra malheureux. Reprenons notre sujet.

Pour nous guider dans l'important examen que nous nous sommes proposé, & qui entre essentiellement aujourd'hui dans la tâche de l'homme, remarquons que la cause principale de toutes nos erreurs dans les Sciences est de n'avoir pas observé une Loi de deux actions distinctes qui se montre universellement dans tous les Etres de la Création, & jette souvent l'homme dans l'incertitiide....

Noq?, Nous ne devons cependant pas être étonnés de voir que chaque Etre ici-bas, soit assujetti à cette double action, puilque nous avons reconnu précédemment deux Natures très-distinctes ou deux Principes opposés dont le pouvoir. s'est maniselté dès le commencement des choses, & se sait sentir continuellement dans la Création entière.

Or, de ces deux Principes, il ne peut y en avoir qu'un qui soit réel & vraiment nécessaire, attendu qu'après Uw, nous ne connoissons plus rien. Ainsi, le second Principe, quoique necessitant l'action du premier dans la création, ne peut certainement avoir ni poids, ni nombre, ni mesure, puisque ces Loix appartiennent à l'Essence même du premier Principe. L'un stable permanent, possede la vie én lui-même, & par lui-même; l'autre irrégulier & sans loi, n'a que des effets apparents & illusoires pour l'intelligence qui voudroit s'y laisser tromper.

Ainsi, comme nous le laissons entrevoir, fi c'est une raison double qui a sait donner la naissance & la vie temporelle à l'Univers, il est indispensable que les corps particuliers suivent la même Loi, & ne puissent, ni se reproduire, ni subsister sans le secours d'une double action.

Toutesois, la raison double qui dirige les corps & toute la matiere, n'est pas la même que cette raison double qui provient de l'opposition des, *7 6 De la double Aclion.* des deux Principes; celle-ci est purement intellectuelle, & ne prend sa source que dans la volonté contraire de ces deux Etres. Car, lorsque l'un ou l'autre agit sur le sensible & sur le corporel, c'est toujours dans des vues intellectuelles, c'est-à-dire, pour détruire l'action intellectuelle qui lui est opposée. Il n'en est pas de même de la double action qui assujettit la Nature; elle n'est attachée qu'aux Etres corporels, pour servir tant à leur réproduction qu'à leur entretien; elle est pure en ce qu'elle est dirigée par une troisieme action qui la rend réguliere; en un mot, c'est le moyen nécessaire établi par la source de toutes les puissances pour la construction de tous ses ouvrages matériels.

Cependant, quoique dans cette raison double attachée à tout ce qui est corporel, il n'y ait rien d'impur, & que ni l'un ni l'autre terme n'en soit mauvais, il y en a néanmoins qui est fixe & impérissable, l'autre n'est que passager & momentané, & par-là même n'est pas réel pour l'intelligence, quoique ses effets le soient pour les yeux du corps.

Ce sera donc nous avancer beaucoup que de parvenir à distinguer la nature & les résultats de ces deux différents termes, ou de ces deux différentes Loix qui soutiennent la création corporelle; parce que si nous apprenons à reconnoîttç leur action dans toutes les choses temporelles, ceee fera un moyen de plus de la démêler dans nous-mêmes. En effet, on ne conçoit pas combien les méprises qui se sont journellement sur notre Etre, tiennent de près à celles qui se sont sur les Etres corporels & sur la Matiere, & celui qui auroit l'intelligence pour juger les corps, auroit bientôt celle qui lui est nécessaire pour juger l'homme.

La premiere erreur qui se soit introduite en ce genre, est d'avoir sait de la Nature matérielle, une classe & une étude à part. Quoique les hommes aient vu que cette branche étoit vivante & active, ils l'ont regardée comme étant séparée du tronc; & à sorce de s'arrêter à ce dangereux examen, le tronc leur a paru à son tour si éloigné de la branche, qu'ils n'ont plus senti le besoin qu'il existât, ou du moins s'ils en ont reconnu l'existence, ils n'ont vu en lui qu'un Etre isolé dont la voix se perd dans l'éloignement, & qu'il est même inutile d'entendre pour concevoir & accomplir le cours & les Loix de cette Nature matérielle.

Si nous nous bornions comme eux à considérer cette Nature en elle-même & comme agissant sans la médiation d'un Principe extérieur, nous pourrions bien, il est vrai, appercevoir ses Loix sensibles & apparentes, mais nous ne pourrions pas dire que notre notion sut complette, puisqu'il nous resteroit toujours à connoître son

Princips 8 *îes Recherches fur la Naturel* Principe réel qui n'est visible qu'à l'intelligence par lequel tout ce qui existe est nécessairement gou Verne, & dont les Loix sensibles & apparentes ne sont que les résultats.

D'un autre côté, si pendant notre séjour parmi les Etres de cette Nature matérielle, nous voulions les éloigner entiérement de nos recherches, pouï nous efforcer d'atteindre à celle du Principe invisible, nous aurions à craindre de nous tenir trop élevés au-dessus du sentier que nous devons suivre, *Cc* par-là de ne point parvenir au but de nos desirs, & de n'obtenir qu'une partie des lumieres qui nous sont destinées.

Nous devons sentir les inconvénients de ces deux excès; ils sont tels, qu'en nous livrant à l'un ou à l'autre, nous pouvons être assurés de n'avoir aucune réussite, & si nous négligeons l'une des deux Loix pour rechercher l'autre, nous ne pourrons avoir de toutes les deux qu'une sausse idée., parce que leur liaison actuelle est indispensable, quoique n'ayant pas toujours été maniseltée; ensin, vouloir aujourd'hui s'élever au Principe premier, supérieur & invisible sans s'appuyer sur la Matiere, c'est l'offenser & le tenter; & voulojr connoître la Matiere en excluant ce Principe premier & les *Vertus* qu'il employe pour la soutenir, c'est la plus absurde des impiétés.

Ce n'est pas que les hommes ne soient destinés à avoir un jour une parsaite connoissance du Principe premier sans être obligés d'y joindre l'étude de la Matiere , de même que depuis leur chûte il y a eu un temps où ils étoient entiérement assujettis à à cette Loi de Matiere, sans qu'ils pussent songer à l'existence du Principe premier. Mais pendant ce passage intermédiaire qui nous est accordé, étanc placés entre les deux extrêmes, nous ne devons perdre de vue ni l'un ni l'autre, si nous ne voulons pas nous égarer.

La seconde erreur, c'est que depuis que l'homme est enchaîné dans la Région sensible, il a cherché, à la vérité, le Principe de la Matiere, parce qu'il ne peut douter qu'elle en ait un; mais comme dans cette recherche il a consondu les deux Loix, il a voulu que le Principe de la Matiere sut auíli palpable que Matiere elle-même. 11 a voulu soumettre l'un & l'autre à la mesure de ses yeux corporels.

Or, une mesure corporelle ne peut s'appliquer que sur l'Etendue: l'Etendue n'est qu'un assemblage, & par conséquent un Etre composé; & si l'homme s'obstinoit à croire que le Principe de l'Etendue ou de la Matiere, est la même chose que la Matiere, il saudroit donc que ce Principe fût étendu & composé comme elle; alors il est vrai que les yeux de son corps en pourroient calculer les dimensions, toutesois selon les bornes de ses sacultés, & sans en être plus avancé. Car pour 8ò *De la Matiere & de son Prinàîpe;* pour mesurer juste, il saudroit qu'il eût une bafé à ìès mesures, & il n'en a point. Mais certes, nous s,mmes bien éloignés d'avoir une pareille idée du Principe de la Matiere, d'après celle que nous avons d'un Principe en général.

Tous ceux qui ont voulu expliquer ce que c'est qu'un Principe, n'ont pu s'empêcher ds dire qu'il doit être indivisible, incommensurable & absolument différent de ce que la Matiere présente à nos yeux. Les Mathématiciens mêmes & les Géometres, quoique n'agisiant que par leurs sens, & n'ayant que l'étendue pour objet, viennent à l'appui de cette définition; car tout matériel qu'est ce point mathématique dont ils sont la base de leur travail, ils sont obli-

gés de le revê-tìr de toutes les propriétés de l'Etre immatériel; sans cela, leur science n'auroit pas encore de commencement.

Ainsi, un Etre indivisible & incommensurable, tel que nous sentons que doit se concevoir tout Principe, qu'est-il autre chose pour nous qu'un Etre simple? Et., certes, nous ne pouvons douter que les apparences matérielles ne soient au contraire divisibles & soumises à la mesure sensible par conséquent, la Matiere n'est donc point un Etre simple; par conséquent, elle ne peut donc être son Principe à elle-même; il seroit donc absurde de vouloir consondre la Matiere, avec le Principe de la Matiere.

Je je dois, à ce sujet, saire remarquer les obfr curités où cette sausse maniere de considérer les corps a entraîné la multitude. Le Vulgaire a cru qu'en mutilant, divisant & subdivisant la Matiere j il mutiloit, divisoit & subdivisoit cn esset îe Principe & l'essence de la Matiere; & croyant que les bornes seules de ses organes corporels l'empêchoient d'aller auffi. loin que sa pensée dans cette opération, il a imaginé que cette division étoit essentiellement possible au-deìà de ce qu'il pouvoit opérer lui-même, & il a cru que la Matiere étoit divisible à l'infini; de-là, il l'a regardée comme indestructible, & par conséquent comme éternelle.

C'est absolument pour avoir consondu la Matiere avec le Principe de la Matiere, que ces ferreurs ont *été* presque universellement adoptées. En effet, diviser les sormes de la Matiere, ce n'est pas diviíer son essence, ou, pour mieux dire, désunir les parties diverses dont tous les corps sont composés, ce n'est pas diviesr, ctì n'est pas dccomposer la Matiere, parce que chacune des parties matérielles provenant de cettë division, demeure intacte dans son apparence de Matiere par conséquent dans son essence & dans le nombre des Principes qui constituent toute, la Matiere

Par quel étrange aveuglement Ìhòmme à-t-it donc pu croire qu'en diversifiant les dimensions *J. partit.* (J

"8ì *De la Dìì/ìfibiRti de la Matiere* des corps, il divisoit réellement la Ma-

tiere? N'est-il pas aisé de voir que toutes les opérations de l'homme en ce genre se bornent â transposer, désunir ce qui étoìt joint; & pour que sa main pût décomposer la Matiere, ne saudroit-il pas que ce sut lui qui Peut composée?

Je ne vois donc ici que la soiblesse & les bornes des sacultés de l'homme, qui est arrêté par la sorce invincible des principes de la Matiere j car nous savons qu'il peut varier à son gré tes figures & les sormes corporelles, parce que ces sormes ne sont qu'un assemblage de particules différentes, & n'ont par cette raison aucune des propriétés de l'Unité, mais ensin, il n'y a pas une seûî de ces particules qu'il puisse anéantir, parce que si le Principe qui les soutient n'est point composé, il ne peut être sujet à aucune division dans son essence; & dans ce sens, non seulement la Matiere n'est pas divisible á l'insini, selon l'idée commune mais il n'est pas même possible que la main de Phomme commence ou opere sur elle la premiere & la moindre des divisions; nouvelle preuve pour démontrer que ce Principe corporel est un & simple, & par conséquent qu'il n'est point Matiere.

Ce que j'ai dit de la méthode des Mathématiciens, a dû saire sentir la différence qu'il y a de leur marche à celte de la Nature. La Science

Mathématique

Mathématique n'offrant entre leur mains qu'unë copie trompeuse de la vraie Science, n'a poun base 8c pour résultats que des relations, sur lesquelles ayant une sois fixé leurs suppositions $ les conséquences fé trouvent justes & convenables à j'objet qu'ils se proposent; erì un mot *y* les Mathématiciens ne peuvent pas s'égarer parce qu'ils ne sortént pas de leur enceinte, *Sc* qu'ils he sont que tourner sur un pivot; alor tous leurs pas íes ramenent au point d'où ils sont partis. En effet, quelqu'élevé que soit leur édifice *y* on voit qu'il est égal dans toutes ses parties, *Sc* qu'il n'y a pas la moindre distinctions entre les matériaux qui servent de sondement » & ceux dont ils bâtissent les plus hauts étages j àuflî que nous apprennent-ils?

La Nature, au contraire, áyant pouf Principe un Etre vrai & insini, produit

Des erreurs et de la vérité, ou, Les hommes rappellés au principe universel de la science (1) • Louis Claude de Saint-Martin

• 19

des faits qui lui ressemblent, & quoique ces saits soient l'enVeloppe dont elle se couvre à nos yeux, quoiqu'ils soient passagers, ils ïòtit si multipliés, fi variés si actiss, què nous voyons assez clairement que la source en doit être inépuisable. Mais on verra dàns la suite de cet Ouvrage de plus amples observations sur la Science Mathématique, & sur l'emploi qu'an auroit dû eri saire pour parvenir à la connoissance de la Nature *êk* de ce qui est aú-dessus.

Nous joindrons ici une autre vérité qui ap

JFjl payer 84. *Des Vroàuclions & de leurs Principes.* puyera toutes celles que nous avons établies pour prouver combien la Matiere est inférieure au Principe qui lui sert de base & qui la produit.

Je prie d'abord les Observateurs d'examiner, s'il n'est pas certain universellement, & dans tout ordre de génération quelconque, que la production ne peut jamais être égale à son Principe générateur. Cette vérité se réalise continuellement dans l'ordre des générations maté'rielles, quoiqu'ensuite venant à croître, les sruits & les productions de cette classe, égalent & "même surpassent en sorce & en grandeur l'individu qui les a engendrés; parce que la classe de ces individus étant soumise à la Loi du temps, l'ancien individu dépérit en même temps que son sruit s'avance vers le terme de sa croissance & de sa persection.

Mais dans le moment de la génération, ce sruit est nécessairement inférieur à l'individu d'où il est provenu, puisque c'est de lui qu'il tient sa vie & son action.

Dans quelque classe que nous saffions nos recherches, je ne crains point d'assurer que nous trouverons l'application de cette vérité; d'où nous pouvons dire hardiment, que c'est avec raison que nous l'avons annoncée comme universelle; dés-lôrs il saudra convenir auffï qu'elle est applicable à la Matiere, relativement à son Principe parce que si nous pouvons pouvons voir naître la Matiere, nous ne pouvons J nier qu'elle n'ait été engendrée; & si elle a été engendrée, elle est ainsi que tous les êtres, inférieure à son Principe

générateur.

.C'est être deja bien avancé que d'avoir reconnu la supériorité du Principe de la Matiere sur la Matiere & de sentir qu'ils ne peuvent être tous deux de la même nature; par-là nous nous trouvons à couvert des jugements hasardés qu'on a osé prononcer sur cet objet, & qui par le crédit des Maîtres qui en ont été les organes, sont devenus comme autant de Loix pour la plupart des hommes: par-là on est dispensé de croire comme eux, que la Matiere est éternelle & impérissable. En distinguant la sorme du Principe, nous saurons que l'une peut varier sans cesse, pendant que l'autre reste toujours le même, & on n'aura plus de peine à reconnoître la fin & le dépérissement de la Matiere dans la succession des saits & des Etres que la Nature expose à nos yeux, tandis que le Principe de cette Matiere, n'étant point Matiere demeure inaltérable &. indestructible. Cette succession de saits, & ce renouvellement continuel des Etres corporels a entraîné les Observateurs de la Nature $ans d'autres opinions aussi sausses que les précédentes, & qui les exposent aux mêmes inconséquences. Ils ont vu les corps s'altérer se décomposer. & dispa-.

(F isitirç $ 6 *De la Reproduction des Formes:* roître de devant eux; mais en même tems, îls ont vu que ces corps étoient sans cesse remplacés, par d'autres corps; alors ils ont cru que ceux-ci étoient sormés des débris des anciens corps, & qu'étant dissous, les. différentes parties dont ils; étoient composés, devoient entrer à leur tour, dans la composition des nouvelles sormes; de-là ils ont conclu que les sormes éprouvoient bien une mutation continuelle, mais que leur Matiere sondamentale demeurait toujours la même. Ensuite, ignorant la véritable cause de lnexistence & de l'action de cette Matiere, ils n'ont Ças vu pourquoi elle n'auroit pas toujours été en mouvement, & pourquoi elle n'y seroi.t pas toujours, ce qui leur a sait décider de nouveau qu'elle étoit éternelle.

Mais si, élevant les yeux d'un degré, ils, eussent reconnu les vrais Principes des corps, & qu'ils leur eussent attribué

la stabilité qu'ils, pnt cru voir dans leur prétendue Matiere sondamentale, nous n'aurions pas à leur reprocher cette nouvelle méprise; nous voyons comme eux les revolutions & les mutations des sormes; nous reconnoissons aussi que les Principes des corps sont in-, destructibles & impérissables; mais ayant montré, comme nous l'avons sait, que ces Principes n'étoient point Matiere, dire qu'ils sont impérissables., ce n'est pas dire que la Matiere ne. tó«£ point. C'est; C'est ainsi qu'en distinguant les corps d'avec leurs Principes, les Observateurs auroient évité l'erreur dangereuse qu'ils s'efforcent en vain de pallier, & qu'ils se seroient bien gardés d'attribuer l'éternité & immortalité à l'Etre matériel qui srappe leurs sens. Je suis d'accord avec eux sur la marche journaliere de la Nature; je vois naître & périr toutes les sormes, & je les vois remplacées par d'autres sormes; mais je me garderai bien d'en conclure, comme eux, que cette révolution n'ait point eu de commencement, & qu'elle ne doive point avoir de fin, puisqu'elle ne s'opere en effet, & ne se maniseste que sur les corps qui sont passagers, & non sur leurs Principes qui n'en reçoivent jamais la moindre atteinte. Lorsqu'on aura bien conçu Texistence & la stabilité de ces Principes, indépendamment & séparément des corps, il saudra bien convenir qu'ils ont pu exister avant ces corps, & qu'ils pourront encore exister après eux.

Je ne joindrai pas à ce raisonnement de» preuves sur lesquelles on resuseroit de me croire, mais elles sont de nature qu'il n'est pas plus en mon pouvoir d'en douter que si j'eusse été présent à la sormation des cl; oses.

D'ailleurs la Loi numérique des Etres est untémoignage irrévocable; *Un* existe & se conçoit indépendamment des autres nombres; & après Jfes avoir vivifiés pendant le cours de la Décade S 8 *Des Emanations âe tVnìtt,* il les laisse derriere lui & revient à son Unite.

Les Principes des corps étant uns, peuvent doncse concevoir seuls & séparés de toute sorme de matiere, au lieu que les moindres particules de cette matiere ne peuvent subsister, ni se concevoir sans être soutenues & animées par leur Principe; de méme que nous concevons l'Unité numérique, comme pouvant subsister à part des autres nombres, quoique auctin des nombres subséquents à l'Unité ne puisse trouver accès dans notre entendement, fi ce n'est comme l'émanation & le produit de cette unité.

En un mot, fi nous voulons appliquer ici la maxime sondamentale qui a été établie ci-devant, sur l'inégalité qui ejciste nécessairement entre l'Etre générateur & sa production, nous verrons, que si îes Principes de la Matiere sont indestructibles & éternels, il est impossible que la Matiere jouisse des mêmes privileges.

Cependant cette assertion d'une inégalité nécessaire entre l'être générateur & sa production, auroit pu laisser quelque inquiétude sur la nature de l'homme, qui ayant pris naissance dans une source indestructible, devroit, comme inférieur à son Principe, n'avoir pas le même avantage, & être par conséquent susceptible de destruction. Mais une simple réflexion diflipera ce isoute.

Quoique la Matier-e & l'hornme aient également ment leur Principe générateur, il s'en saut do beaucoup qu'ils aient le même. Le Principe générateur de rhomme est: l'Unité; cette Unité possédant tout en soi, communique aussi à ses productions une existence totale & indépendante, en forte qu'elle peut bien, comme ches & principe, étendre ou resserrer leurs sacultés; mais elle ne peut pas leur donner la mort, parce que ses ouvrages étant réels, ce qui est, ne peut pas ne pas être.

Il n'en est pas ainsi de la Matiere qui, étant le produit d'un Principe secondaire, inférieur & subordonné à un autre Principe, est toujours dans la dépendance de l'un & de l'autre; de maniere que le concours de leur action mutuelle est absolument nécessaire pour la continuation de son existence; car il est constant que lorsque l'une des deux vient à cesser, les corps s'éteignent & disparaissent.

Or, la naissance & la fin de ces différentes actions se manieste assez clairement dans la Nature corporelle, pour nous démontrer que la Matiere ne peut pas être durable. D'ailleurs, reconnoissant, comme nous le devons saire que l'action de l'Unité, ou du Principe premier, est perpétuelle & indivisible, nous ne pourrions, sans la plus grossiere erreur, attribuer la même perpétuité d'action aux Principes secondaires qui ensantent la Matiere, C'est pourquoi l'Au jo *De la Génération des Corps,* teur des choses ne peut pas saire que le Monde soit éternel comme lui; car ce ne seroit pas rendre le Monde éternel que de lui faire succéder d'autres Mondes, comme ce sera toujours en sa puissance, puisque chacun de ces Mondes ne pouvant être que l'œuvre d'un Principe secondaire, seroit dès-lors nécessairement périssable.

Examinons actuellement un autre système relatis à notre sujet. On a enseigné, qu'après la dissolution des Etres corporels, les débris de ces corps étoient employés à saire partie de la substance des autres corps. Assurément, les Observateurs de la Nature se sont trompés dans cette doctrine, ainsi que dans les conséquences qu'ils en ont tirées. Car, dire que les corps se sorment les uns des autres, & ne sont que divers assemblages successis des mêmes matériaux, c'est une erreur aussi grande que de prétendre que la Matiere est éternelle. Ils se seroient bien gardés d'avancer de pareilles opinions, s'ils avcient pris plus de précautions pour marcher sûrement dans la connoissance de la Nature.

Les Principes universels de la Matiere lbnt des Etres simples; chacun d'eux est *un* , ainsi qu'il résulte de nos observations, & de l'idée que nous avons donnée d'un Principe en général: les Principes innés de la moindre partiçule de matiere doivent donc avoir la méme propriété; chacun d'eux sera donc *un* & simple, comme les Principes universels de cette même Matiere: il ne peut y avoir de disférence entre ces deux sortes de Principes, que dans la durée & dans la sorce de leur actio., qui est plus longue & plus étendue dans les Principes universels que dans les Principes particuliers. Qr l'action propre d'un Principe simple est nécessairement simple & unique ellemême, & ne peut avoir par conséquent qu'un seul but à remplir; elle a en elle tout ce qu'il lui saut pour sentier accomplissement de sa Loi; enfin, elle n'est susceptible ni de mélange, nî de division.

Celle du Principe universel matériel a donc les. mêmes sacultés, quoique les résultats qui en proviennent, se multiplient, s'étendent & se subdivisent l'infini, il est certain que ce Principe universel n'a qu'un seul œuvre à saire, & qu'un seul acte à opérer. Lorsque son œuvre sera rempli son action doit cesser, & être retirée par celui qui lui avoit ordonné de la produire; mais pendant toute la durée du temps, il est assujetti à saire le même acte & à maniester les mêmes effets.

Il en est ainsi des Principes innés des dis—, sérens corps particuliers; ils sont soumis à k même Loi d/unir4 d'action, & lorsque la durée 91 *De la Generation des Corps.* durée en est accomplie, elle leur est également retirée.

Alors, si chacun de ces Principes n'a qu'une seule action & qu'à la fin de cette action, ils doivent tous rentrer dans leur source primitive, nous ne pouvons avec raison attendre d'eux de nouvelles sormes, & nous devons conclure que les corps que nous voyons naître successivement, tirent leur origine & leur substance d'autres Principes, que de ceux dont nous avons l'action suspendue dans la dissolution des corps qu'ils avoient produits. Nous sommes donc obligés de chercher ailleurs la source d'où doivent naître ces nouveaux corps.

Mais où pourrons-nous mieux la trouver que dans la sorce & l'activité de cette double Loi, qui constitue la Nature universelle corporelle, & qui se montre en même temps sous mille saces différentes dans la production & les progrès des. corps particuliers?

Nous savons, en effet, que cette terre que nous habitons, ne pourroit exister & se conserver, fi elle n'avoit en elle un Principe végétatis qui lui est propre; mais qu'il saut nécessairement qu'une cause extérieure, qui n'est autre chose que le seu Céleste ou Planétaire réagisse sur ce Principe pour que son action se manieste.

Il en est de même des corps particu-

Des erreurs et de la vérité, ou, Les hommes rappellés au principe universel de la science (1) • Louis Claude de Saint-Martin

• 21

liers j.

chacun» I chacun de ces corps provient d'une semence dans laquelle réside un Germe ou Principe inné, dépositaire de toutes ses propriétés & de tous les effets qu'il doit produire. Mais ce Germe resteroit toujours dans l'inaction, & ne pourroit manisester aucune de ses sacultés, s'il n'étoit aussi réactionné par une cause extérieure ignée, dont là chaleur le met à portée d'agir sur tous les Etres corporels qui l'environnent, lesquels, à leur tour, pénétrant son enveloppe, l'aiguillonnent, réchauffent, & le disposent à soutenir faction de la 'cause extérieure, pour la manisestation de ses propres sruits & de ses propres *Vertus.*

Et en effet le cause extérieure ignée, opérant la réaction, auroit bientôt surmonté l'action des Principes individuels, & détruit leurs propriétés, si le secours des Etres alimentaires ne venoit renouveller leur sorce, & les mettre en état de résister à la chaleur dévorante de cette cause extérieure. C'est pour cela que si l'on expose à la chaleur, des Germes privés d'aliments, ils se consument dans leur berceau, ians avoir produit la moindre partie de leur action; c'est pour cela aussi que des Germes, qui ont été à portée de commencer le cours de leur croissance, seroient encore plutôt consumés & détruits, s'ils venoient à manquer des aliments qui leur sont nécessaires pour se désendre $4 *3e îa Génération âis CoirpSî* fendre de l'activité continuelle de la réaction ighée, parce qialors cette réaction, ayant déja pénétré jusqu'au germe, y peut d'autant ínieux déployer sa sorce destructive;

On voit par-là que les aliments j dont nous parlons sont eux-mêmes un second moyen de réaction, que la Nature emploie pour l'entretien & la conservation de ses ouvrages j mais on le verra encore mieux dans la suite.

Telle est donc cette double Loi universelle qui préside à la naissance & aux progrés des Etres corporels. Le concours de ces deux actions leur est absolument nécessaire, pour qu'ils puissent vivre sensiblement à nos yeux; savoir, la première action innée en eux, ou Faction intérieure, & l'action se-

conde ou extérieure, qui vient agiter & réactionner la premiere, & jimais parmi les cho-» ses matérielles, un corps ne s'est sormé que pair ce moyen.

Appliquons à ía constitution de l'Univers ce que nous avons dit de la Terre; nous pouvons Je regarder comme un assemblage d'une multitude insinie de Germes & de Semences, qui toutes ont en elles le Principe inné de leurs Loix 3c Propriétés, selon leur classe & selon leur espece, mais qui attendent, pour engendrer & se repro duire au dehors, que quelque cause extérieure vienne les aider & les disposer à la génération; Ce seroit même là ou l'on trouveroit l'explicatiorí dun Phénomene qui étonne la multitude, savoir pourquoi on trouve des vers dans des sruits sans piquure, & des animaux vivants dans le cœur des pierres; c'est parce que les uns & les autres places par la Nature, ou parvenus par filtration dans ces sortes de matras, y ont trouvé, ou y ont reçu, par la même voie de filtration, des sucs propres à opérer sur eux la Loi nécessaire de réaction. Mais ne nous éloignons pas de notre sujet.

Voyons donc à présent quelle part les corps & les débris des corps peuvent avoir à la sormation & à l'accroissement des autres corps; ils peuvent augrnenter les sorces des Etres corporels, & les soutenir contre la réaction continuelle du Principe extérieur igné ; ils peuvent même contribuer, par leur propre réaction, à la manisestation des sacultés des Germes, & en saire opérer les propriétés. Mais ce seroit aller contre les Loix de la Nature, & méconnoître l'essence d'un Principe en général, que de croire qu'ils pourroîenC s'immiscer dans la substance de ces Germes. Ils peuvent, je le répete, en être le soutien & 'aiguillon, mais jamais ils ne seront portion de leur essence Les observations suivantes en seront la preuve.

Nous avons établi précédemment que les Principes des corps ne sont point Matiere, mais desEtres simples qu'en cette qualité, ils doivent avoic 6 *De la Btfiruction des Corps* avoir en eux tout ce qui est nécessaire â leïíf existence, & qu'ils n'ont rien à emprunter des autres Etres. Ils n'en emprunteraient pas même

le secours de cette réaction extérieure, dont nous venons de parler, si par l'infénoríté' de leur nature, ils n'étoient assujettis à la double Loi qui régit tous les Etres élémentaires. Car il y a une Nature, où cette double Loi n'est pas connue, & où les Etres reçoivent la naissance sans le secours d'Etres secondaires, & par les seules vertus de leur Principe générateur; c'est celle par où l'homme a passé autresois. Mais, afin que notre marche soit plus sûre, ne comptons pour rien la théorie, jusqu'à ce que l'expérience vienne la justifier; & d'abord observons ce qui se passe dans la destruction des corps.

Cette destruction ne peut avoir lieu que par la cessation de faction du Principe inné, producteur de ces corps, puisque cette action est leur véritable base & leur premier appui; or ce Principe ne peut cesser d'agir, que lorsque la Loi qui l'asservissoit à l'action, est suspendue, parce qu'alors étant délivré de ses chaînes il se sépare de ses productions & rentre dans sa source originelle. Car tant que cette Lòi opéreroit, jamais l'enveloppe ne pourroit cesser d'être sous sa sorme naturelle & individuelle; & fi cette sorme est sujette à se décomposer, ce ne ftê peut être que parce que la loi de la réaction éfanÊ retirée, le Principe inné dans cette sorme, & qui la sait exister, en liant ensemble les trois éléments dont elle est composée, se sépare de ces éléments, & les abandonne à leurs propres Loix alors, ces Loix étant opposées les unes aux autres les éléments qui s'y trouvent livrés, le combattent, se divisent , & se détruisent ensin tout-à» sait à nos yeux.

C'est ainsi qu'insensiblement ieï corps meU rent, disparaissent, & s'anéantissent. Je ne vois donc plus dans un cadavré qu'une matiere sans vie, privée du Principe inné qui ën avoit produit & qui en soutenoit l'existence; je ne vois dans ces débris, que des parties qui sont encore soutenues par la présence des actions secondaires que' le Principe inné avoit émanées dans ce corps pendant la durée de ía propre action; car ces émanations secondaires sont répandues dans leá moindres particules corporelles, mais elles se séparent elles-mêmes successivement de leurs enveloppes particulieres, après que leur Principe producteur a abandonné le corps entier, dont leur réunion sormoit l'assemblage.

Qu'est ce donc, qu'un corps privé de la vie pourra dans le cours de sa dissolution, communiquer aux nouveaux corps, dont il seconde là croissance & la sormation? Sera-ce le Principe *I. Partit,* (G *)* dominafi: î $8 *De la Distraction des Corps.* dominant? Mais il n'existe plus dans le cadavre J puisqne ce nest que par la retraite de ce Principe, que le corps est devenu cadavre. D'ailleurs chaque Germe, ayant son propre Principe inné & dépositaire de toutes ses sacultés, il n'a pas besoin de la réunion d'un autre Principe. En un mot, deux Etres simples ne pouvant jamais se réunir, ni consondre leur action; leur assemblage, bien loin de concourir à la vie des nouveaux corps, ne seroit qu'en occasionner le désordre & la destruction, puisqu'il n'est pas possible de placer deux centres dans une circonférence, sans la déna.turer.

Dira-t-on que les parties matérielles du corps qui se dissout se réunissent & passent dans l'essence des Germes? Mais nous venons de voir, que chaque Germe est animé par Un Principe, qui renserme en lui tout ce qui est nécessaire à son existence. D'ailleurs, ne voyonsnous pas toutes les parties du cadavre se dissoudre successivement, & ne pas laisser après elles la moindre trace? Ne savons-nous pas que cette dissolution particuliere ne s'opere, que par la séparation des émanations secondaires, qui étoient demeurées dans le cadavre, & que nous pouvons regarder chacune comme le centre de la partie qu'elle occupoit; mais alors nous ne pourrons nous dispenser de reconnoître que les corps, que les parties des corps, que tout l'Univers n'est qu'un assemblage de Cehtres î pùifr que nous voyons par gradation les corps se dissiper entiérement. Or, si tout est centre, & fi tous les centres disparaissent dans la dissolution *f* que restera-t-il d'un corps dissous, qui puissé saire partie de l'existence & de la vie des nouveaux corps?

C'est done une erreur, de croire que les Principes, soit généraux, soit particuliers, des Etres corporels qui se dissolvent, aillent, après s'etrè séparés de leur enveloppe, animer de nouvelles formes & que recommençant une nouvelle carriere, ils puissent vivre successivement plusieurs sois. Si tout est simple, si tout est urt dans la Nature & dans l'essence des Etres, il en doit être de même de leur 'action, & chacun d'eux doifi avoir sa tâche particuliere, simple & unique éomme lui, autrement il y auroit soiblesse dans l ' Auteur des choses, & consusion dans ses ouvrages»

Mais, prenant la digestion animale poùn exemple, on m'objectera sans doute que dans la dissolution des aliments qui se sait par cette digestion, la plus grande quantité en passe dans le sang, dans la limphe & dans les autres fluides de l'ndividu & que delà, se portant dans toutes les parties du corps, *V* animal en reçoiË l'entretien & la subsistance; alors on me demandera comment il se poorroit, quô ces aliments £ G z) IM I9ÔÎ *De la Dìgifiìòrî* ne fissent que sortifier l'action & la vie de Paní mal qui les reçoit, sans lui communiquer la moindre partie d'eux-mêmes sans queie seu inné en eux ne pénétrât le Principe & l'Eísence de cet individu, pour s'y unir & en accroître l'e-tistence.

Je réponds à cela, que très-certainement le seul emploi des aliments est de soutenir la vie & l'action de l'individu qui les a dévores; il ne peut les recevoir comme des nouveaux Principes pour lui, ni comme une augmentation de son Etre, mais comme les agents d'une réaction qui lui est nécessaire pour déployer les sorces & conservee son action temporelle; & quoiqu 'aucun Etre corporel ne puisse se passer de cette réaction, il n'y en a point dans qui elle n'ait sa mesure; car *k* est constant, que si le Principejcontenu dans l'aliment pouvoit s'unir au Principe du corps ;ui s'en nourrit, il n'y auroit plus de mesure dans la Loi d'action, par laquelle ce dernier auroit été constitué.

Nous le savons par expérience & par les ravages que causent darrs l'aaoimal les crudités & les viandes mal cuites &

mal saignées; nous savons, dis-je, combien une réaction trop vive est contraire à la vie corporelle; & nous ne pouvons nier que les Animaux qui 1ònt destinés par leur nature à dévorer 4'autres Animaux, ne soient plus féroces & plus plus cruels, qu'ils n'aient » dis-je, un caractere plus avides & plus-destructeur que les Animaux qui ne se pourrissent que de Vegétaux. C'est que les premiers éprouvent une réaction excessive *ett* recevant avee les chairs dont ils vivene, une gEande quanté de Principes animaux secondaires, & qu'ils emploient tous les estants de Faction innée en eux, pour opérer avant le temps, la dissolution des enveloppes de ces Principes; mais ceux-ci ne se trouvant point alors dans leur menstrue naturelle, emploient aussi toute lenr sorce pour rompre ces-chaînes étrangeres, & retourner à leur source primitive.

Fendant ce combat, Pindividu éprouve une e£ ferveífeeRce qui l'agite & Fentraîne à' des actes déÇòtàœmès , & il ne peur être rendu à un état plus tranquille, qu'après que 1-enveloppe de ces Principes secondaires est dissoute & qu'ils-ont rejoint leur Prmeipe générateur.

C'est à ce sujet, que nous devons blâmer, en palfànt, Fusage de fa plupart des Nations, qui enc cru honorer les Morts, soit en Conservant leurs cadavres, soit en les consomant pat se feuL'une & l'autre de ces pratiquer est également insensée' & contraire à-la íiature'. Car *ik* vraie menstrue des corps, c'est la terre, & la main des. hommes n'ayant pu'prorrbire ces corps, elle ne *àwoit.* pas tenter ni d'en déterminer, ni d'en *Xî,% JDç la Femme.* prolonger la durée, laissant à chacun de leurs

Principes, le soin de su (pendre son action, sui-" vant sa Loi, & de se réunir dans son temps à sa source.

Je ne puis me dispenser non plus de m'arrêter un moment sur cette Proposition, que *la vraie jnenstruc des corps c'est la terre.* C'est dans elle, en effet, que doit se décomposer principalement le corps de l'homme; mais le corps de l'homme / prend sa sorme dans le corps de la semme; lorsqu'il se décompose, il ne sait done que rendre à la terre,

Des erreurs et de la vérité, ou, Les hommes rappellés au principe universel de la science (1) • Louis Claude de Saint-Martin

• 23

ce qu'il a reçu du corps de la semme. La terre est donc le vrai Principe du corps de la semme, puisque les choses retournent toujours à leur source, & ces deux Etres étant si analogues l'un à l'autre, on ne peut nier que se corps de la semme n/ait une origine terrestre; nous rappel-; lant ensuite qu'elle a été la premiere origine cor-r poreHe de l'homme, nous verrions sensiblement pour quelle raison la semme lui est universellemenÈ inférieure.

Mais on s'est étrangement égaré, lorsqu'on a cru pouvoir porter cette différence au delà de la sorme ou des sacultés corporelles. La semme, quant au Principe intellectuel, a la même source & la. même origine que l'homme; car cet homme n'étant condamné qu'à la peina fy non à la mort, il salloit près de lui un Etre de % natyre, & malheureux comrne lui j qui paç fes insirmités & sa privation, le rappelât à la sagesse, en retraçant continuellement à ses yeux les fuites arnéres de ses égaremens ƒ d'ailleurs l'homme n'est point le pere de l'Etre intellectuel de lès productions, comme l'ont enseigné des doctrines sausses & d'autant plus sunestes, qu'elles se se sont appuyées sur des comparaisons prises dans la Matiere telles que les intarissables émanations du feu élémentaire; mais dans tout ceci est un Mystere que je ne croirai jamais assez enseveli.. Reprenons la. chaîne de nos observations

Il y a un sait que les Naturalistes ne manqueront pas de m'opposer, c'est celui des liqueurs colorées qu'ils sont passer dans quelques plantes, parvenant ainsi à varier la couleur des fleurs & méme à changer absolument celle qui leur appartenoit par la Nature. Ma réponse sera fimple, & tiendra à tout ce que j'ai dit sur la digestion.

Toute plante a son. Principe inné comme les. autres coFps; les sucs, qui lui tiennent lieu d'aliments, ne peuvcnt rien ajouter à ce Principe j mais ils lui servent de désense contre la réaction de la cause extérieure ignée qui sans eux surmonteroit & consumeroit bientôt,. par sa chaleur les sorces & l'action des Brincipes individuels. Alors on doit sentir, par-le, nombre insini des diffé-

rentes substances, qui peuvent servir d'aUV I 5©4i *De ía Végétation.* pients áux Etres corporels, à quelle variété *itk* réaction ils sont exposêî Il est vrai qu'il n'y en a qu'une seule qui soit réellement propre à cha-. que espece: mais la Nature des choses périslables, cornme les corps, & les révolutions continuelles auxquelles ils sont soumis, les exposent à en recevoir d'étrangeres, qui affoibliffent, qui «intraìgnent leurs sacultés, & même qui les détruisent tout-à-sait, quoique le Principe de l'Etrç í«.'t indestructible.

Ces réactions sont opérées , comme on le sait par des Etres secondaires, qui sont austl dépositaires d'un Principe qui leur est propre. Ce Principe ne peut opérer de réaction, soit par Jui-méme, soit par les Principes parti cuKers émanés de lui, qu'ils ne soient tous revêtus de leur enveloppe corporelle, puisque tous les Etres simples ne sont ici-bas qu'à cette condition. Il est donc certain que l'enveloppe de ces Principes secondaires passe, ainsi qu'eux dans la masse corporelle des Plantes *8z* des Animaux, pour leur servir d'aliment, & pouE les aider à résister à l'action de la cause extérieure ignée. Il est certain qu'ils y portent auíli leur? couleur & toutes leurs propriétés. Mais, quoiqu'ils passent dans ces différents individus, çous ne pourrons jamais admettre qu'ils s'y confondent, & qu'ils sassent partie de leur subk Pour que ces enveloppes alimentaires parvinssent à s'unir avec la substance de l'individu qui s'en empare, il saudroit que leurs Principes pussent réciproquement se consondre. Mais nous avons vu que ces Principes, étant des Etres simples, la réunion en est impoTible, & puisque les enveloppes n'ont de propriétés que par leur Principe, la réunion des enveloppes est donc impossible aussi. Les aliments sont donc toujours des substances étrangeres, quoique nécessaires à l'Etre qui les reçoit, car on sait qu'ils ne lui sont profitables, qu'autant qu'il en opere la dissolution.

Je pense qu'on n'aura pas de peine à convenir qu'il ne peut y avoir aucune espece de mélange, avant que cette dissolution soit commencée: or fi la dissolution ne peut s'opérer, sans avoir été précédée de la retraite des Principes innés, fi elíe n'est en elle-même que division & destruction, comment se seroit-il que l'individu qui opere cette destruction, pût être consondu avec enveloppe même qu'il détruit s

En *effet*, fi les aliments & les Principes qu'ils renferment, pouvoient se consondre avec la substance les principes des Etres qu'ils réactionnent, ils pourroient également leur êtré substitués, & en prendre la place; alors il seroît facile de dénaturer entiérement les individus & îcs esbeces; il se pourroit qu'ayant changé une.

soi %o6 *Des Aliments.* sois la claflè & la nature d'un Etre, on en sit autant sur toutes les classes qui existent, d'où proviendrait une consusion générale, qui empêcherait que nous sussions jamais sûrs du rang *Sc* de la place que les Etres doivent occuper dans l'ordre des choses.

Auflì la Loi, par laquelle la Nature a constitué ses productions, se resuse-t-elle absolument à ces tentatives chimériques; elle a donné i chacun des Etres corporels un Principe inné particulier, qui peut étendre, & qui étend souvent son action au-delà de la mesure ordinaire, par le secours des réactions sorcées, & d'un matras plus savorable, mais qui ne peut jamais perdre, ni changer son essence. Ce Principe, étant le producteur & le pere de son enveloppe, ne peut s'en séparer, que l'enveloppe n'entre ausll-tót en dissolution, & ne se détruise insensiblement & if est de toute imposibilité, qu'un autre Principe ou un autre Pere, vienne habiter cette enveloppe, & lui servir de soutien, car dans la nature corporelle, il n'y a point d'adulteres, ni de Fils adoptiss, attendu qu'il n'y a rien de libre.

Chaque Etre simple ou Principe a donc son existence à part, & par conséquent, une action *Sc* des sacultés individuelles, qui sont auflì incommunicables que son existence.

Qu'on, «e m'pbjecte. point que dans le mélange lange des liqueurs & des corps susceptibles de fe lier, on apperçoit des effets uns & simples, dont aucun de ces corps n'étoit capable en particulier; car je ne craindrai point d'assurer, que dans ces amalgames, l'action & la réaction des divers Principes les uns sur les autres ne produisent des résultats uns & simples qu'en apparence, & a cause de la soiblesse de nos organes, & que ces résultats sont, en effet, combinés 8c produits par l'action propre & particuliere à chacun des Principes rassemblés.

Si c'est un mélange de divers corps, qui ne soient susceptibles ni d'action, ni de réaction sensible les uns sur les autres, mais ayant chacun à eux leur propriété particuliere de douleur, saveur, ou autre; il résulte de leur assemblage une troisieme propriété, qui n'est réellement qu'un produit apparent des deux premieres, lesquelles se trouvent mêlées & combinées, mais point du tout unies & confondues. Car on ne me niera pas que dans ce sait, les Principes & leurs enveloppes restent parsaitement distincts & séparés, & qu'il n'y a' que la foiblesse de nos sens qui puisse nous empêcher d'appercevoir séparément les actions propres & particulieres à chacun de ces corps. On ne voit donc autre chose ici qu'une multitude de corps de même esoece, entassés ou rassemblés avec une multitude de «orps d'espece différente, mais conservant touio8 *Du Mélange des Corps.* jours leur existence, leurs sacultés, & leur action propre & individuelle.

Si c'est un corps solide jeté dans un fluide qui lui soit analogue, le fluide en surmonte la sorce & les propriétés, il en détache les parties, il les divise, il détruit leur solidité apparente & sensible, il le dissout & paraît s'en emparer. Par le moyen de cette dissolution, le fluide nous présente, en effet, des résultats, qu'il étok impossible de découvrir séparément dans l'une ou l'autre des substances qui ont sormé l'assemblage. Mais pourra-t-on en conclure qu'il s'y sasse aucun mélange des Principes, & n'est-il pas certain qu'il n'y a là qu'une simple extension de l'actkuv du Principe dominant sur celle du-Principe inférieur; extension qui diminue & cesse même, lorsque Te Principe supérieur en sorce a actionné une quantifié suffisante des corps qu'on a exposes à son action,

& y a consumé tout le pouvoir qui étoit en lui?

Si c'est un corps solide qui s'empare d'ua fluide, & qui l'absofbe ou deux fluides.,. qui par leur mélange, produisent des corps solides ou des amalgames indissolubles en. apparence; enfin, si ce sont des corps, qui d'abord ne présentoient en particulier ni sorce , ni propriécés, nais qui, par leur assemblage produisent des effets surprenants, des flammes ardentes,, des *feux* des bruits d«s couleurs rixes, fie briilantes; pourroit-on jamais démontrer qu'il y ait dana aucun de ces saits, réunion, consusion ou communication d'un Principe avec un autre Principe? Puisque, si la sorce du Principe dominant n'a sait que suspendre Faction du Principe le plus soible, sans en détruire l'enveloppe, alors il se peut que l'Art parvienne encore à les séparer, & à les remettre l'un & l'autre en leur premier état J ce qui est une preuve invincible de la Vérité que je viens d'établir.

Si, toujours sans détruire les enveloppes, le Principe swpérieur en sorces, n'a sait que diviser des assemblages, & si rendant les parties constituantes de ces masses à leur liberté & à leur ténuité naturelle, il les a seulement repoussées par l'évaporation, alors les-Principes individuels de méme nature, qui étoient auparavant rassemblés, se trouvent, il est vrai, dispersés çà & là, sur la terre & dans les airs, mais sans avoir rien communiqué, ni perdu de leurs sacultés, de leur substance, ou de leur action.

Mais si au contraire le Principe dominant a par sa sorce & sa puissance décomposé J'enveloppe même du Principe inférieur; s'il l'a dissoute & détruite, alors l'action du Principe inférieur est anéantie, & bien loin qu'en terminant ainsi sa carriere, ce Principe ait pu s'unir ou communiquer son action au. Principe dominant, c'est que dans ce sait, i'action même du

Principe

fiò *Des Semences Vermìneufiii*

Principe dominant se trouve bornée à sa premîerô activité, si elle n'a été altérée, ou épuisée, sans retour, par sa propre victoire.

Ensin, la consusion & la continuité

d'action du même Principe dans différentes sormes successives, ne se trouve pas davantage dans la naissance des vers & autres insectes qui paroissent à la putréfaction des cadavres; le Principe de l'existence de ces animalcules est également dans leur propre semence: car nos corps, comme tous ceux de la Création, sont l'assemblage d'une multitude insinie de germes destructeurs, & de semences vermineuses qui n'attendent, pour se produire & pouf engendrer, qu'une réaction & des circonstances convenables.

Tant que nos corps subsistent dans la plénitude de leur vie & de leur action, le Principe dominant qui les dirige tenant toute l'enveloppe dans l'équilibre, en empêche la dissolution, & contient l'action de ces germes destructeurs. Mais, quand ce Principe dominant vient à abandonner cette enveloppe, alors les principes secondaires n'ayant plus de lien, se séparent naturellement & laissent le champ ouvert à tous ces animalcules; ils aident même à leur naissance & à leur accroissement, par une réaction & une chaleur propre à leur saire percer leur enveloppe séminale.

Alors les, débris du cadavre servent de pâtura rure à ces insectes, & passent en eux comme leg aliments passent par la digestion dans tous let corps vivants; dans les uns & dans les autres, même disolution, même emploi des Principes innés; mais, ni dans les uns, ni dans les autres le Principe du corps dissous ne passe dans le corps vivant pour l'animer 5 car, je l'ai assez établi, chaque Etre a la vie en soi, & n'a besoin que d'une cause extérieure, pour mettre en action & soutenir son propre principe.

Il est donc évident que, dans les actes les plus cachés des Etres corporels, tels que la sormation, la naissance, l'accroissement & la dissolution, les Princicipes ne se mélangent & ne se consondent jamais avec les Principes.

Les aliments ne sont donc que des moyens de réaktion propres à garantir les corps vivants de l'excès de l'action ignée qui dévore & dissout successivement ces Etres alimentaires, comme elle dissoudrait sans eux le corps vivant luimême. Ainsi ils ne sont pas, comme le

Des erreurs et de la vérité, ou, Les hommes rappellés au principe universel de la science (1) • Louis Claude de Saint-Martin

• 25

croient les Observateurs & la multitude après eux, des matériaux dont l'Etre qui se sorme doive être composé, puisque cet Etre a tout en lui avec la vie, que les Etres alimentaires étant dissous n'ont plus rien; & que ce qui pourrait leur rester se perd continuellement à mesure que les Principes particuliers se séparent de leur enveloppe, & vont fe réunir à leur source originelle.

Ainsi, *Iti Faux Syfiimc fur là Matiert*

Ainsi, cette mutation apparente des sormes ne doit plus nous séduire, jusqu'à nous saire croire que les mêmes Principes recommencent tine nouvelle vie; mais nous resterons persuadés que les nouvelles sormes que nous voyons san» cefe naître & se réproduire sous nos yeux, ne íont que les effets resultats & les fruits de nouveaux Principes qui n'avoient point encore ttgi; & nous aurons sûrement de l'Auteur des choses, l'idée qui lui convient, lorsque nous dirons que tout étant simple, tout étant neus dans ses ouvrages, tout doit y paraître pour la premiere sois.

Cest par de telles vérités que nous démontrons de nouveau, combien l'opinion de l'éternité de la Matiere est contraire aux loix de la Nature, Car, non seulement ce ne sont pas les mêmes Principes innés qui demeurent continuellement chargés de la reproduction successive des corps) mais il est certain qu'un Principe quelconque ne peut avoir qu'une seule action, & par conséquent, qu'un seul cours. Or, il est assez visible que le cours des Etres particuliers qui composení la Matiere est borné, puisqu'il n'y a pas un instant où nous n'en appercevions la fin, & que le temps n'est sensible que par leur continuelle destruction.

Mais ' il ne sauf plus être étonnés des erreurs qui ont régné jusqu'à présent sur cet objet, & si nous nous adoptons les opinions donc elles sont les suites, il n'y auroit point de termes à nos égaremens. Les Observateurs ayant à peine íaìc un pas pour distinguer la Matiere d'avec le Principe qui soutient & engendre cette Matiere, donnent à l'une ce qui n'appartient qu'à l'autre» Ils regardent leur Matiere premiere, comme étant toujours & essentiellement la

même recevant seulement & sans cesse une multitude de sormes différentes; ainsi, la consondant avec son Principe, agent, intérieur, inné, ils nous disent que n'y ayant qu'une seule Essence dans la Matiere, il ne peut y avoir qu'une seule action universelle dans cette Matiere; & que, par conséquent la Matieie est permanente & indestrudible.

Je les prie d'approsondir ce que j'ai dit au commencement de cet Ouvrage, sur l'origine & la nature du bien & du mal. J'ai sait voir qu'il répugne à tout homme de sens, d'admettre que des propriétés différentes aient la même source. Appliquons donc ceci aux différentes propriétés que la Matiere maniseste à nos yeux, *Sc* voyons s'il est vrai qu'il n'y ait qu'une seule essence matérielle.

Je demande si faction du seu est semblable à celle de l'eau; fi l'eau agit comme la terre, & si nous ne voyons pas dans ces élémens des propriétés nonseulement différentes, mais même /. *Partit.* (H) tout ii4 *Diversité its EJsences Mttiricllts.* tout-à-sait opposéts; cependant ces éléments J quoiqu'étant plusieurs, sont vraiment la base & le sondement de toutes les enveloppes matérielles. Il nous est donc impossible d'adopter avec les Observateurs, qu'il n'y ait qu'une seule essence dans les corps, lorsque nous voyons leurs propriétés se montrer si différemment; loin donc, ainsi qu'ils le prétendent, que la même Matiere soit continuellement employée dans la successive révolution des sormes, il n'en est seulement pas deux, dans lesquelles on puisse raisonnablement l'admettre.

Je ne cesserai donc de répéter que l'essence des corps n'est point unique, comme ils le croient; que toutes les sormes sont le résultat de leurs Principes innés, qui ne peuvent maniseter leur' action que sous la Loi générale de trois éléments, essentiellement différents par leur nature; qu'un résultat de cette espece ne peut être considéré comme un Principe,, attendu que n'étant point *un* , il est exposé à varier, & il dépend de l'action plus ou moins sorte de l'un ou de l'autre de ces éléments; qu'ainsi la Matiere ne peut être stable & permanente, ni passer succes-

sivement d'un corps à l'autre, mais que ces corps proviennent tous de faction d'un Principe nouveau, & par conséquent différent.

En un mot, cette différence de tous les Principes innés est assez sensible, si l'on observe que toutes toutes les classes & tous les Regnes de la Nature corporelle sont marqués par des caracteres frappants & distinctiss: si l'on observe, dis-je, l'opposition qui regne entre la plupart des classes & des especes; c'est-là ce qui sera convenir qu» ces Principes innés & agents des divers corps, sont nécessairement différents. Car, pour que le Principe agent, intérieur & inné des corps fût le seul, ou le même, dans toute la Nature, il saudroit qu'il agît par-tout, & qu'il reparût continuellement & d'une maniere unisorme dans les divers corps.

Mais, après avoir reconnu cette différence individuelle des Principes, rappelions-nous avec quelle précision & quelle exactitude chacun d'eux opere l'action particuliere quî lui est imposée, & nous compléterons par-là l'idée que nous avons déja donnée de ces Principes des Etres corporels, en disant qu'ils ne peuvent point être un assemblage, comme les essences de la matiere, mais qu'ils sont des Etres simples, dépositaires de leur Loi & de toutes leurs sacultés; des Etres dépositaires d'une seule action, comme tout Etre simple; c'est-à-dire, des Etres indestructibles, mais dont l'action sensible doit finir, & finit à tout instant, parce qu'ils ne sont préposés que pour agir dans le temps, & pour composer le temps.

Hz Je li6 Du Système des Développemens.

Je n'ai plus qu'une légere remarque à saîra aux Observateurs de la Nature sur un mot qu'ils emploient, en traitant des corps. Ils en annoncent la naissance & l'accroissement sous le nom de *développement.* Nous ne pouvons leur passer cette expression; parce que, s'il étoit vrai que les corps ne sissent que se développer, il saudroit qu'ils sussent entiers dans leurs germes ou dans leurs Principes. Or, fi ces corps étoient essentiellement & réellement contenus dans les Principes, ils en seroient disparaître leur qualité primitive d'Etre simple J alors ils ne seroient plus indivisibles, ni par conséquent revêtus de l'immortalité, ou il saudroie pour la conserver aux Principes, la conserver aussi aux Etres corporels qui y seroient rensermés; ce seroit accorder ce que nous avons nié jusqu'à présent, & contredire grossiérement ce que nous avons établi.

Si les Observateurs ne veulent pas s'exposer aux conséquences les plus absurdes, il saut donc qu'ils s'accoutument à ne point regarder la croissance des Etres corporels comme un développement, mais comme l'œuvre & l'opération du Principe inné, producteur des essences matérielles qui les dispose & les consorme solon la Loi particuliere qu'il porte avec lui. Je sais que ceux à qui je m'adresse, sont bien loin de soupçonner une pareille doctrine, & qu'ils seront *rofit* peu disposés à l'admettte; car rien n'est plus opposé' à leurs pensées & à la maniere dont ils ont envisagé la Nature jusqu'à présent; cependant je leur présente ces Vérités avec consiance, & dans la conviction où je suis qu'ils n'en peuvent mettre aucune autre à la place.

Je ne sais pas même comment, en admettant la croissance de l'Etre corporel par le développement, ils ont pu s'arrêter un moment à l'idée que j'ai combattue plus haut, sur le passage & la réunion des parties différentes d'un corps dans un autre Corps; car, si le germe ne sait que se développer, il saut donc qu'il ait en lui toutes ses parties; or, s'il a toutes ses parties, pourquoi auroit-il besoin des parties d'un *zut*re corps pour se sormer?

Mais, qu'on ne croie pas pouvoir tourner l'argument contre moi, & dire que si je nie que toutes les parties dont la sormation est nécessaire à la corporation complette d'un Etre matériel, soient contenues dans son germe, c'est convenir qu'il doit recevoir du dehors les matériaux de son accroissement; ce qui seroit sans doute très-contraire aux Vérités que j'ai tâché d'exposer sur la Nature. Cette Nature est vivante par-tout, elle a en elle le mobile de tous ses saits, sans avoir besoin que les germes renserment en eux l'assemblage abrégé de toutes les parties qui doivent un jour leur, servir d'enve (H3) bppe.

Ii8 *Du Systime des Développemens*. loppc. Il ne leur saut que la saculté de les ptow duire, & ils l'ont. Dès-lors, s'ils ont cette saculté, tous les autres expédients qu'on a inventés pour expliquer la croissance & la sormation des Etres corporels, deviennent superflus; car les Observateurs ny avoient eu' recours qu'après avoir méconnu dans la Matiere, le Principe inné de sa vie & de son action, & qu'après avoir ainsi imaginé qu'elle étoit essentiellement morte & stérile. Un mot de plus achevera de proscrire entiérement cette idée de développement des Etres corporels; c'est que s'il avoit lieu, il n'y auroit point de monstres, puisque tout auroit *été* créé régulier; & que s'il n'y avoit qu'un développement, l'Auteur des choses n'auroit plus rien à saire. Or nous sommes loin de croire qu'il puisse, ni lui, ni tout ce qu'il a produit, demeurer dans l'inaction.

Je bornerai là mes observations sur la maniere déséctueuse dont les hommes ont considéré l'essence de la nature corporelle; j'ose croire que s'ils veulent méditer ce que je leur ai annoncé, ils avoueront que c'est pour n'avoir pas distingué la Matiere d'avec son Principe, qu'ils se sont si souvent égarés; & d'après ce que je viens de dire sur la sormation des Etres, la mutation continuelle des sormes, la distinction des essences d'avee leur Principe inné, les propriétés & la simplicité de ce Principe, tant dans le particu

îier que dans l'universel, & sur l'unité de son action qui n'est ordonnée que pour un temps, ils conviendront que les Principes des différents Etres corporels ne se consondent point, ni ne se communiquent point, par la raison qu'ils sont indivisibles; qu'étant indivisibles, ils ne peuvent jamais se dissoudre; qu'ils sont. distincts entr'eux, tant par la nature particuliere de leur action, que par le terme de sa durée; ce qui s'annonce par la destruction des élémens qui composent la Matiere; qu'il résulte de-là une infinité de combinaisons corporelles successives, d'où les Observateurs ont trop légérement

conclu que les corps se succédant sans ceste, la matiere qui leur sert de base est impérissable. Car, loin de la regarder comme éternelle, ils doivent convenir avec nous, qu'il n'y a pas un seul instant où elle ne se détruise, puisque dans elle une action sait toujours place à l'autre. Ils ne se flatte, ront plus alors, comme les Alchymistes, d'une revivification continuelle qui les mette eux & tous les corps à l'abri de la dissolution; car, ft 'existence des corps n'a qu'une durée limitée, ce terme une sois arrivé, il seroit impossible de retarder leur destruction, sans y joindre un nouveau Principe, à celui qui est prêt à s'en séparer; or nous avons vu que ceci ne pouvoit arriver dans l'erdre même naturel des choses; les hommes croiroient-ils donc leurs pouvoirs (H 4) supérieurs

ii© *Enchaînement des Erreurs*. supérieurs à la Nature & aux Loix qui constituent les Etres?

Ainsi, ayant appris à distinguer la Matiere d'avec le Principe qui l'engendre, & ayant reconnu les différentes actions qui se manisestent dans cette Matiere, ils ne croiront plus à toutes ces identités chimériques qui leur or.t sait insensiblement tout consondre, même le bien & le mal. Portons actuellement notre vue sur des objets plus élevés.

5

S'Ií-étoit possible qu'une Erreur ne fût pas toujours la source d'une insinité d'autres Erreurs, je serois peu sensible à celles que je viens de combafre, concernant le Principe &. les Loix de la Matiere; car la connoissance de ces objets n'étant pas d'une grande importance, de pareilles méprises ne peuvent pas être bien dangereuses par elles-mêmes. Mais, dans l'état des choses, ces Erreurs se tiennent entr'elles comme les Vérités; & de même que nos preuves contre les saux raisonnnementsdes hommes se sont mutuellement servies d'appui, de même leurs opinions sur les corps, & les sragiles conséquences qu'ils en en ont tirées, ont en effet pour eux, les suites les plus sunestes, parce qu'elles sont essentiellement liées avec des choses d'un ordre supérieur.

Après avoir consondu dans les corps

Des erreurs et de la vérité, ou, Les hommes rappellés au principe universel de la science (1) • Louis Claude de Saint-Martin

• 27

particuliers, la Matiere avec le Principe de la Matiere, les hommes, égarés au premier pas, n'ont plus été en état, ni de découvrir la véritable essence de cette Matiere, ni de discerner le Principe qui la soutient & qui lui donne l'action & la vie î ayant ainsi assimilé les deux natures qui constituent toute la région élémentaire, ils n'ont pas eu l'idée de chercher s'il y en avoit une différente & supérieure.

En effet, nous avons vu qu'ils se sont expo fés à cette vicieuse alternative, ou de donner au Principe les bornes & les sujétions de la Matiere ou de donner à la Matiere les droits & les propriétés du Principe. Dès-lors le Principe des corps & les parties grossieres qui les constituent, n'étant pour eux qu'une seule & unique chose; ils sont sacilement parvenus, en raisonnant de la même maniere, à consondre aussi ces corps & leur Principe, avec des Etres d'une Nature indépendante de la Matiere.

Ainsi, d'échelons en échelons, ils ont bientôt établi une égalité universelle entre tous les Etres, en sorte qu'il saudroit admettre avee eux, ou que la Matiere est elle-même la cause de tout ce qui s'opere, ou que la cause qui sait opérer 1X2. *Enchaînement des Erreurs:* opérer la Matiere n'est pas plus intelligente *p*& les Principes que nous avons reconnu dans cette Matiere; ce qui revient absolument au même. Car, donner à la Matiere, comme ils le sont, des propriétés auflî étendues, c'est annoncer qu'elle a tout en elle; or, si elle a tout en elle, quelle nécessité y a-t-il qu'un Etre intelligent veille sur elle & la dirige, puisqu'elle peut se diriger elle-même? Alors que seroit-ce donc que cet Etre intelligent, si les hommes lui resusent la connoissance & Faction sur cette Matiere? Et lui ôter ce pouvoir, ne seroit-ce pas lui ôter l'intelligence, puisqu'il y auroit quelque chose au dessous de lui, qui lui seroit inconnu, & qu'il ne pourroit concevoir.

Voilà le cercle étroit dans lequel des hommes im prudents voudroient rensermer nos connoissances & nos lumieres.

Je sais que la plupart d'entr'eux ont apperçu les suites dangereuses de leurs principes, & que s'ils s'y laissent entraîner, c'est moins par conviction & par goût, que par dJsaut de précautions, mais ils n'en sont pas moins blâmables de s'être exposés à ces inconséquences. L'homme est à tout moment susceptible de s'égarer, surtout quand il veut seul porter la vue sur ces objets dont son exil obscurcit en lui la connoissance. Néanmoins, malgré sa privatiorî, y a des Erreurs qu'il est coupable de ne pas éviter íviter. Celles dont il s'agit sont de ce nombre, & avec un peu de bonne soi & les principes que nous avons établis, il est impossible que les Auteurs de pareils systèmes leur trouvent encore quelque vraisemblance.

Je pourrois m'en tenir à ce que j'ai déja dit sur la différence des Etres sensibles *St* des Etres intelligents, & aux preuves que j'ai données que les plus rares sacultés d'un Etre corporel, ne peuvent pas l'élever au-delà du sensible, ainsi que je l'ai sait remarquer dans les Animaux, qui tiennent le premier rang parmi les trois Regnes de la Nature; consrantant ensuite les mouvements & la marche des Animaux, avec les sacultés d'un autre ordre que nous avons découvertes si évidemment dans l'homme, nous ne pourrions plus douter désormais que cet homme ne soit, un Etre intelligent*;* nous ne pourrions nier également qu'il n'y ait d'autres Etres doués de cette saculté d'intelligence, puisque nous avons vu que dans l'état où l'homme se trouve à présent, il n'a rien à lui, & qu'il est obligé d'attendre tout du dehors jusqu'à la moindre de ses pensées.

De plus, nous rappellant que parmi les pensées qui lui sont communiquées, il ne peut íe dispenser d'avouer qu'il n'y en ait qui répugnent à sa nature, & d'autres qui y sont analogues, en sorte qu'il ne sauroit raisonnablement les

J24 *Droits des Etres intelligents.* les attribuer à un seul & même Principe, *aoas* aurions déja suffisamment prouvé l'existence de deux Principes extérieurs à l'homme, & par conséquent, extérieurs à la Matiere, puisqu'elle est insiniment au dessous de lui.

Alors, je le repète, on ne pourroit resuser Fintelligence à ces deux Principes opposés, puisque dans l'état de réprobation que nous subissons, ils sont les seuls par qui nous puissions sentir notre intelligence. Or, s'ils sont intelligents, il saut qu'ils connoissent & conçoivent tout ce qui est au dessous d'eux; car sans cela ils ne jouiroient pas de la moindre des sacultés de l'intelligence; s'ils connoissent & conçoivent ce qui est au dessous d'eux, il ne se peut que, comme Etres actiss, ils ne s'en occupent, soit pour détruire, fi c'est le Principe mauvais; soit pour conserver, si c'est l'Etre bon,

Par-li nous pourrions démontrer aisément que la Matiere ne va pas toute seule. Mais c'est dans elle-même qu'il en saut chercher les preuves, pour dissuader ceux qui lui ont attribué une activité essentielle A sa Nature.

Nous avons établi les Principes de la Matiere, tant généraux que particuliers, comme rensermant en eux la vie & les sacultés corporelles qui en doivent provenir. Nous avons ajouté que, malgré cette propriété indestructible & innée dans ces Principes, ils ne pourroient jamais rien produire, produire, s'ils n'étoient réactionnés & f échauffés par les principes ignés extérieurs, destinés à mettre en action leurs sacultés, & cela en vertu de cette double Loi qui assujettit tout Etre corporel, & qui préside à toutes les actions & *i* toutes les générations de la Matiere.

C'est déja sans doute une marque de soibleste & d'assujettissement dans le Principe de PEtre corporel, d'avoir la vie en soi, & de ne pouvoir de soi-même la mettre en action. Cependant nous ne pouvons douter que ce Principe de vie inné dans le germe de tout Etre corporel, ne soit au dessus des Principes ignés extérieurs, qui n'emploient sur lui qu'une simple réaction secondaire, sans pouvoir lui rien communiquer d'essentiel à spn existence. Alors, si ces Principes ignés sont inférieurs au Principe de vie qu'ils viennent réactionner, ils peuvent encore moins que lui, se mettre d'eux-mêmes en action.

Ce seroit en vain qu'on parcourroit le cercle de la révolution des Etres corporels, pour *y* trouver le premier Principe de cette action; ác si l'on finisTbit par dire que ces Etres se réactionnant mutuellement, n'ont pas besoin d'une a« tre cause pour produire ce qui est en eux, on seroit obligé d'admettre, que d'abord le premie mouvement auroit été communiqué à ce cercle dans lequel ils sont rensermés; car les Principes les plus actiss parmi les Principes corporels, ne pouyanç *ii6 Du Principe du Mouvement.* pouvant rien, sans la réaction d'une autre Principe comment ceux qui leur sont inférieurs pourroient-i!s se passer de cette réaction? On voit par-là, qu'à quelque point du cercle qu'on sasse. commencer la premiere action, il est de toute nécessité qu» cette action commence.

Je demande donc aux Observateurs de bonne soi, s'ils conçoivent à présent que ce commencement d'action puisse se trouver dans la Matiere, & appartenir à sa Nature; & si au contraire, elle ne leur démontre pas physiquement sa dépendance originelle par cette Loi irrévocable, qui soumet le Principe de sa réproduction journaliere, au concours & à l'action d'un autre Principe.

Ils doivent d'autant moins douter de cette Vérité, que les moyens qu'ils emploient pour la détruire, sont, au contraire, ce qui sert le mieux à l'étayer. Qu'on mette, disent-ils, telles & telles matieres ensemble, & on y appercevra bientôt de la sermentation, de la putrésaction & une production: mais si ces matieres pouvoient seules se rapprocher les unes des autres, seroit-il nécessaire de les mettre ensemble? Alors, si ces manipulations particulieres ne peuvent avoir lieu, sans le secours d'une main étrangere, l'universel he sera-1-il pas dans le même cas, puisque sa nature n'étant pas différente de celle de toutes les parties de la Matiere, il n'a rien de plus plus qu'elles, & ne peut se conduire par une autre Loi

Ainsi, je crois pouvoir annoncer la nécessitë' d'une Cause intelligente & active par elle-même, qui ait communiqué la premiere action à la Matiere, comme elle la lui communique continuellement dans les actes successiss de sa réproduction & de sa croissance, & dans tous les effets qu'elle manifeste à nos yeux. Non seulement on ne peut concevoir que cette Matiere ne tienne

pas son origine d'une Cause qui soit hors d'elle , mais on voit que même aujourd'hui, il saut nécessairement qu'il y ait une cause qui dirige sans cesse toutes les actions de cette Matiere, & qu'il n'y a pas un seul instant où elle pût vivre & se soutenir, si elle étoit abandonnée à elle-même, & privée de ses Principes de réaction.

Ensin, s'il a fallu une Cause pour donner la premiere action à la Matiere, s'il saut encore & toujours le concours de cette Cause pour entretenir la Matiere, il n'est plus possible de se sormer l'idée de cette Matiere, sans avoir à la sois celle de sa Cause, qui seule la sait être ce qu'elle est, & sans laquelle elle ne peut pas avoir un moment d'existence: & de même que je ne puis concevoir la sorme d'un corps, sans le Principe inné qui l'a produite, de même je ne puis concevoir l'activité des Corps & *12.8 Mobile de la Nature.*
& de la Matiere sans une cause physique, maïs immatérielle, active & intelligente à la sois, supérieure aux Principes corporels, & qui leur donne ce. mouvement & cette action que je vois en eux, mais que je sais ne pas leur appartenir essentiellement..

Geci peut suffire pour expliquer tous les Phénomenes réguliers de la Nature, où reconnoissant pour ches & pour guide, une Cause supérieure, à qui nous ne pouvons resuser l'intelligence nous regarderons Tordre & l'exactitude qui regnent dans l'Univers, comme un effet & une suite naturelle de l'intelligence de cette même Cause.

Alors rien ne nous étonnera plus dans cette Nature; toutes ses opérations & même la destruction des Etres, 'nous paroîtront simples & consormes à sa Loi, parce que la mort n'est point un néant, mais une action, & que le temps qui compose cette Nature, n'est qu'un assemblage & une succession d'actions, tantôt créatrices & tantôt destructrices. En un mot, nous devons nous attendre à trouver par-tout dans l'Univers, le caractere & les témoignages de la Sagesse qui l'a construit & qui le soutient.

Mais, autant cette Vérité se sait sentir à U pensée de l'homme, autant il est srappé des désastres & de la consusion

qu'il apperçoit si souvent dans la Nature; à qui donc attribuer ce ce contraste? Sera-ce à cette Cause active & intelligente, qui est le véritable Principe de la per-' section des choses corporelles? Il n'est pas possi- ble de s'arrêter un instant à cette idée. & il répugne absolument de penser que cette Cause puissante agisse à la sois pour elle-même & contr'elle-mêmc.

Que ce spectacle difforme ne lui enleve donc aucun de nos hommages, & n'affoiblisse point, notre vénération pour elle. Après ce qu'on a vu sûr la double Loi intellectuelle, c'est-à-dire „ sûr l'opposition des deux Principes, nous devons savoir à qui on peut attribuer les maux & les désordres de la Nature, quoique ce ne soit: pas encore ici le lieu de parler des motiss qui les sont opérer.

Mais la puérile désiance de ces Vérités est un des obstacles qui a le plus retardé les progrès de nos connoissances & de la lumiere; c'est la principale cause des Erreurs, ou les idées des hommes les ont entraînés sur ces objets, & de l'incertitude de tous les raisonnements qu'ils ont sait pour expliquer lav Nature des choses.

S'ils se sussent mieux appliqués à considérer les deux divers Principes qu'ils étoient sorcés de reconnoître, ils auroient apperçu la différence & l'opposition de leurs sacultés & de leurs actions, ils auroient vu que le Mal est absolument étranger au Principe du bien; agissant par *I. partie.* (I) son 139 *Càusî dijîînâe de la Mathtf.* son propre pouvoir sur les productions temporelles de ce Principe, avec lesquelles il est emprisonné, mais n'ayant aucune action réelle sur le bien même, qui plane au dessus de tous les Etres, soutient ceux qui par leur nature , ne peuvent se soutenir eux-mêmes, & laisse agir & se désendre ceux à qui il a accordé le privilege de la Liberté. Us auroient vu, disje, que quoique la Sagesse ait disposé les choses, de maniere que le mal soit souvent l'occasion du bien, cela n'empêche pas que dans le moment où ce mal agit il ne soit mal, & que dès-lors on ne puisse en aucune saçon attribuer son action au Principe du Bien.

Des erreurs et de la vérité, ou, Les hommes rappellés au principe universel de la science (1) • Louis Claude de Saint-Martin

• 29

Ce seroit donc là ce qui pourroit aider encore à nous convaincre de la sragilité des systèmes des hommes, & nous consirmer dans les principes où nous sommes, que ce n'est qu'en distinguant la véritable nature & les véritables Propriétés des différents Etres, qu'on peut parvenir à s'en sormer une idée juste; mais il est temps de-retourner à notre sujet.

Si les observations que nous venons de saire sur les Loix qui dirigent la sormation des corps, nous ont sait découvrir la nécessité d'une Cause supérieure & intelligente; si nous avons vu que les deux agents inférieurs, savoir le Principe premier, inné dans les germes, & le Principe secondaire, opérant la réaction, ne sont pas suffisans 'Cause difiinèe ae là Matiere'. 13 fr suffisans par eux-mêmes, pour pfoduire la moindre corporation; c'est la Nature même & la Raison qui nous enseignent ces vérités; & il h'est plus permis d'en douter.

Je dois néanmoins fortifier cette doctrine par une observation simple, qui lui donnera beaucoup plus de poids & d'autorité; je serai donc remarquer que la cause active supérieure, universelle temporelle, intelligente, ayant en cette qualité la connoissance & la direction des Etres insérieurs a sur eux urte influencë qui s'áugmentera sans doute insiniment à hos yeux + si nous observons que c'est pat son action que tous les Etres corporels ont pris originairement leur sorme, & que c'est áuflì par cette action qu'ils s'entretiennent & se reproduisent, comme ils s'entretiendront & se reproduiront par elle pendant toute la durée du temps;..

Les sacultés d'un Etre si puissant doivent sûrement s'étendre à toutes les œuvres qu'il dirige i il doit être tel qu'il puiste veiller à tout, présider à tout, c'ést-à-diré, embrasser toutes les parties de son ouvrage.

Nous devons donc présumer qu'il a lui-même dirigé la production de ìa substance qui sert de sondement aux corps, comme il a dirigé, ensuite' la corpòrisatiort de cette même substance; & queí son pouvoir & son intelligence s'étendent *k jlì)* Fefftictf 131 *Des Causes temporelles*. l'essence des corps, ainsi qu'aux actions qui íes ont sormés. Simple dans sa Nature & dans son action, comme tous les Etres simples, ses sacultés doivent se montrer par-tout sous le même caractere, & quoiqu'il y ait une distinction ëntre la production des germes de la Matiere & la corporation des sormes qui en sont provenues, il ne se peut cependant que la Loi qui a dirigé l'une & l'autre, soit différente, autrement il y auroit diversité d'action; ce qui repugne absolument à tout ce que nous avons observé.

Car nous avons indiqué précédemment, que les essences ou les éléments dont les corps sont universellement composés, étoient au nombre de *trois* , c'est par le nombre de *trois* que s'est mahisestée la Loi qui a dirigé la production des éléments; il saut donc que ce soit aussi par le nombre, de, *trois* que se maniseste la Loi qui a dirigé & qui dirige la corporation de ces mêmes éléments. C'est la nécessité de l'action simple dans un Etre simple, qui commence à nous saire sentir cette analogie; mais quand l'unisormité de. cette Loi se trouve consirmée par le plus sévere examen, & par le sait même, alors elle devient pour nous une réalité.

Ce soroit, en effet, prosaner ridée qu'on doit avoir de la Cause intelligente que de ne pas íeconnoître son action évidente sur des Etres qui ne me peuvent pas s'en passer un instant. Car, consondre cette Cause intelligente avec les causes inférieures de tous les actes & de tous les produits corporels, c'est la même chose que de l'exclure; alors, c'est donc véritablement remettre la Matiere à la seule direction de ces causes ou de ces actions inférieures.

Or nous avons vu que ces causes & ces actions inférieures étoient réduites au nombre de *deux* , savoir celle innée dans tous les germes, & celle provenant de l'agent second, qui est employé nécessairement dans tout acte de réproduction corporelle. Alors, qu'on examine de nouveau si j'ai eu tort de dire qu'il seroit impossible d'obtenir aucune production par ces deux causes remises à ellesmêmes.

Si elles sont égales, elles seront dans l'inaction; s'il y en a une supérieure à l'autre, la supérieure surmontera l'inférieure, & la rendra nulle; alors il n'y en auroit qu'une qui pourroit agir.

Mais nous savons avec toute l'évidence possible, qu'une seule çause ne peut suffire pour la sormation d'aucun Etre corporel, & qu'outre l'Action ou le Principe inné dans tous les germes, il saut nécessairement, *5c* sans qu'on puisse jamais s'en passer, une action secondaire qui en sasse opérer la production; de même qu'il saut que cette cause secondaire les actionne pendant (I 3) toute

'34 ® *Cfa temporelles*,. toute leur durée. Nous savons, dis-je que. fans le. concours de ces deux causes ou de ce, deux actions, il est impossible qu'aucun Etre corporel reçoive la naissance & la corporation, & qu'il conserve la vie: cependant nous voyons clairement, que si ces deux causes étoient remises à leur propre action, rien ne se seroit, puisque l'une surmontant l'autre, demeureroit seule.

N'est-ce pas alors le sait même qui m'apprend la, nécessité de cette troisieme cause, dont la présence & l'intelligence servent à diriger ces deux causes inférieures, à maintenir entr'elles l'équilibre & le concours mutuel, sur le-sijuels la Loi de la Nature corporelle est établie.

Il me suffira donc de rappeller ce. que j'ai; dit ci$essjs. J'ai établi qu'il y avoit une Loi par laquelle, tous les Principes des corps étoient soumis à la réac-. tion d'autres Corps ou Principes secondaires; n'é-. toit-ce pas déja mettre les Observateurs à portée, de reconnoître les deux agents distincts, employés, à la corporation de tout Etre de sorme? J'ai montré ensuite, que sans une cause supérieure & intelligente, ces deux agents inférieurs ne pourroient pas produire la moindre des corpo». rsations, puisqu'il saut une action premiere.' & que nous n'avons pu la trouver en eux.

% nécessité d'un agent supérieur dans le temporel est donc ainsi démontrée; & tout nous enseignant qu'il y a une cause physique, immatérielle & intelligente, qui préside à tous les Faits que nous présente la Matiere, la réunion de toutes ces preuves doit opérer en nous la plus serme conviction. Revenons au nombre *ternaire* par lequel cette cause a manisesté sa Loi dans les Eléments.

Je sais qu'on ne s'accordera pas d'abord avec moi sur ce que j'ai enseigné que les Eléments n'étoient qu'au nombre de *trois,* tandis qu'on en reconnoît quatre universellement. On aura été surpris de m'entendre parler de la *Terre* , de *Y Eau* & du *Feu* , sans que j'aie rien dit de *Y Air.* Je dois donc expliquer pourquoi il ne saut admettre en effet, que trois Elémens, & pourquoi l'air n'en, est point un.

La Nature indique qu'il n'y a que trois dimensions dans les corps; qu'il n'y a que trois divisions possibles dans tout Etre étendu; qu'il n'y a que trois figures dans la Géométrie; qu'il n'y a que trois sacultés innées dans quelqu'Etre que ce soit; qu'il n'y a que trois Mondes temporels *y* qu'il n'y a que trois degrés d'expiation pour l'homme ou trois Grades dans ía vraie F. M.; est un mot, que sous quelque sace qu'on envisage les choses créées, il est impossible dy trouver rien au dessus de trois.

Qc *y* cette Loi; se montrant universellement 4.) ayecj 136 *Du Ternaire universel.* avec tant d'exactitude, pourquoi ne seroit-ellc pas la même dans le nombre des Eléments qui sont le sondement des corps? Et pourquoi se seroit-elle sait connoître dans les résultats de ces Eléments, fi eux-mêmes n'y avoient pas été assuîettis? Il saut donc le dire, c'est la sragilité des corps qui indique celle de leur base, & qui s'opjxse à ce qu'on leur donne quatre Eléments pour essence; car, S'ils étoient sormés de *quatre Elements* , ils seroient indestructibles, & le monde seroit éternel; au lieu que n'étant sormés que de *trois,* 51s n'ont point d'existence permanente, parce qu'ils n'ont point en eux l'Unité; ce qui sera très-clair pour ceux qui connoissent les véritables Loix. de» nombres.

Ainsi, ayant démontré précédemment l'état d'impersection & de caducité de la Matiere, c'est une nécessité de trouver cette même caducité dans les substances qui la composent, & une preuve que son nombre ne peut pas être parsait,

puisqu'elle ne Test pas elle-même.

Je ne puis me dispenser de m'arrêter un moment, & de prévenir ici les alarmes que mes expressions pourroient répandre dans plusieurs esprits. J'annonce le nombre *trois* comme sragile & périssable; alors, que deviendra donc ce *Ternaire* si universellement révéré, qu'il y a eu des Nations qui n'ont jamais compté au-delà de ce nombre j

Je Je déclare que personne ne respecte plus que moi ce *Ternaire* sacré je sais que sans lui, rien ne seroit de ce que l'homme voit & de ce qu'il connoît; je proteste que je crois qu'il a existé éternellement & qu'il existera à jamais, & il n'y a aucune de mes pensées qui ne me le prouve; c'est même là où je prendrai ma réponse à l'objection présente, & j'ose dire à mes semblables que, malgré toute la vénération qu'ils portent à ce *Ternaire,* l'idée qu'il en ont, est encore au dessous de celle qu'ils en devroient avoir; je les engage à être très-réservés dans leurs jugements sur cet objet. Ensin, il est très-vrai qu'il y a *trois en un* , mais il ne peut y avoir *un en trois*, sans que celui qui seroit tel ne sût sujet à la mort. Ainsi mon Principe ne détruit rien, & je puis sans danger reconnoître la désectuosité de la Matiere, sondée sur la désectuosité de son nombre.

J'engage encore plus ceux qui me liront à saire une distinction absolue entre le *Ternaire* sacré, & le *Ternaire* des actions employées aux choses sensibles & temporelles; il est certain que le *Ternaire* employé dans les choses sensibles n'a pris naissance, n'existe, & n'est soutenu que par le *Ternaire* supérieur; mais, comme leurs sacultés & leurs actions sont évidemment distinctes, il ne seroit pas possible de concevoir comment ce *Ternaire* est indivisible

&

Îj8 *De r Air. $c* au dessus du temps, lorsqu'on en voudroît juger par celui qui est dans le temps; & comme celui-ci est le seul qu'il nous soit permis de connoître ici-bas, je ne dis presque rien de l'autre dans cet ouvrage.

Voilà pourquoi il seroit contraire à mon intention qu'on inférât quelque chose de mon exposé, *te* qu'on en sit la

moindre application sur le plus sublime objet de mes hommages, à moins que ce ne fût pour constater d'autant plus la supériorité & l'indivisibilité de ce *Ternaire* sacré. Revenons aux Eléments.

J'ai enseigné que l'Air n'étoit pas au nombre des Eléments, parce qu'on ne peut, en effet, regarder comme Elément particulier, ce fluide grossier que nous respirons, qui enfle ou resserre les corps, selon qu'il est plus ou moins chargé d'eau ou de seu.

U y a sans doute dans ce fluide un Principe que nous devons appeller, *Air.* Mais il est incomparablement plus actis & plus puissant, que les Eléments grossiers & terrestres dont les corps sont composés; ce qui se consirme par mille expériences. Cet Air est une production du Feu, non de ce Feu matériel que nous connoissons, mais du Feu qni a produit le Feu & toutes les choses sensibles. L'Air, en un mot, est absolument nécessaire pour l'entretien & la vie de $qus les corps élémentaires y ne subsistera gas pas plus long-temps qu'eux mats n'étant" point Matiere, comme eux, on ne peut le regarder comme Elément, & par conséquent, il est vrai de dire qu'il ne peut entrer dans la composition de ces mêmes corps.

Quelle sera donc a destination dans la Nature Nòus ne craindrons pas de dire qu'U n'est préposé que pour communiquer aux Etres corporels les sorces & les vertus de ce Feu qui les a produits. Il est le char de la vie des Elements, & ce n'est que par son secours qu'ils peuvent recevoir le soutien de leur existence; car sans lui toutes les circonsérences rentreroient dans le centre d'où elles, sont sorties.

Mais en même temps qu'il coopere le plus à entretien des corps, il saut remarquer qu'il est auîíî l'agent principal de leur destruction, fic cette Loi universelle de. la Nature ne doit plus nous étonner, puisque la double action qui constitue l'Univers corporel, nous apprend qu'une de ees actions ne peut jamais y dominer qu'au détriment de l'autre.

C'est pour cela que lorsque. les Etres corporels ne jouistent pas de toutes leurs vertus particulieres, il est très-nécessaire de les préserver de l'Air, si l'on veut les conserver. C'est pour cela que l'on couvre très-soigneusement Routes les blessures & toutes les plaies, parmi lesquelles 1 340 *De F Air.*

îesquelîes H s'en trouve quelquesois, auxquelles îí ne saut d'autres remedes que de les garantir de Faction de l ' Air; c'est pour cela auîï que les Animaux de toute espece se mettent à cowvert pendant le sommeil, parce qu'alors l'Air agiroit plus sortement sur eux, que pendant la veille, où ils ont toutes leurs sorces pour résister à ses attaques, & n'en retirer que les avantages nécessaires à leur conservation.

Si, outre ces propriétés de l'Air, on veut voir encore mieux sa supériorité sur les Eléments, il suffira d'observer que, lorsque l'on parvient, autant qu'il est possible, à le séparer des corps, il conserve toujours sa sorce & son élasticité, quelques violentes & quelques longues que soient les opérations qu'on peut saire sur lui; dès-lors on doit le reconnoître comme inaltérable; ce qui ne convient à aucun des autres Eléments, qui tombent tous en dissolution, lorsqu'ils sont séparés les uns des autres; c'est donc, par toutes ces raisons réunies que nous devons le placer au dessus des Eléments, & ne pas le consondre avec eux.

Cependant l'on pourroit ici me saire une objection; quoique je ne place. point l'Air an nombre des Eléments, je l'attache néanmoins á l'entretien des corps, & je ne lui donne pas plus de durée qu'à eux, cela sait donc nécessairement un Principe de plus dans la constitution des

Etres Etres corporels; ils ne seront donc plus *Ternaires* , «omme je l'ai annoncé. Examinant ensuite l'analogie, que j'ai établie entre la Loi de la constitution des corps & le nombre des agents qui en sont opérer la corporation, on pourroit en conclure que je suis sorcé d'augmenter auîlì le nombre de ces agents.

Sans doute. Il existe une Cause au dessus des trois causes temporelles, dont j'ai parlé, puisque c'est elle qui les dirige, & qui leur communique leur action. Mais cette Cause qui domine ìùr

les trois autres, he se sait connoître qu'en les manisestant à nos yeux. Elle se renserme dans un sanctuaire impénétrable à tous les Etres assujettis au temporel, & sa demeure, ainsi que ses actions, étant absolument hors du sensible, nous ne pouvons la compter avec les trois causes employées aux actions de la corporisation de la Matiere & à toute autre action temporelle.

C'est cette même raison qui nous empêcheroic encore d'admettre l'Air au nombre des Eléments, quoique les Eléments & les Corps qu'ils engendrent ne puissent vivre un instant sans lui; car, quoique son action soit nécessaire pour l'entretien des Corps cependant, il n'est pas soumis à la vue corporelle, comme le sont les Corps & les Eléments. Ensin, dans la décomposition des Corps, nous trouvons visiblement l'Eau, la Terre & le Feu & quoique nous sachions indubitablement ki *Division du Corps Humain'.* dubitablement que l'Air y existe, nous he ì'y pouvons jamais voir, parce que son action est d'un autre ordre & d'une autre classe.

Ainfi on trouve toujours une parsaite analogie entre les trois actions nécessaires à l'Existence des Corps & le nombre des trois Elémants constitutiss; puisque l'Air est dans l'ordre des Eléments $ ce que la Cause premiere & dominante est dans l'ordre des actions temporelles qui operent la corporisation; & de même que cette Cause n'est point tonsondue avec les trois actions dont il s'agit j quoiqu'elle les dirige; de mêmê l'Air nest point consondu avec les trois Eléments, quoiqu'il les vivisie. Nous sommes donc bien sondés à admettre ìà nécessité de ces trois actions, comme nous ne pouvons nous dispenser de reconnjtre les trois Eléments.

Je vais à cë sujet entrer dans quelques détails sur les rapports universels de ces trois Eléments avec les Corps *Sc* les sacultés des Corps; cë qui nous mettra sur la voie de saire des découvertes d'un àutre genrë, & de nous consirmer dahs la certitude de tous les principes que j'expose.

La distinction généralement reçue pàrmi les Anatomistes, est celle qui divise le Corps humain en trois parties,

savoir, la Tête, la Poitrine & le bas-Ventre. Sans doute, que c'est íá íiature même qui les a dirigés dans cette division, & que par un instinct secret y ils justifient eux-mêmes ce que j'ai à dire sur le nombre ainsi que sur les différentes actions des trois difsérents Principes élémentaires.

Premiérement, nous trouvons que c'est dans le bas Ventre que sont contenus & travaillés les Principes séminaux qui doivent servir a la reproduction corporelle de l'homme. Or, comme on sait que l'action du mercure est la base de toute sorme matérielle quelconque, il est aisé de voir que le Ventre insérieur ou le bas Ventre nous offre vraiment l'image de l'action de l'Elé- ment mercuriel.

Secondement, la Poitrine renserme le cœur ou le soyer dil sang, c'est-à-dire, le Principe de la vie ou de l'action des Corps. Mais on sait auíli, que le seu ou le sousre est le Principe de toute végétation & de toute production corpo» telle; le rapport de la Poitrine où du second Ventre, à l'Elément sulsureux, se trouve donc par-là assez clairement indiqué.

Quant à la troisieme division, ou la Tête; elle contient la source & la substance primitive des nerss, qui dans les Corps animaux sont les organes de la sensibilité j mais il est connu que la propriété du sel est également de rendre tout sensible; il est donc clair qu'il y a une parsaite analogie entre leurs sacultés, &t qu'ainsi la Tête a un rapport incontestable avec le troisieme Elément ou le sel; ce qui convient 144 *Divifion du Corps Humain.* convient parsaitement avec ce que les Physiologistes nous enseignent sur le siege & la source du fluide nerveux.

Cependant quelque justes que soient ces divisions, & quelque certains qu'en soient les rapports avec les trois Eléments, il saudroit avoir la vue bien bornée pour n'y appercevoir que cela. Car, outre cette saculté, attachée à la Tête, de porter en elle le Principe & l'agent de la sensibilité, ne pourroit-on pas voir qu'elle est douée de tous les organes par lesquels l'Animal peut distinguer les objets qui lui sont salutaires ou nuisibles, & qu'ainsi elle est chargée spécialement de veiller à la conservation de l'individu? Ne pourroiton pas voir que dans la Poitri ie, outre le soyer du sang, on y trouve encore le r-ient del'eau, ou ces visceres spongieux *a* ramadent l'humidité aérienne, & la communiquent au seu ou au sang pour en tempérer la ehaleur?

Alors, sans avoir besoin de recourir à la Tête pour découvrir nos trois Eléments, on les appercevroit clairement tous trois dans les deux Ventres inférieurs; pour la Tête, quoiqu'élémentaire elle-même, cependant, tant par les organes dont elle est douée, que par le rang qu'elle occupe, elle se trouveroit dominer sur eux, occuper le centre du triangle, *6c* le maintenir en équilibre; & par-là, on éviteroir cette , erreur erreur générale, par laquelle on consond le supérieur avec l'inférieur, & l'actis avec le passis, puisque la distinction en est écrite clairement jusques sur là Matiere. Mais ces objets sont trop élevés, pour être entiérement exposés aux yeux de la multitude.

Voilà ce que l'Anatomiè h'a pas envisagé, parce qu'étant isolée par l'homme, comme toutes les autres Sciences, ceux qui la prosessent ont cru pouvoir considérer séparément les Corps & les parties des Gorps, & ils se sont persuadés que les divisions qu'ils imaginoient n'avoienti aucun rapport avec des Principes d'un ordre supérieur;

Cependant c'étoit dans la division que jé viens de montrer, qu"-eussent trouvé une image sensible du *Qua'ter-Hàtrt* cïst-à-dire-, de ce nombre sans lequel on ne peut rien connoître, puisque, selon qu'on le verra dans la suite, il est l'emblême universel de la persection.

Mais je n'en dirai pas davantage pour le présent sur ce nombre, pour ne pas trop m'écarter de mon sujet, je me contenterai de l'avoir saic entrevoir & je vais exposer d'autres Vérités relatives à l'arrangement des différents Principes élémentaires dans le Corps de l'homme, ainsi que dans tous les autres Gorps.

Lorsque les Observateurs ont desiré avec tant d'ardeur de connoître l'origine des choses j X *Parti î ï6 VHommt, miroir de la Science.* fl étoit inutile qu'ils allassent chercher au dehors & loin

d'eux, il salloit jeter les yeux sur enx-mêmes, les Loix de leur propre Corps leur eussent indiqué celles qui ont donné la naissance à tout ce qui Fa reçue; ils auroient vu que l'action opposée, qui se passe dans la Poitrine entre le sousre & le sel, ou le seu & l'eau, soutient la vie du Corps, & que si l'un ou l'autre de ces agents vient à manquer, le Corps cesse de vivre.

Appliquant ensuite cette observation- à touc ce qui existe corporellement, ils auroient reconnu que ces' deux. Principes sont de même par leur opposition & leur combat, la vie & la révolution corporelle de toute la Nature; il n'en saut pas davantage pour s'instruire; l'homme a dans lui tous les moyens, ainsi que toures les preuves de la Science, & il n'auroit besoin que de S'examiner lui-même, pour savoir comment les choses ont pris-lêur origine.

Mais on remarquera qu'il est absolument nécessaire que deùx agents, aussi ennemis l'un de l'autre, aient un Médiateur qui' serve de barrière à leur action, & qui les empêche réciproquement de se surmonter, puisque dès-lors tout finiroit; ce Médiateur, c'est le Principe mercucuriel, la base de toute corporation, & avec lequel les deux autres Principes concourent au même but, c'est lui qui, étant répandu par-tout avec eux, les oblige par-tout à agir selon l'ordre prescrit, c'est-à-dire, à opérer & à entretenir les sormes.

C'est-là cette harmonie par laquelle les Gorps des Animaux éprouvent, sans souffrir, faction de l'eau par les poulmons, & faction du seu par le sang, parce que la Loi, dont le mercure est dépositaire, préside à toutes ces actions, & en mesure l'étendue.

Par cette même harmonie la Terre reçoit l'action des fluides par sa sursace, & 1 action du seu par son centra, & cela, sans en éprouver de dérangements, puisque c'est la même Loi qui la dirige.

Je n'ai pas besoin de répéter, que dans ces deux exemples, la vraie propriété du fluide est de modérer l'ardeur du seu, qui sans cela sortirait de ses limites, comme il paroît dans toutes les effervescences du sang des Animaux, & dans toutes les éruptions du seu terre-

stre. Car on sent. que si ces différents seux n'étoient tempérés par un fluide, qui pénetre. jusqu'au centre même, ils ne connoîtroient point de bornes à lenr ac-r tîon, & embraseraient successivement tous les Corps & la Terre entiere.

C'est pour cela quë l'Animal respire & que' la terre est sujette au flux & reflux de sa partie aquatique; parce que par la respiration, l'Animal reçoit un fluide qui humecte (Ki) sorç

'i 8 *Méprises des Observateurs.* son sang, indépendamment de celui qu'il reçoit des aliments & des boissons; & que par le flux & reflux, la terre reçoit dans 'toutes ses parties l'humide & le sel nécessaire pour arroser son sousre, 'pu son Principe de végétation.

Je ne parle point de la maniere dont les plantes & les minéraux reçoivent leur humide; dès qu'ils font attachés à la terre, il est naturel qu'ils se nourrissent des aliments, & de la digestion de leur mere; car »même pour les, arroser, où prendroit-on de l'eau qui ne fût pas à elle?

Laissons, nos lecteurs saire ici des comparaisons avec tout ce qu'ils ont vu sur la cause active & intelligente; laissons-les observer, que si tout part de la même main, il est à présumer que la loi intellectuelle & la loi corporelle ont la même marche, chacune dans leur classe & dans l'action qui leur est propre. Laissons-les découvrir ensin que si partout il y a du *Volatil,* par-tout il saut du *Fixe* pour le contenir. Pour nous, continuons à montrer pourquoi de si belles analogies sont presque toujours oubliées par les Observateurs.

C'est que loin d'avoir discerné des Agents & des Loix de deux classes différentes, ils n'ont pas même discerné, comme nous l'avons Vu, les Agents & les Loix différentes dans la mime classe j c'est qu'en séparant tout, &.-y. ' examinant examinant chaque objet à part, ils les ont vu seuls & isoles, & n'ont pas été assez sages & assez intelligents, pour soupçonner les rapports qu'ils avoient avee d'autres objets.

Si, par exemple, ils sont encore à la recherche d'une explication satissaisante sur le flux & reflux dont je viens de parler, c'est uniquement parce qu'ils

Des erreurs et de la vérité, ou, Les hommes rappellés au principe universel de la science (1) • Louis Claude de Saint-Martin

• 33

sont toujours dans cette suneste habitude de diviser les sciences, & de considérer chaqueEtre séparément.

jCar s'ils n'avoient pas destitué la Matiere de son Principe, en la consondant avec lui; s'ils n'avoient pas éloigné de ce même Principe une Loi supérieure, active & intelligente, temporelle & physique, qui doit en régler toute la marche, ils auroient vu qu'aucn» Etre corporel ne pouvant s'en passer, la Terre y étoit assujettie comme tous les corps; ils auroient vu que c'étoit sur cette Terre que s'opcroit en nature cette double loi indispensable pòur l'existence de tout Etre corporisé matériellement.

Mais de ces deux loix, nous avons vu l'une résider essentiellement dans le principe corporel de tout Etre de sorme soit général, soit particulier-, & la seconde provenir du dehors; il saut donc que cette seconde loi soit extérieure à la Terre ainsi qu'à tous les autres corpç, quoiqu'elle soit absolument né (K 3) çessairo: a 50 *Des Loix de la Nature;* cessaire à son existence, comme elle l'est *k fa*

Jeur.

Nous reconnoîtrons donc ici, comme dans le' double mouvement du cœur de l'homme animal, la présence de deux Agents liés violemment l'un à l'autre, diriges par une cause physique supérieure, & manisestant chacun à leur tour Jeur action sensible aux yeux corporels. On sait que cetre manisestation a lieu dans les quadratures de la Lune, temps auquel l'action ignée Solaire, se sait sentir sur la partie saline universelle.

Quoique nous ne puissions connoître ces deux Agents que par leur action sensible, comme nous ne connoistbns les Principes des corps, que par four production corporelle ou leur enveloppe, nous serions inexcusables de douter de leur pouvoir, puisque leurs effets le démontrent d'une manière aussi irrévocable.

Ainsi ce phénomene du flux & reflux n'est qu'un effet en grand de cette double loi, à laquelle tout ce qui est corps de matiere est nécessairement assujetti.

J'ajouterai que puisque nous voyons tant de régularité dans la marche & dans tous les actes de la Nature, & que nous sentons en même temps que les Etres corporels qui la composent, ne sont pas susceptibles d'intelligence, il saut qu'il y ait pour eux dans le *e* temporel , une main puissante & éclairée qui les dirige, main active placée au dessus d'eux par un Principe Vrai comme elle, par conséquent indestructible, vivant par soi, *Çc* que la loi qui émane de l'un & de l'autre, soit la regle & la mesure de toutes les loix qui *so*perent dans la Nature corporelle.

Je sais que toutes évidentes que soient ces vérités, dès qu'elles sont hors des sens, «lles trouveront difficilement accès auprès des Ober vateurs de mon temps, parce que ç'étant en.sevelis dans le sensible, ils on perdu le tact de ce qui ne l'est pas.

Néanmoins, comme la route qu'ils prenr nent, les éclaire sans doute beaucoup moins que celle que je leur indique, je ne cesserai de les engager à chercher plutyt la raison des choses sensibles dans le Principe, que.de chercher le Principe dans les choses senrilbles; car s'ils cherchent un Principe Vrai & réel, comment le trouver dans l'apparence? S'ils cherchent un Principe immatériel, comment le trouver dans un corps? S'ils cherchent un Principe indestructible, comment le trouver dans un assemblage? En un mot, s'ils cherchent un Principe vivant par soi, comment le trouver dans un Etre qui n'a qu'une vie dépendanfe, laquelle doit cesser aussi-tôt que son acte passager sera rempli?

(K) Mais fl *Du Mercure.*
Mais je n'aurois qu'une seule chofé à dire à. ceux qui poursuivraient encore «ne recherche auíTì chimérique: s'ils veulent absolument que leurs sens comprennent, qu'ils commencent donc partrouver des sens qui parlent, car c'est le seul moyen de leur saire avoir de l'intelligence.

Cette preuve deviendra dans la fiifte un principe sondajnenral, & c'est elle qui sera concevoir aux hommes Je véritable moyen de parvenir aux connoissances qui doivent être le seul objet de leurs desirs; mars en attendant, ne négligeons pas de jetter les yeux sur res diférentes parties de la Nature, qui pourront le mieux persuader aux Observateurs, la certitude des différentes loix que nous leur exposons; c'est-là où ils se convaincront eux-mêmes de la Vérité des Gauses qui sont au-deslus deleurs sens, puisqu'ils en verront la marche écrite d'une maniere fi palpable dans les choses sensibles.

Le Mercure, ainsi que je Pai dit plus haut sert universellement de médiateur au feu & à l'eau, qui, comme ennemis irréconciliables, ne pourraient jamais agir de concert sans un Principe intermédiaire, parce que ce Principe intermédiaire participant de la nature de l'un & de l'autre, les rapproche en même temps qu'il les sépare, & sait ainsi tourner toutes toutes leurs propriétés à l'avantage des Etres corporels.

Aussi dans la Nature, il y a, comme dans les' corps particuliers, un Mercure aérien qui sépare le seu provenant de la partie terrestre, d'avec le fluide qui doit se répandre sur la Terre, parce qu'avant que ce fluide y parvienne, le Mercure aérien le purifie, & le dispose à ne communiquer à la Terre que des propriétés salutaires, ce qui produit la qualité bienfaisante de la rosée, & sà supériorité sur le serein & sur le brouillard, qui ne sont que des fluides mal épurés.

C'est donc en raison de cette propriété universelle, que le Mercure tient dans tous les corps, le milieu entre les deux Principes opposés , le seu & l'eau, saisant en cela dans la sormation & la composition des corps , ce que la Cause active & intelligente sait dans tout ce qui existe, lorsqu'elle maintient 'équilibre entre les deux loix d'action & de réaction qui constituent tout l'Univers.

Tant que le Mercure occupe cette pince, le bien-être de l'inclividu est assuré, parce que cet élément tempere la communication du seu avec l'eau; quand au contraire ces deux derniers Principes peuvent surmonter ou rompre leur barriere, & qu'ils se joignent, c'est alors qu'ils se combattent ayec toute la sorce

Tf4 *E Tonnerre.* qni est dans leur nature, & qu'ils produisent les plus grands déTordres, & les plus grands dérangements dans l'individu dont ils sor-

noient l'assemblage; parce que dans le choc de ces deux agents, il saut toujours que l'un des deux surmonte l'autre, & détruise par-là l'équilibre.'

Le Tonnerre est pour nous l'image la plus parsaite de cette Vérité. On sait qu'il se sorme des exhalaisons salines & sulsureuses de U Terre, lesquelles étant tirées de leur séjour naturel par l'action du Soleil, de même que poussées au dehors par le seu terrestre, s'élèvent Jans les airs, où le Mercure aè'rjen s'en empare & íes enveloppe à peu près comme le charbon amalgame & enveloppe le sousre & le salpêtre dans la poudre artificielle,

Ici, ce Mercure aérien ne se place point entre les deux Principes qui sorment l'exhalaison, parce qu'il seroit trop actis pour y séjourner, & qu'étant d'une classe supérieure à la leur, ils ne peuvent pas ensemble constituer un corps. Mais il les enveloppe & les renserme par sa tendance naturelle à la sorme sphérique & circulaire, & par la propriété inhérente en lui, de tout lier, de tout embrasser.

En même temps, il a une autre saculté trés-incomparab!e, c'est celle de se diviser d'une maniere incompréhensible, de saçon qu'il n'y a pas jusqu'au plus pecit globule de ces exhalaisons sulsureuses & salines, qui n'en rencontre une quantité suffisante pour lui servir d'enveloppe t & c'est l'amas de tous ces globules qui sorme les nuages, ou le matras des soudres.

Or, dans cette sormation, nous ne pouvons nous dispenser de reconnoître nos deux agents trés-parsaitement distincts, savoir, le sel & le sousre; & en outre l'image de l'agent supérieur, pu ce Mercure aérien qui lie les deux autres Nous voyons donc déja clairement la nécessité de toutes ces différentes substances, pour coopérer à un assemblage quelconque, & c'est la Matiere seule qui nous la sait connoître.

Mais il ne suffit pas de trouver là les vrais signes de tous les Principes qui ont été ctatblis sur les loix universelles des Etres, il saut 'les trouver encore dans les différentes actions, & dans la diversité des résultats qui proviennent des mélanges de ces substances élémentaires.

Ne considérons pouf le moment les nuages où se sorme la soudre, que comme l'union de deux sortes de vapeurs, les unes terrestres, les autres aériennes; or, très-certainement, si;mcun autre agent ne les échaussoit, & ne les saisoit sermenter, jamais nous n'y verrions d'explosion. Il est donc de toute nécessité d'admettre eneore une douleur extérieur *i)6 Da Tonnerre.* rieure qui se communique aux deux substances rensermées dans l'enveloppe mercurielle, & qui divise avec éclat tous les globules salins & sulsureux, rensermés dans ces nuages; cette chaleur extérieure est un témoignage sensible de tous les Principes que nous avons posés précédemment, & dont nos lecteurs seront aisément ici l'application.

Mais pour la leur rendre encore plus sacile, 51 ne sera pas inutile d'examiner les différentes propriétés du sel & du sousre dans l'explosion de la soudre, parce que nous pourrons par-là donner quelques idées sur les deux Loix principales de la Nature, d'autant que le sel & le sousre sont les organes & les instruments de ces deux Loix.

La chaleur extérieure agit, ainsi qu'on fa vu, sur la masse des matieres qui composent la sou-' dre; elle en dissout l'enveloppe mercurielle, qui par sa nature est susceptible d'une division considérable; alors elle communique jusqu'aux deux substances intérieures, & enflamme la partie sulsureuse, qui pousse & écarte avec sorce la partie saline, dont la jonction avec elle étoit contraire à sa véritable loi, & sormoit une maladie dans la Nature.

Dans cette explosion, le Mercure se trouve íi prodigieusement divisé, que tout ce qu'U contenoit rentre en liberté 5 quant à lui, après avoir reçu cette entiere dissolution, il tombe avec le fluide sur la sursace terrestre, & c'est pour cela que l'èau de pluie a plus de propriétés que les autres eaux, parce qu'elle est plus chargée de Mercure, & que ce Mercure est insiniment plus pur que le Mercure terrestre.

Toute la révolution s'opere donc sur les deux autres substances, c'est-à-dire, sur celles qui dans la Nature corporelle sont les signes des deux Loix & des

deux Principes incorporels. Aussi c'est sur îes différents mélanges de ces deux substances que sont appuyés tous les effets que nous voyons produire au tonnerre.

On sait en effet, que le seu étant íe Principe de toute action élémentaire, ramasse les vapeurs terrestres & célestes, dont se sorme lá soudre; c'est lui aussi qui les sait sermenter, & qui ensuite en opere la dissolution; c'est donc au seu que l'on doit attribuer l'origine, ainsi quel'explosion de la soudre.

Quant au bruit qui provient de l'explosion de la soudre, on ne peut l'attribuer qu'au choc de la partie saline sur les colonnes d'air, parce que le seu par lui-même ne peut rendre aucun bruit, ce que l'on voit aisément, quand il agit en Liberté; &, quoique le seu soit le Principe de toute action élémentaire, cependant aucune de ees actions ne seroit sensi

ijS *Du Tonnerre.* ble dans la Nature sans le sel; couleur, saveur, odeur, son, magnétisme, électricité, lumiere, tout se montre & paroît par lui; c'est pour cela que nous ne pouvons doutes qu'il ne soit aussi l'instrument du bruit du tonnerre, d'autant que plus la soudre est chargée de parties salines, plus ses coups & ses éclats sont violents.

Nous ne pouvons douter auffi que le sel n'inslue sur la couleur des éclairs, qui est beaucoup plus blanche quand il y domine, que lorsque c'est le sousre qui l'emporte.

Ensin, il est fi vrai que le sel est l'instrument de tous les effets sensibles, que la soudre est beaucoup plus dangereuse quand elle abonde en sels, parce que son explosion étant plus violente à proportion, opere des chocs plus rudes & des ravages plus effrayants.

D'ailleurs, cette explosion par l'abondance du ièl se sait presque toujours dans la partie inférieure du nuage, comme étant la plus grossiere, la moins exposée à la chaleur, & par conséquent la plus susceptible d'être congelée; ce qui produit les grêles.

Au contraire, lorsque la soudre abonde en sousre, son bruit n'est pas aigu, ni brusque; ses éclairs sont de couleur rouge, & son explosion parvient rarement à communiquer jufqu'-à nous ses effets, parce qu'elle se sait alors communément par en haut, vu la sciblesse du nuage dans cette eette partie, & la propriété naturelle au seu, qui est de monter.

Voilà pourquoi il est reçu que le tonnerre tombe à tous les coups, quoique cependant nous n'en ayions pas toujuurs la preuve oculaire. Voilà pourquoi aulfi la connoistànce des matieres dont la soudre est chargée, doit apprendre sur quelles parties de la Terre elle peut tomber, parce qu'elle tend toujours vers les matieres qui lui sont analogues-sans que cependant on puislè déterminer pour cela, quel est le point fixe où ello tombera, parce qu'il saudroit connoître entiérement sa direction, & que dans le choc & l'opposition de toutes ces matieres différentes, la direction change à tous les instants.

C'est donc' là où nous voyons clairement l'esset de la double action de la Nature. Cependant tous ces différents chocs, fi consus en apparence, nous offrent, lorsqu'ils sont observés de près, ainsi que toutes les autres actions corporelles, la Loi fixe d'une cause qui les dirige, & c'est dans cette tendance des matieres de la soudre, vers les matieres analogues, que cette cauíe nous maniseste principalement sa puissance & sa propriété.

En effet, si la direction de la soudre étoit vers une partie de la sursace terrestre, d'où elle pût perdre sa communication avec les colonnes aériennes chargées des mêmes. matieres, ella finiroic

íesô *Du Tonnerrè.* finiroît & s'éteindroit à l'endroit de ía chute J lorsque toute sa matiere seroit consumée. C'est pour cette raison que la soudre ne se releve jamais, quand elle tombe dans des eaux prosondes, parce qu'alors la libre communication avec l'Air lui est interdite, & qu'elle ne trouve point là de matieres qui lui conviennent;

Mais, quand sa direction la conduit à des colonnes d'air, chargées de matieres qui lui sont analogues, elle les ensile & les suit, en augmentant plus ou moins ses sorces, selon qu'elle trouve plus ou moins à se nourrir. Ainsi elle peut, au moyen de toutes ces colonnes dont est composé l'Atmosphere, parcourir très-promptement différentes routes, & même les plus opposées les unes aux autres; ainsi elle doit se détourner quand elle trouve des matieres qui lui sont contraire;, ou un lieu dont l'Air n'auroit point d'issue, parce que cet Air étant impénétrable, lui oppose une résistance invincible; en un mot elle ne doit s'arrêter que quand 'elle ne rencontre plus de ces matieres dont elle puisse s'alimenter; & lorsqu'elle semble être au moment de. eesser son cours, si elle en rencontre de nouvelles, elle reprend des sorces j & produit de nouveaux effets

Voilà ce qui rend sa marche si irféguliere en apparence, & généralement si incompréhensible; cependant dans cette irrégularité même, oa fan ne petit nier qu'il n'existe une Loi puisque tous les Principes qu'on a vus ci-devant, nous ï'enseignent, & que tous les résultats nous le prouvent) il n'y a donc pas un seul moment où cetté Nature soit livrée à elle-même 6e où elle puisse saire un pás, sans la cause préposée pour la gouverner.

je nai plus qu'un mot à dire sur le sujet que je viens de traiter. L'on a cru communément que celui qui verroit l'éclair n'auroit rien â craindre de la soudrei Voyons jusqu'à quel point il saut ajouter soi à cette idée»

S'il n'y avoit qu'une seule colonne dans l'Air 6c qu'une seule explosion de la soudre, il est sûr que celui qui auroit vu l'éclair h'aùroit rien à craindre du coup qui accompagne cet éclair, paree que lë Temps céleste est si prompt qu'il he peut être ap-t perçu sur la Terre.

Mais, comme lès colonnes aeriennes, chargées de matières analogues à lá soudre, sont en grand nombre j Von peut avoir évité ('explosion de lá premiere, St n'être pas à couvert de l'explofiòn de lá seconde, ni de tòutes celíes qui succeísivemené seront enflammées après l'éclair ápperça, puifque là soudre peut prolonger sort cours, autant qu'elle' rencorìtreta de ces colonnes propres à l'alimenter:

Alors ûh homme qui aurOit eù le temps dé Voir l'éclair, auroit tort de se croire en sûreté *Sé partiti,* (L) poué é 6i *Préservatif contre le Tonnerre:* pour cela, jusqu'à ce que la chaîne de toutes les explosions qui doivent se saire dans le coup actuel, soit parcourue.

Cependant il n'est pas moins vrai que cette opinion a un sondement réel, & qu'il y a une sace sous laquelle on ne peut.pas la contester. Car, de même qu'il n'y a point d'éclair sans explosion de même, & à plus sorte raison, n'y a-t-il point d'explosion sans éclair; or, dès que l'intervalle entre l'un & l'autre, est presque nul, qu'un homme soit srappé â la premiere explosion ou à la derniere, il est constant qu'il ne pourra jamais avoir vu l'éclair de celle des explosions dont le coup le srappe.

Ce sont-là ces observations naturelles, qui toutes srivoles qu'elles soient en elles-mêmes, m'ont paru cependant les plus propres â peindre aux yeux de l'homme, l'universalité du Principe auquel il doit s'attacher, s'il veut *connoîtte;* j'ajouterai seulement qu'après tout ce que j'ai exposé au Lecteur, il lui sera aisé de sentir quel est le moyen de se préserver du tonnerre. Ce seroit de rompre les colonnes d'air dans tous les sens, c'est-à-dire, celles qui sont horisontales, comme celles qui sont perpendiculaires, & de chasser aux extrémités,la direction de la soudre, parce qu'alors, en se tenant au centre, on ne peut pas craindre qu'elle en approche.'.'".

Je n'en dirai pas la raison, ce seroit m'é carter carter de mon devoir, je le laisserai donc:découvrir à mes Lecteurs; mais je les prierai de refléchir sur ce qu'ils viennent de lire des différentes propriétés &' áctiorìs des Eléments, ainsi que des Loixqui les dirigent, lors même de la plus grande consusion apparentè; ils en conclurront sans " dòiïtè, ue quoiqu'ils nè 'puissent appercevoir-lés eáHses & les agents dépositaires de ces Lôîx, M leur est îrrfpóflible d'en nier Texistehce'.' Poursuivons notre carriere j & prouvons pàr l'homme même la réalité des;causes supérieures, ou 'distinctes dú sensible.;"'' *é*',

Les. détails qui ont précédés, sur l'analogie des trois Eléments avec les. trois différentes, parties du corps del'homme, sont susceptibles par. rapport à lui-même, d'explications d'un ordfç bien plus digne de lui, &.. qui doivent, l'inréresser davantage en ce qu'elles sont directement relatives à son Etre, & qu'elles lui montre,ront la différence de ses sacultés sensibles -Sc de ses sacultés intellectuelles, ou si l'on veut, dè ses sacultés passives & de ses sacultés actives

Les ténebres où les hommes sont gcnéraler ment sur ces objets, n'ont pas peu contribué à toutes les Erreurs que nous leur avons vu saire sur leur propre nature, & c'est pour n'avoir pas apperçu les disparités les plus srap (L 2) pantes

Ì64 lÉrreurs pflncipateS: pantes qu'ils n'ont pas encore les premíereS notions de leur Etre.

Car la vraie raison pour laquelle ils se sont crus semblables aux bêtes, c'est, n'en doutons point, qu'ils n'ont pas discerné leurs diverses sacultés. Ainsi, ayant consondu les sacultés de la Matiere, avec celles de l'intelligence ils n'ont reconnu dans l'homme qu'un seul Etre, & dès-lors, qu'un seul Principe & que la même Essence dans tout ce qui existe; de saçon que pour eux l'homme, es bêtes, les pierres toute la Nature ne présente que les mêmes Etres, distincts seulement par leur organisation & par leurs sormes.

Je ne répéterai pas ici ce qui a. été dit au commencement de cet ouvrage, sur la différence des actions innées dans les Etres, de même que sur la différence de toute Matiére & de son Principe, d'où l'on a pu connoître très-clairement, quelle á été l'Erreur de ceux qui ont consondu toutes ces choses. Mais je commencerai par píier mes Lecteurs d'observer avec des yeux attentiss, ce qui se passe dans les bêtes, auxquelles convient, aussi bien qu'à l'homme animal, la division de la sorme en trois parties distinctes, & de voir si chacune de ces trôis divisions ne pourroit pas nous indiquer réellement des facultés différentes, quoiqu'appartenantes au même même Etre, & quoiqu'ayant toutes le matériel pour objet & pour fin.,.

Qui ne sait en effet que tout est constitué par *poids* , par *nombre* & par

mesure ? or le poids n'est pas le nombre, le nombre n'est pas la mesure, & la mesure n'est ni l'un ni l'autre, &, qu'il me soit permis de le dire, le *nombre* est ce qui ensante l'actiou, la *me/ure* est ce qui la regle, & le *poids* est ce qui l'opere. Mais ces trois mots, quoiqu'applicables universellement, ne doivent pas sans doute signifier la même chose, dans l'Animal & dans l'Homme intellectuel J néanmoins il saut que si les trois parties des corps animaux sont constituées par ces trois Principes nous en trouvons sur elles l'application.

Auflî c'est par îe moyen des organes de la. tête, que l'Animal met en jeu le Principe de ses actions; ce qui sait qu'on, doit appliquer le *nombre* à cette partie.

Le coeur, ou íe sang, éprouve une sensation plus ou moins sorte, en raison de la sorce; plus ou moins grande, 8c de la constitution de l'individu; or, c'est l'étendue de cette sensation qui détermine l'étendue de faction dans, le sensible; c'est donc pour cela que h *mesure* peut conveníí à la seconde division du corps, animal.

Enfin Isa intestins operent cette même ae . *66 Du Poids, du Nombre & de la Mesure.* don, qui dans l'Animal, selon la Loi paisible de la Nature, doit se borner à la digestion des aliments dans l'estomac, & à la sermentation des semences reproductives dans les reins. C'est pour cette raison que le *poids* doit sê rapporter à cette troisieme partie, qui avec les deux autres / constituent essentiellement tout Animal.

Puisqu'il est certain que nous ne pouvofis líous dispenser de sentir la nature différente de ces trois sortes d'actions, nous devons reconnoître nécessairement une différence essentielle, entre les sacultés qui les manisestent. Cependant nous ne pouvons nier que ces différentes sacultés ne résident dans le même Etre; nous sommes donc obligés d'avouer, que quoique cet Etre ne sorme qu'un seul individu, il est évident néanmoins, que dans lui tout n'est pas égal j que la saculté qui végcte n'est pas celle qui le rend sensible; que celle qui le rend sensible, n'est pas celle qui lui sait

opérer *Sc* exécuter ses actions en raison de sa sensibilité, & que chacun de ces actes porte avec lui un caractere particulier.. '..

Appliquons à l'homme la même observation, & nous pourrons alors le préserver de la consusion horrible dans laquelle on prétend l'entraîner. Car si l'on apperçoit que dans lui le poids, le nombre & la mesure représentent des sacultés facultés non seulement différentes entr'elles, mais même encore insiniment supérieures à celles que ces trois Loix nous ont démontré dans la Matiere, nous pourrons en conclure légitimement que l'Etre qui sera doué de ces sacultés, sera très-différent de l'Etre corporel, & alors on ne seroit plus excusable de consondre l'un avec l'autre.,.

On conviendra sûrement sans peine, que quant aux sonctions corporelles, les trois distinctions que nous avons saites se peuvent appliquer au corps de l'homme, comme à tout autre Animal, parce qu'il est Animal en cette partie. Il peut, comme les Animaux, manisester par le secours des organes de la tête, ses sacultés & ses sonctions Animales. Il éprouve, comme eux, ses sensations dans le cœur, & cómme éux il éprouve dans le ventre inférieur, les effets auxquels les Loix corporelles assujettissent fous les Animaux pour leur soutien & pour leùr réprò-/ duction.

Ainsi, dans ce sens, le poids, te nombre & la mesure lui appartiennent aussi essentiellement & de la même maniere, qu'à tout autre Animal.,;., J

Mais il n'est plus possible de douter, que tes trois signes n'aient dans l'homme les effets dont toutes i les propriétés de la Matiere n'offrent pas *K* moindre trace.

%6î Différentes estions dans VîntelU-Sueî.

Car, premièrement quoique nous soyons con-i venus que toutes les pensées de l'homme ac-« tuel ne lui venoient que du dehors, on ne peut tiier cependant que Pacte intérieur & le sentiment: de cette pensée, ne se passent au dedans & indépendamment des sens corporels. Or c'est donc dans ces actes intérieurs que nous trouverons parsaitement l'expreflion de ces trois signes, le *poids*

Des erreurs et de la vérité, ou, Les hommes rappellés au principe universel de la science (1) • Louis Claude de Saint-Martin

• 37

, Je *nombre* & la mesure, d'où proviennent ensuite tous les actes sensibles auxquels l'homme fe détermine en conséquence de sa Liberté;

Le premier de ces signes est le *nombre,* que nous appliquons à la pensée comme le Principe *Sc* le sujet sans lequel aucun des actes subséquents n'auroit lieu.

Après cette pensée nous trouvons dans, l'homme une volonté-bonne pu mauvaise, & qui sait seule, la, regle de sa, conduite & de sa consor-r mité, à la, justice, aussi, rien ne nous paroît mieux convenir à cette volonté que le second; signe, ou la *mesure.*

En troisieme lieu, de cette pensée & de cette volonté, il résulte un acte qui leur est consorme, & c'est â cet acte pris comme réíultat, que l'on doit appliquer le troisième signe ou le *poids*; cet acte néanmoins se pastè dans l'intérieur, comme la pensée & la volonté; il est vrai qu'il enfance à son tour un ' ' *m* acte sensible, qui doit saire répéter aux yeux du corps, l'ordre & la marche de tout ce qui s'est passé dans l'intelligence; mais comme la liaison de cet acte intérieur à cet acte sensible qui en provient, est le vrai mystere de l'homme, je ne pourrois m'y arrêter plus long-temps sans indiscrétion & sans danger; *Sc* si j'en parle dans la suite, lorsque je traiterai des langues, ce ne pourra jamais être qu'avec réserve.

Cela n'empêche pas qu'on ne reconnoisse avec moi dans l'homme intérieur ou intellectuel, le poids, le nombre & la mesure, images des loix par lesquelles tout est constitué, & alors quoique nous ayions auíli reconnu ces trois signes dans la Bête, notís nous garderons bien de saire aucune comparaison entr'elle & l'Homme, puisque dans la Bête, ils n'operent uniquement & ne peuvent opérer que sur les sens, au lieu que dans l'Homme ils operent sur ses sens & sur son intelligence, mais d'une maniere particuliere à chacune de ces sacultés, & relativement au rang qu'elles occupen(par rapport à l'autre.

Si l'on persistoit à nier ces deux sacultés dans l'Homme, js ne demanderois à ceux qui les contestent, que de jeter les yeux sur eux-mêmes, ils y verroient que les différentes Çareies dç leurs corps où elles se manisestent, 170 *lies deux Natures universelles. ont* un indice srappant de la différence de cet facultés.

Quand l'Homme veut considérer quelque objet de raisonnement, qu'il se propose la solution de quelque difficulté, n'est-ce pas dans la téte que se sait tout le travail?

Quand au contraire, il éprouve des sentiments /de quelque nature qu'ils soient, & quel qu'en soií l'objet, ou intellectuel, ou sensible, n'est-ce pas dans le cœur que se sait connoître tout le mouvement, toute l'agitation toutes les sensations de joie, de ' plaisir, de peine, de crainte, d'amour, *Sc* toutes les affections dont nous sommes susceptibles?

Ne sentons-nous pas aussi, combien les actes qui se passent dans chacune de ces parties, sont opposés, & que s'ils n'étoient rapprochés par un lien supérieur, ils seroient par eux-mêmes irréconciliables?

C'est donc là cette différence maniseste qui doit de nouveau convaincre l'homme qu'il y a en lui plus d'une nature.

Or si l'homme, malgré son état de réprobtion, trouve encore en lui une nature supérieure à sa nature sensible & corporelle, pourquoi n'en voudroit-il pas admettre une semblable dans le sensible universel, mais également distincte & supérieure à l'Univers, quoique préposée particuliérement pour le gouvefner.

C'est C'est auílì là où nous apprendrons ce que nous devons penser d'une question qui inquiete communément les hommes; savoir, dans quelle partie du corps le Principe actis, ou l'ame, est placé, & quel est le lieu qui lui est fixé pour être le siege de toutes ses opérations.

Dans les Etres corporels & sensibles, le Principe actis est dans le sang, qui, comme seu, est la source de la vie corporelle; alors d'après ce qui a été dit, en parlant des différentes sacultés des Etres, nous ne pouvons nier que son siege principal ne soit dans le cœur d'où il étend son action dans toutes les parties du corps.

Qu'on ne soit plus arrêté par la difficulté de ceux qui ont dit que si l'ame corporelle étòit dans le sang, elle se diviseroi, & s'échapperoit en partie, lorsque l'animal perdroit du sang; car elle affoiblit seulement par-là son action, en ce qu'elle perd les moyens de l'exercer; mais elle n'en souffre en ellemême aucune altération, puisqu'étant simpl e, elle est nécessairement indivisible.

Ce que nous appelions, la mort des corps, n'est donc autre chose que la fin totale de cette action qui se, trouve privée de les véhicules secondaires, comme dans les épuisements; ou trop contrainte, comme dans les maladies d'humeurs; ou enfin trop libre & par-là étnt inter'... ceptée 171 *Siège de VAme intellectuelle.* ceptée ou interrompue, comme dans les blessures qui attaquent les parties indispensablement nécessaires à la vie du corps.

Quoique j'annonce que la vie, ou l'ame corporelle, réside dans le sang, néanmoins je dois en passant, saire remarquer que le sang est insensible; observation qui pourra saire connoître aux hommes la différence qu'il y a entre les sacultés de la Matiere, & les sacultés du Principe de la Matiere, & qui les empêchera de consondre deux Etres aussi distincts.

L'homme étant semblable aux animaux par sa vie corporelle & sensible, tout ce que l'on vient de voir sur le Principe actis animal, peut lui convenir quant à cette partie seulement. Mais quant à son principe intellectuel, comme il n'étoit point sait pour habiter la Matiere, c'est une des, plus grandes méprises que les hommes aient saites, que de lui chercher son berceau dans la Matiere & de vouloir lui assigner une demeure fixe & un lien pris parmi des assemblages corporels, comme fi une portion de matiere impure & périssable pouvoit servir de barriere à un Etre de cette nature.

Il est bien plus évident qu'en qualité d'Etre immatériel, ce n'est qu'avec un Etre immatériel qu'il peut avoir de la liaison & de l'affinité, l'on conçoit qu'avec tout autre Etre la communication seroit impraticable»

Aussi c'est sur íe Principe immatériel

corpotel de l'homme, & non sur aucune portion de fa matiere que repose Ton Principe intellectuel: c'est là qu'il est lié pour un temps par la main supé' rieure qui l'y a condamné j mais par sa nature, il domine sur le Principe corporel, comme le Principe corporel domine sur le corps, & nous n'en devons plus douter, en ce que c'est dans la partie supérieure, ou dans la tête, que nous avons montré ci-devant qu'il manisestok toutes' ses sacultés; en un mot, il se sert de ce Principe pour l'exécution sensible de ces mêmes sacultés; & tel est le moyen de discerner clairement le siege & l'emploi des deux différents Principes de l'homme.

Cependant, quoique par sa Mature & par sa place, le Principe corporel soit inférieur, c'est par sa liaison avec lui que l'homme éprouve dans son Etre intellectuel tant de souffrances, tant d'inquiétudes, tant de privations, & cette terrible obscurité qui lui sait ensanter tant d'Erreurs, C'est par cette liaison qu'il est sorcé de subir l'action des sens de ce Principe corporel, dont l'entre mise lui est aujourd'hui absolument nécessaire, pour obtenir la jouissance des véritables affections qui sont saites pour lui.

Mais, comme Cette voie est variable & incertaine, & qu'elle ne rend pas toujours la lumiere 174 *Difformités. & des Maladies.* lumiere dans toute sa clarte, l'homme n'en retire pas les avantages, & les sátissactions dont la nature le rerdoit susceptible.

Delà vient que les dérangements, soit naturels, soit accidentels que le Principe sensible & corporel peut éprouver, sont trcs-nuisibles au Principe intellectuel, en ce qu'ils affoiblissent à la sois, & l'instrument de ses actions, & l'organe de ses affections.

Ces saits ont paru si savorables aux Matérialistes, qu'ils ont cru pouvoir les donner comme un appui solide à leur système, c'est-à-dire, qu'ayant sondé les sacultes intellectuelles de l'homme sur fâ continuation corporelle, ils les ont sait dépendre absolument du bon ou du mauvais état, où son corps pouvoit être selon le cours variable de la Nature «

Mais après tout ce qu'on a vu sur la Liberté de l'hpmme, & sur.la différence des deux Etres qui le composent, ces objections n'ont plus aucune valeur; l'homme n'est point tenu à la jouissance entiere de toutes les sacultés qui pourroient appartenir à sa Nature intellectuelle, puisque, par leur origine même, tous les hommes n'en. reçoivent pas la mêrhe mesure, & puisque mille événements indépendants de leur volonté, peuvent déranger â tout instant, leur constitution corporelle; mais *l* est coupable lorsqu'il laisse dépérir par sa saute faute les sacultés qui lui sont accordées. Tous ne sont pas nés pour avoir le même Domaine, mais tous répondent de l'emploi de celui qui leur est échu.

Ainsi, quelque dérangement, quelque irrégularité qu'un homme éprouve dans sa constitution corporelle & dans ses sacultés intellectuelles, ne le croyons pas pour cela à l'abri de la Justice, parce, que, quelque petit que soit le nombre & la valeur des sacultés qui lui restent, il en devra toujours compte, & il n'y a que l'homme 'dans la solie, de qui la vraie Justice ne puisse rien exiger, parce qu'alors cette Justice le tient elle-même sous son fléau.

Ne croyons pas non plus avec nos adversaires que ces dérangements & ces irrégularités corporelles, n'aient d'autre Principe que la Loi aveugle par laquelle ils prétendent expliquer la Nature, Nous montrerons par la suite combien la conduite de l'homme, dans sa vie corporelle, s'étend jusques sur sa postérité; nous montrerons en outre dans son lieu qu'elles sont les immenses sacultés du Principe ou de cette cause temporelle attachée de toute nécessité à la direction de l'Uniyers.

Ainsi, en réfléchissant sur la nature de cette cause temporelle universelle qui non seulement préside essentiellement aux corps, mais qui dcvroit môme aussi être toujours la bous *Des Difformités & âes Matadieíi* sole des actions des hommes, il sera sacile de voitsi rien dans cette région corporelle peut arriver qui n'ait un motis & un but.

Nous croirons bien plutôt que toutes ces diffor- mités, tous ces accidents auxquels nous sommes ex posés, tant dans notre Etre corporel, que dans notre

Etre intellectuel, ont incontestablement un principe; mais que nous ne le connoissons pas toujours, parce qu'on le cherche dans la Loi morte de la Matiere, du lieu de le chercher dans les Loix de Justice dans l'abus de notre Volonté, ou dans les égarements de nos Ancêtres.

Je laisse l'homme aveugle & léger, murrhuret sur cette Justice, qui étehd la punition des éga» rements des peres sur leur postérité. Jë ne lui apporterai point pour preuve cette Loi physique par laquelle une source impure communiqué son impureté â ses productions, parce qUe cëtté Loi si connue est sausse & abusive, lors qu'on l'applique á ce qui n'est pas corps. Ií Verrdit' eneore moins que si cette Justice peuÉ affliger les Ensants par les Peres, elle pêuÉ áufli blanchir & laver les Peres par les Ensants; ce qui devroit suffire pour suspendre tous nos Jugements sur elle, tant que nous ne serons paá admis â son Conseil

Ce coiip d'œil prudent, juste & salu taïre,'est tine des récompenses de la Sagesse nié me *f* inême; comment le donneroit-elle donc à ceux «qui croient pouvoir se passer de sa lumiere, & qui se persuadent n'avoir pas besoin d'autre guide que leurs propres sens, & les notions grossieres de la multitude?

La question que je viens de traiter sur lô lieu que l'ame oceupe dans le corps, me mené naturellement à une autre route aussi intéressante sur le Principe corporel, & qui occupe également les Observateurs; c'est de savoir pourquoi lorsqu'un homme est privé, par accident, de l'un de ses membres, il éprouve pendant quelque temps des sensations qui lui semblent être dans le membre dont il ne jouitplus.

Si l'ame ou le Principe corporel étoit divisible, comme il saudroit l'inférer des opinions des Matérialistes, il est certain qu'après l'amputation d'un membre jamais un homme ne pourroit souffrir dans cette partie parce que les portions du Principe corporel, qui auroient été séparées en même temps que le membre amputé, ne conservant plus de liaison avec lejr: íburce, s'éteindroient d'elles-mêmes, & ne pourroient plus donner aucun témoi-

Des erreurs et de la vérité, ou, Les hommes rappellés au principe universel de la science (1) • Louis Claude de Saint-Martin

• 39

gnage de sensibilité.

C'est encore moins dans ce membre amputé que nous devons chercher le Principe de cette sensibilité puisqu'au contraire, dés /. *Partit,* M) ftnstàòî % *jt Effets de î'Amputation.* l'instant de sa séparation, il n'est plus rien pou le Corps dont il est séparé.

C'est donc uniquement dans le Principe corporel lui-même, que nous pourrons trouver ía cause du fait dont il s'agit, & nous rappelant toutes les Vérités que nous avons établies, nous dirons que dans l'aíTemblage de rhomrsle actuel, de même que son Principe corporel sert d'instrument & d'organe aux sacultés de son Etre intellectuel, de même son corps sert d'organe & d'instrument aux sacultés de son Principe corporel.

Nous avons vu que si ce Principe corporel éprouvoit des dérangements dans les organes principaux du corps-, qui sont sonda mentalement nécessaires à l'exercice des sacultés intellectuelles, il pouvoit arriver que le Principe intellectuel en souffrît; mais oh ne croira pas, je l'esteie, que cette souffrance puisse aller jusqu'à altérer rEíTènCe de cò Principe intellectuel, ni à le diviser d'aucune maniere; on sait que par sa nature d'Etre simple il demeure toujours le même; tout ce qu'on lui voit éprouver alors, c'est un dérangement dans ses facultés, & cela, parce que l'organe qui devoit lui servir à les exercer & à lui saire parvenir la réaction intellectuelle extérieure dont il ne peut se passer, n'étant f oint dans son état, de persection, l'áction de ces sacultés intellectuelles devient nulle, ou reflue sur l'Etre intellectuel lui-même.

Dans le premier cas, c'est-à-dire, lorsque l'action des sacultés devient nulle, l'Etre intellectuel ne démontre que la privation; ce qui est le commencement de l'imbécillité & de la démence, mais il n'y a point de peine alors, aussi est-il reconnû que la solie ne sait point souffrir.

Dans le second cas, c'est-à-dire, lorsque cette action reflue sur le Principe, il montre de la consusion, du désordre, & un mal-être qui est une véritable souffrance intellectuelle, parce que ce Principe, qui ne tend qu'à exer-

cer son action, se trouve borné & resserré dans l'emploi de ses sacultés. '

Il en est absolument de même pour la souffrance corporelle dans le cas de la privation d'un membre. Le corps doit servir d'organe au Principe corporel qui l'anime, si.cé corps reçoit quelque mutilation considérable, il est certain que l'organe étant tronqué, le Principe corporel ne peut plus saire exécuter ses sacultés dans toute leur étendue, parce que l'action de la saculté qui avoit besoin du. membre amputé pour avoir son effet, ne trouvant plus d'agent qui corresponde avec elle, devient nulle, ou reflue sur ejle-même; c'est, alors qu'elle occasionne une côn (M ï) suíîo

ïSo *EJets de r Amputation.* susion & des douleurs très-sensibles dans le Principe corporel d'où elle est émanée, d'autant que í'amputation d'un membre donne entrée à des actions extérieures & destructives, qui repoussent avec encore plus de promptitude l'action du Principe corporel, & la sont retourner vers son centre.

Malgré cette souffrance, nous ne devons donc point admettre de démembrement dans le Principe corporel, ni dans aucune sorte de Principes, & nous reconnoîtrons simplement que tout Etre corporel ayant besoin d'organes pour saire exécuter son action, doit souffrir quand ces organes sont dérangés, parce qu'alors ils ne peuvent pas rendre l'effet qui leur est propre.

Il n'est pas tout-à-sait inutile de remarquer que ceci ne peut avoir lieu que sur les quatre membres extérieurs, ou sur les quatre correspondances du corps; car des trois parties principales qui composent le buste, aucune he peut être supprimée sans que le corps ne périsle.

Reprenons en peu de mots les divers objets que je viens de traiter. J'ai sait voir par les différentes propriétés des Eléments, plusieurs actions différentes dans la composition des corps j j'ai sait voir qu'outre les deux actions opposées & innées' dans ces corps, il y avoit une Loi t,'' supérieure supérieure par laquelle elles étoient régies, même dans leurs plus grands chocs & dans leur plus grande consusion; j'ai sait voir ensuite

que cette Loi'supérieure se trou voit même aujourd'hui dans l'homme, en qui elle étoit distincte du sensible, quoiqu'étant attachée au sensible; nous ne pouvons donc plus nier qu'il n'y ait trois actions nécessairement employées à la conduite des choses temporelles, en similitude des trois Eléments dont les corps íbnt composés.

De ces trois actions ordonnées par la, premiere Cause, pour diriger la sormation des Etres corporels, l'une est cette Cause temporelle, intelligente & active qui détermine Faction du Principe inné dans les germes, par le moyen d'une action secondaire, ou d'une réaction sans laquelle nous avons reconnu qu'il ne se seroit aucune réprcduction & sans doute, tout ces que l'on a vu, a sait sentir assez clairement l'existence & la nécessité de cette Cause intelligente, dont Faction supérieure doit diriger les deux actions inieneures.

Comment se sait-il donc que les hommes, l'aient méconnu, & qu'ils aient cru pouvoir marcher sans elle dans la connaissance de la Nature? On en voit maintenant la raison. C'est qu'ils ont dénaturé les nombres qui constituent ces actions, comme ils ont dénaturé ceux qui constituent les Eléments; car d'iint

't8î *Source ie î Ignorance,.* côté, dans ce qui est *trois,* ils n'ont reconno que *deux:* de l'autre, ils ont cru voir *quatre,* dans ce qui n'est que *trois;* c'est-à-dire, qu'en considérant les deux' actions passives des corps, ils ont perdu de vue la Cause active & intelligente, en sorte qu'ils ont assimilé & consondu l'action & les sacultés de cette cause avec cejles des deux actions inférieures, corame ils ont assimilé la saculté passive des trois Eléments à la saculté active de ï'air, qui est un des plus sorts Principes de leur réaction. Pès-lors ces nombres étant ainsi défigurés, les Observateurs ti'ont pïus apperçu le rapport qui se trpqvoit entre le ternaire des Eléments & le ternaire des actions qui operent la çorpprisation universelle & particuliere. ",

Ce rapport leur ayant échappé, & étant ainsi devenu nul pour eux, ils. n'ont plus senti la nécessité & la supériorité de cette action de la cause intelligente sur les deux actions inférieures qui servent de base à toute production corporelle; ils ont pris les unes pour les autres, toutes ces causes & ces actions différentes, ou plutôt ils n'en ont sait, qu'une.

Et comment auroient-ils pu se préserver de cette erreqr, puisqu'ils ayoicnt commencé par consondre la Matiere avec le Principe de la Matiere, & que donnant, á cette Maticre toures les propriétés de son Principe, il ne leur en a pas coûtë' eoûté davantage de lui attribuer aussi toutes les propretés & les actions des Causes supérieures qui sont indíspensablement nécessaires à son exif4 tence.

Mais on, doit voir à présent, que méconnoître la puissance & la nécessité d'une troisieme cause, c'est se priver du seul appui qui reste aux hommes pour expliquer la marche de la Nature; c'est lui donner d'autres Loix que celles qu'elle a reçues; c'est lui attribuer ce qui n'est pas en elle; en un mot, c'est admettre, ce qui nonseulement n'est pas vraisemblable, mais ce qui est hors de toute possibilité.

Aussi, qui ignore ce que les hommes ont mi? en place de cette Cause indispensable? qui ne sait les puériles raisonnements qu'ils ont employés pour expliquer sans elle les Loix de la Matiere, & pour asteoir le système de l'Univers? Aveugles sur l'origine des choses, sur l'objet de la Création, sur sa durée, sur son action, toutes les explications qu'ils en ont données, sont le langage du doute & de l'incertitudc, & toute leur doctrine est moins une Science qu'une question continuelle.

Lorsque, par la seule sorce de leur raisen, ils pnt pu saire eux-mêmes ces observations, & appercevoir le devoir indispensable d'un Principe qui serve de guide à la Nature; ou ils ont cherché ce Principe dans l'iEcre preqiier luimême, & n'ont (M) pas jjg *Du Hasard.* pas craint de le ravaler à nos yeux, en ne separant point son action de celles des choses sensibles; ou ils s'en sont tenus à un sentiment léger sur la nécessité d'un agent intermédiaire entre cet Etre premier la Matiere, & ne se donnant jas le temps, de cpnsidérer quelle

pouveit être cette cause intermédiaire, ils l'ont désignée consusément sous le nom de cause aveugle, satalité hasard & autres expressions, qui étant destituées, de vie & d'action ne pouvoient jamais qu'aug raenter les ténebres où l'homme est plongé aujourd'hui.

. Ils n'ont pas. vu qu'ils étcient euxmêmes la 'spiirce de toutes ces. obscurités; que ce hasard ensin.étoít engendré par la seule volonté det Thomme, & n'avoi.t lieu que dans son ignorance t car 'il ne peut nier que les Loix qui constituent tous les Etres, devroient avoir des effets invariables & une influence universelle; mais quand il eri dérange l'accomplissemenc dans les classes soumises à son pouvoir, ou quand il s'aveugle lui-même,' il ne voit plus ces loix indestructibles, & dès-lors il conclut qu'elles n'existent pas.

Cependant, ce ne sera jamais dans les actes & dans les œuvres de la Cause premiere qu'il pourroit admettre le hasard, puisque cette cause étant la source unique & intarissable dd Routes les loix *Çcdc* toutes les persections, U faut que l'ordre qui regne autour d'elle soit invariable comme sa propre essence.

Ce ne seroit pas plus dans les œuvres de la Cause temporelle intelligente, que ce hasard póurroit se concevoir, parce qu'étant chargée spécialement de l'œuvre temporel de la Cauîê premiere, il est impossible que cet œuvre ne tende sans cesse à son but, & ne surmonte tous les obstacles.

Ce ne peut donc être que dans les saits particuliers de la Nature corporelle, ainsi que dans les actes de la volonté de l'homme que nous pouvons cesser de voir de la régularité & des résultats toujours insaillibles & toujours prévus. Mais si l'homme n'oublioit jamais combien ces faits particuliers & sa volonté sont intimement liés, s'ila voit toujours présent à la pensée qu'il a été établi pour régner sur luimême & sur la région sensible, il conviendroit qu'en remplissant sa destination, non seulement il pourroit découvrir ces Loix universelles qui gouvernent les régions supérieures & qu'il a si souvent méconnues; mais même il sentiroit que le pouvoir de ces Loix à jamais impérissables,

s'étendroit jusques sur son Etre, ainsi que sur les saits particuliers de fá région ténébreuse, c'est-à-dire, qu'il n'y auroit plus de hasard pour lui, ni pour aucun des saits de U Nature.

Alors» iSá; *Du Hrfard.*

Alors, quand il appercevroit da dérange» ment dans les actes particuliers de cette Na-« tore, ou quand il ignoreroit les causes qui les sont opérer, & *Iti* regles qui les dirigent, il ne pourroit plus attribuer ce désordre & cette ignorance, qu'à sa négligence fe à J'usaga fa.ux. de sa volonté qui n'aura pas employé tous îês droks, ou qui en aura sait valoir de criminels.

Mais pour acquérir l'intelligence de ces vérités, U saut avoir plus de consiance que n'en ont les Observateurs dans la grandeur de l'homme & dans la puissance de sa volonté, il saut croire que s'il est au dessus des Etres qui l'environnent, ses vices, comme ses vertus doivent avoir un rapport & une influence nécessaire sur tout son Empire.

Convenons donc que l'ignorance & la volonté déréglée de l'homme, sont les seules causes de ces doutes où nous le. voyons flotter tous les jours. C'est ainG qu'ayant laissé effacer en lui l'idáe d'un ordre & d'une loi qui etnbarasse tout, il leur a fubstkui la premiere chimere que lui a présenté fon imagination; car dans T09 aveuglement même if cherche toujours un mobile à la Nature j c'est ainG qu'il renouvelle sans cesse cette coupable erreur, par laquelle, après avoir volontaireipení; semé l'incertitude & le hasard autour de k», il est assez injuste & assez malheureux que de Jes imputer à son Principe.

Ceux même qui n'ont pas nié que les choses corporelles ont eu un commencement, ne leur ont pas donné d'autre cause que le hasard; ne sachant pas qu'il y eût une raiîon premiere à leur existence, ou ne présumant pas même qu'une cause hors d'elles, eût pu s'en occuper assez pour la saire opérer: & cependant convaincus que cette existence avoit commencé, ils ont rensermé tout à la sois dans les seules propriétés des corps, la vertu active & innée en eux qui le anime, & la loi supérieure qui leur a ordonné de naître.

Us ont suivi le même ordre dans lmplication qu'ils ont donnée de la Loi qui soutient J'existence de ces mêmes Etres corporels; & cela devoit être ainsi. Après en avoir établi l'origine sur une base imaginaire & sausse, il salloit bien que le reste de l'œuvre y fût consorme;ainsi selon eux, les corps vivent par eux-mêmes, comme c'est par eux-mêmes qu'ils sont nés.

Quant à ceux qui prétendent que la Matiere & les Etres corporels ont toujours existé, leur erreur est insiniment plus grostiere 8f plus outrageante pour la Vérité. Ces deux Doctrines ont également méconnu ta, Lj?i & la raison premiere des choses, mais l'»ne a seulement enseigné qu'on 88 *Du Hasard.* qu'on pouvoit se pâiler d'une cause active & intelligente pour expliquer leur origine, l'autre a avili cette Cause, en lui égalant le Principe actis des Etres corporels, & en ne la croyant pas supérieure, ni plus ancienne que la Matiere.

Les Observateurs ne s'en sont pas tenus là; car après avoir posé des Principes aussi obscurs sur la marche & la nature des choses, après s'être rensermés dans un cercle aussi étroit, ils se sont vus comme sorcés d'y ramener tous les phénomenes & tous les événements que nous voyons arriver dans l'Univers. C'est, selon eux, un Etre sans intelligence & sans but, qui a tout sait, & qui sait tout continuellement; & comme il n'y a que deux causes qui soient les instruments de ce qui s'opere, dès qu'ils ont trouvé ces deux causes dans les Etres corporels, ils se sont crus dispensés d'en chercher une supérieure.

Il est heureux que la Natufe ne ss soumette point à la pensée des hommes; toute aveugle qu'ils Ja supposent, elle les laisse raisonner, & elle agit. C'est mème à la sois un bonheur innapréciable pour eux, & le plus beau caractere de la grandeur de l'Etre physique & temporel qui les gouverne, que la marche de cette Nature soit' aussi serme & aussi intrépide; car *étant* impénétrable aux systêmes des hommes, & leur en démontranr la soiblesse par sa constance à suivre sa Loi elle les sorcera peut-être un jour d'avouer leurs erreurs,

de quitter les sentiers obscurs où ils se traînent, & de chercher la Vérité dans une source plus lumineuse.

Mais pour prévenir l'inquiétude de mes semblables, qui pourroient croire que cette Cause active & intelligente dont je leur parle, est un Etre chimérique & imaginaire, je leur dirai qu'il y a des hommes qui l'ont connue physiquement, & que tous la connoîtroient de même, s'ils mettoient leur consiance en elle, & qu'ils prissent plus de soin d'épurer & de sortifier leur volontés.

Je dois avertir cependant que je ne prends pas ce mot *Phyfique,* dans l'acception vulgaire qui n'attribue de réalité & d'existence qu'aux objets palpables aux sens matériels. Les moindres réflexions sur tout ce qui est contenu dans cet Ouvrage, suffiront pour saire voir combien on est éloigné de savoir le sens du mot *Physique* , quand on l'applique aux apparences matérielles.

Avant de passer à un autre sujet, je m'arrêterai un moment pour applanir une difficulté qui pourroit naître, quoique je l'aie déja résolue en quelque sorte. J'ai annoncé, dans le commencement de cet Ouvrage, l'existence de deux Principes opposés qui se combattent l'un & l'autre, & quoique j'aie assez démontré l'infériorité du mauvais Principe à l'égard du Principe bon, il se pourroit que d'après les observations qu'on vient de voir sur la nature corporelle, on ijjo *Remarque sur les deux Principes.* on crût ces deux Principes nécessaires à l'existence l'un de l'autre, comme on a vu que les deux causes inférieures renfermées dans les Etres corporels, étoient absolument nécessaires pour leur saire opérer une production.

Pour éviter cette méprise, il suffira de se rappeller que j'ai annoncé que tout produit, tout œuvre, tout résultat dans la Nature corporelle, ainsi que dans toute autre classe, étoit toujours inférieur à son Principe générateur. Cette infériorité assujettit la nature corporelle à ne pouvoir se reproduire, sans l'action de ces deux causes que nous avons reconnues en elle, & qui annoncent sa soiblesse & sa dépendance.

Or, fi cette création temporelle tire son origine du Principe supérieur &

bon, comme nous n'en pouvons pas douter, ce Principe doit montrer sa supériorité en tout, & l'un de ses attributs principaux, c'est d'avoir absolument tout en lui, excepté le mal, & de n'avoir besoin que de lui-même & de ses propres sacultés pour opérer toutes ses productions. Quel sera donc alors l'état du mauvais Principe, fi ce n'est de servir à manisester la grandeur & la puissance áu Principe bon, que tous les efforts de ce Principe mauvais ne pourront jamais ébranler.

Ainsi il n'est plus possible, de dire que le mauvais Principe ait été & soit universellement nécessaire à l'existence & à la manisestation des t' saculté secuîtts du bon Principe; quoique comme in siuant sur l'existence du temps, ce mauvais Principe soit n'cessaire pour occasionner la naissance de toutes les manisestations temporelles j Sat comme il y a des manisestations qui ne sont point dans le temps, & que le Principe mauvais ne peut sortir du temporel, il est bien clair que le Principe bon agit sans lui; ce que l'on verra plus en détail dans la suite.

Que les hommes apprennent donc ici à distinguer de nouveau, les Loix & les sacultés du Principe unique, universellement bon , & vivant pat lui-même, d'avec celles de l'Etre inférieur matériel qui ne tient rien de soi, & qui ne peut vivre que par des extérieurs.

Je crois avoir sait entrevoir suffisamment à mes semblables, le peu de sondement des opinions humaines sur tous les points dont je me suis occupé jusqu'à présent. Après les avoir mis for la voie pour leur apprendre à distinguer les corps d'avec le Principe inné dans ces corps; après avoir fixé leurs yeux sur la simplicité, l'unité & Pimmatérialité de ce Principe indivisible, incommunicable, qui ne souffre aucua mélange, & qui demeure toujours le même, quoique la sorme qu'il produit & dont il s'enveloppe soit soumise à une continuelle variation, îls pourront reconnoître avec évidence que la Matière étant daus use dépendance incontestable

îçi *Enchaînement des Vérités.* testable, & cependant agissant par des loîx régulieres, les deux causes inférieures qui operent sa reproduction & tous les actes de son, existence, ne peuvent absolument se passer de l'action d'une Cause supérieure & intelligente, qui les commande pour les saire agir, & qui les dirige pour les saire agir avec succès.

Par conséquent ils avoueront que les deux causes inférieures doivent être soumises aux loix de la Cause supérieure & intelligente, pour que les temps & l'unisormité soient observés dans tous leurs actes pour que les résultats de toutes leur différentes actions ne soient pas nuls, insormes, & incertains, & pour que nous puislions nous rendre raison de l'ordre qui y regne universellement.

Ils n'auront pas de peine à convenir en fuite que cette Cause supérieure n'étant assujettie à aucune des loix d & la Matiere, quoiqu'elle soit préposée pour la conduire, en doit être entierement distincte; que le moyen de parvenir à la connoissance de l'une & de l'autre, est de les prendre chacune dans sa classe; d'en étudier les sacultés particulieres; de les rapprocher dans le même tableau, mais pour en démêler les difL-rences & non pour Jes consondre; de saire cette distinction sut tous les autres Etres de la Nature, & sur ces moindres ïnoindres parties où les yeux du corps & de intelligence nous apprennent qu'il y a toujours deux Etres ensemble, & que c'est la violence qui les a réunis; mais cependant de ne jamais perdre de vue que ce lien hë les unit l'un à l'autre que pour un temps; & de ne pas regarder cette union comme ayant toujours existé, & comme devant exister à jamais, puisqu'au contrairë nous lavOyohs cesser tous les jours. i

Ce sont toutes ces observations qui rendront l'homme prudent & sage, & qîù l'empêcheront de s'àbandònner en insensé dans des sentiers inconnus, d'où il ne peut se tirer qu'en rctrogrâdant; ôu en se livrant au désespoir, lorsqu'il sent qu'il est trop avancé & que le temps lui manque. C'estià ce qui lui sera éviter l'écueil où la plupart des hommes sont entraînés, loríqu'4tant seuls & dans les ténebres $ ils oient prononcer sur leur propre nature & sur celle de la Vérité. Nous verrons dans ce qui va suivre; les

sréquentes chûtes, qui en ont été, & qui en sont tous les jours les íùites; Nous verrons que la plupart de leurs soufsrances ont pris là lëur source, de même que c'est pour être déchus de leur premier état de splendeur j'qu'ils sont exposés aujourd'hui à s'ensoncer de plus en plus dans l'opprobre & dans la miie're;,

'.;!..

î *Partis* (N) 44 4 () UEIQUES hommes élevés dans l'ignorance & dans la paresse étant parvenus à l'âge mûr, entreprirent de parcourir un grand Royaume; mais comme ils n'étoient conduits que par une vaine curiosité,, ils sirent peu d'efforts pour connoître les vrais moyens par lesquels ce pays étoit gouverné. Us n'avoient ni assez d» courage. , ni assez. de crédit pour s'introduire chez-4es; 'Grands de l'Erat, qui anroient pu leur découvrir les ressorts cachés du Gouvernement; ainsi ils se contenterent d'errer de villes en villes, & d'y promener leurs regards incertains-dans les places &' les lieux publics, où voyant le peuple tumultueusement assemblé, & comme abandonné à lui-même, ils ne prirent aucune idée de l'ordre & de la sagesse desloi.t qui veilloient secrétement à la sûreté & au bonheur des habitants: ils crurent que tous les citoyens également oisiss, y vivoient dans une entiere indépendance. .. En effet, ce qu'ils avoient apperçu, ne présentoit ni regle, ni loi, à leur esprit peu éclairé; en sorte que ne consultant que leurs. yeux, J, r 1: Us ils Furent bien éloignés de connoitre que des homnles fupérieurs par leur rangs & par leurs pouvoirs y gouvernoient cette multitude qui s'agitoit confusément devant eux; ils fe perfûaderenfe que n'y ayant point de Loix dans le pays qu'ils parcouroient; il n'y avoit point de chef; our que s'il y en avoit un, il étoit fans autorité St Tans actidn;

Flattés de cette indépendance & né prévoyant aucune fuite dangereufe à leurs actions $ ils les regarderent bientôt comme arbitraires &: indifférentes & crurent pouvoir s'abandonner à leurs caprices; mais ils ne tarderent pas à être les victimes de leur Erreurs & de leurs Jugements inconfidérés j car tes vigi-

lants Adminiftrateurs de l'Etat j inftruits de' leurs défbrdres, les priverent dé.la Liberté & les reflerrereflt fi étroitement qu'ils languirent dans la plns profonde obfcurité, farts favoir fi jamais la lumiere leur feroit rendue;

Voilà exâctement quelle a eté la conduite *Se* le fort de ceux qui ont ofé pair eux-mêmes juger de l'Homme *6c* de la Nature; toujours occupés d'études. inutiles & frivoles leur vue s'eft rétrécie par l'habitude, & ne pouvant parcourir toute l'étendue de la carriere, ils fe font arrêtés aux apparences des objets; ëtt forte que: bornant là leurs regards ils ont ignoré, ou nié tout ce qu'ils n'ont pu appercevoir. Ils n'ont vu! .-. (Nx) dans toá *imprudences des Ôbfirvateurs.* dans les corps que leurs enveloppes & ils íes ont transformées en principes. Ils n'ont vu dans les Loix de ces corps que deux actions, ou deux causes inférieures, & ils se sont hâtés de rejeter Ja Cause supérieure active & intelligente, dont ils avoient confondu les opérations avec celles des deux autres causes;

Ensuite, se croyant bien assurés de leurs conséquences ils ont sak du tout un Etre matériel hypothétique, sur lequel ils ont eu l'impru3jence de mesurer tous les Etres de. la Nature qu'ils avoient entiérement défiguré; & c'est. d'après ce modele, ainsi mutilé, qu'ils ont osé destiner l'Homme.......

Et vraiment, on-ne peut plus douter qu'ils n'aient sait à son égard, les mêmes méprises qu'ils avoient saites auparavant sur toute la Nature. Non seulement ils n'ont pas mieux distingué dans son corps, que dans les autres Etres corporels, le Principe d'avec l'apparence ou l'enveloppe, & n'en ont pas mieux connu, ni suivi la marche &: les Loix; mais, après avoir pris le change sur ce point, ils ont encore consondu cette enveloppe corporelle de l'homme avec son Etre intellectuel & pensant, cemme ils avoient confondu le Principe inné dans tous les corps, avec. la cause active &. intelligente qui les dirige.

Ainsi, n'ayant pas démêlé d'abord la Cause-, supérieur© supérieure d'avec les sacultés innées dans l'Etre corporel; ayant ensuite consondu-les sacuhés des

Des erreurs et de la vérité, ou, Les hommes rappellés au principe universel de la science (1) • Louis Claude de Saint-Martin

• 43

deux différens Etres qui composent l'homme d'aujourd'hui, il leur a été impossible d'y reconnoître Faction de cette même Cause active & intelligente, qui en même temps qu'elle communique tous les pouvoirs à la Nature, donne i l'homme par son intelligence, toutes les notions du bien qu'il a perdu. C'est pourtant avec cette ignorance que non seulement ils ont été aflèz téméraires pour prononcer sur l'eslence & la Natute de' l'homme, mais encore, qu'ils ont voulu expliquer tous les contrastes qu'il présente, & établir 1a bas© de ses œuvres.

Quand Miomme ne s'est trompé que siir la Nature élémentaire, nous avons vu que ses Erreurs n'avoient que des légeres suites; car fés opinions ne pouvant influer sur la marche des Etres, leurs Lok invariables s'exécutent sans cesse avec la même précision, quoique l'homme en aie dénaturé & méconnu le Principe. Mais il n'en sera jamais ainsi de ses méprises sur lui-même, & elles hii seront toujours inévitablement sunestes, parce qu'étant dépositaire de sa propre Loi / il ne peut se méprendre for elle, ni l'oublìter- qu'il n'agisse directement contre lui-même, & qu'il ne se sassé wn prejudice-manifeste j en un mot, s'il

C i) «st

'498 *Dangers des Erreurs fur Tîfomme* est vrai qu'il soit heureux, lorsqu'il reconnoîf & suit les Loix de son Principe, ses maux & ses souffrances sont une preuve évidente de ses Erreurs & des saqx pas qui en ont été les. fuites.

Voyons donc ce qui résultera de cet Etre ain- si défiguré, & s'il pourra se soutenir, étaat privé de son principal appui?

Il nous sera sacile de présumer les conséquences de cet examen, fi nous nous rappelions Cq que nous avons dit de l'état ou seroit la Nature Jaissée à Faction passive des deux Etres inférieurs qui sont nécessaires dans toute reproduction corporelle. Çes deux Etres, on le sait, n'étant que passiss, ne peuvent jamais rien produire par eux-mêmes, îî la cause active & intelligente n© leur donne l'ordre & le pouvoir d'opérer ce qu'ils, ont en eux.

Or, s'il étoit possible de supposer dans ces, agents inférieurs une volonté, en leur laissant toujours la même impuissance, il est évident que s'ils prétendoient mettre cette volonté en action, sans le concours de la Cause active, dont ils dependent nécessairement, leurs Œuvres feroient insormes, & n'annonceroient qu'une consusion choquante.

Maintenant, ce que nous ne pourrions pas dire dç ces agents inférieurs, qui sont dé fpurvus jq volonté, appliquons-le à. l'homme qui en a une à lui, & apprenons à mieux découvrir encore les malheureux effets des erreurs que nous nous sommes proposés de combattre.

L'homme est à présent composé de deux Etres l'un sensible, l'autre intelligent. Nous avons laissé entendre que dans son origine il n'étoit pas sujet à cet assemblage, & que jouissant des prérogatives de l'Etre simple, il avoit tout en lui, & n'avoit besoin de rien pour se soutenir, puisque tout étoit rensermé dans les dons précieux qu'il tenoit de son Principe.

Nous avons sait voir ensuite quelles étoient les conditions séveres & irrévocables auxquel» les la Justice avoit attaché la réhabilitation de l'homme criminel par le saux usage de sa volonté; nous avons vu, dis-je, quels sont les écueils affreux & sans nombre, dont il est fans cesse menacé, en habitant la région sensible qui est si contraire à. sa véritable nature. En même temps nous avons reconnu que le corps qu'il porte à présent, étant de la même classe que les choses sensibles, sorme en effet autour de lui un voile ténébreux, qui cache à sa vue îâ vraie lumiere, & qui est tout à la fois la source continuelle de ses illusions & l'instrumenfc de ses nouveaux crimes.

Dans son origine, l'homme avoit donc poutr Iqì de. régner sut la région sensible, comrn ico *Danger des Erreurs sûr Ptiomme:*. il le doit encore aujourd'hui, mais, comme 'à étoit alors doué d'une sorce incomparable, & qu'il n'avoit aucune entrave, tous les obstacles, disparoissoient devant lui.

Aujourd'hui, il n'a plus a beaucoup près les mêmes sorces, ni la même Liberté, & cependant il est insiniment plus

près du danger, de saçon que dans le combat qu'il a maintenant à soutenir, pn ne peut exprimer le désavantage auquel il eíj: exposé.,

Oui, telle est l'affreuse situation de l'homme actuel. Lorsque 1Arrêt soudroyant eut été prononcé contre lui, il ne lui resta de tous les dons qu'il avoit reçus qu'une ombre de Liberté, c'esti-dire, une volonté presque toujours sans sorce. & sans empire. Tout autre pouvoir lui sut *ôté*, & sa réunion avec un Etre sensible le réduisit à n'être plus qu'un assemblage de deux causes nférieures, en similitude de celles qui régissent tous les corps.

Je dis en similitude & non en égalité, parce, gue l'objet des deux natures de l'homme est plus noble, & leurs propriétés bien differentes; mais, quant à l'acte & â l'exercice de leurs sacultés, elles subissent l'une & l'autre absolument la mév me Loi, & les deux causes inférieures qui composent l'homme d'aujourd'hui, n'ont pas, pour ainsi dire, plus de force par elles-mêmes, que les «Jeux caqses inserieures corporelles.

JL'hom *mc*, L'homme, il est vrai, en qualité d'Etre in tellectuel, a toujours sur les Etres corporels l'avantage de sentir un besoin qui leur est inconnu; mais il ne peut pas mieux qu'eux s'en procurer seul le soulagement: il ne peut pas mieux par lui-même vivifier ses sacultés intellectuelles, qu'ils n'ont pu. animer leur Etre; c'est-à-dire, qu'il fie peut pas mieux qu'eux se passer de 1? cause active & intelligente, sans laquelle riei de ce qui est dans le temps ne peut agir effica» cernent.

Quels sruits l'homme pourroit-il donc produire aujourd'hui, fi dans l'impuissance que nous lui connaissons, il croyoit n'avoir d'autre Loi que sa propre volonté, & s'il entreprenoit de marcher sans être guidé par cette Cause active & intelligente dont il dépend malgré lui, & de laquelle il doit tout attendre, ainsi que les Etres corporels parmi lesquels il est fi tristement consondu?

Il est certain ju'alors ses propres œuvres n'auroient aucune valeur, ni aucune sorce, puisqu'elles seroient destituées du seul appui qui puisse les soutenir; & les deux causes inférieur res dont il se trouve actuellement composé, se combattant sans cesse en lui, ne seroient que l'agiter, & l'abymer dans la plus fâcheuse in- certitude.

Semblable aux deyx lignes d'un angle quek conque 5.01 *Danger des Erreurs fur VHomme.* conque, qui peuvent bien se mouvoir chacune en sens contraire, s'écarter, se rapprocher, se consondre, & se placer l'une sur l'autre, mais qui ne peuvent jamais produire aucune espece de figure, si l'on n'y joint une troisieme ligne; car cette troisieme ligne est le moyen nécessaire qui fixe l'instabilité des deux premieres, qui détermine leur position, qui les distingue sensiblement l'une de l'autre, qui constitue ensin une figure, & sans contredit la plus féconde de toutes les figures.

Voilà cependant quelles sont journellement les fausses tentatives de l'homme, c'est de travailler â une œuvre impossible, c'est-à-dire, de vouloir sormer une figure avec deux lignes, en se concentrant dans l'action des deux causes inférieures qui composent aujourd'hui sa nature, &;.en s'efibrçant continuellement dexclure cette Cause supérieure, active & intelligente, donc il ne peut absolument se passer. Ainsi, malgré l'évidence du besoin qu'il en a, il va iè jettant loin d'elle, d'illusions en illusions sans pouvoir jamais trouver le point qui doit *le* fixer, parce qu'il n'y a point d'œuvre parsaite sans le concours de ce troisieme Principe; & si l'on *en* veut savoir la raison, c'est xjue dès l'instant qu'on est á *trois*, on est à *quatre*.

Réfléchissant alors fur Fiacertitude. aflxeus©

«îi il se trouve, il est étonné du désordre qui accompagne tous ses pas, & bientôt il nia f'Existence de ce Principe d'ordre & de pais qu'il a méconnu par négligence ou par mauvaise foi.

Mais quelquefois aussi, entraîné par la sorce de la Vérité, il murmure contre ce même Principe qu'il avoit d'abord rejette, & par-là.nous démontre luimême la certitude de tout ce que nous avons dit sur les variations! & les inconséquences de tout Etre, dont les sacultés ne sont pas réunies & fixées par leur lien naturel.

Loin de croire que toutes les méprisés de l'homme portent la moindre atteinte à cettb Cause dont il s'éloigne, nous devons être actuellement assez instruits sur sa nature, pour savoir qu'il sourir seul de ses égarements; puisqu'en qualité d'Etre libre, il est le seul qui puisse être coupable; nous devons savoir que lorsque cette Cause inaltérable dans ses sacultés comme dans son Essence, étend ses rayons jusqu'à l'homme, ils le purifient & n'en sont point souillés.

Nous altons dohe poursuivre notre marche & éclairer les difficultés qui 'arriérent les Ob-, íbrvateurs, quand ils veulent seuls & sans £uidç, jeter les yeux sor toutes les institua

'.c4 *Source ies faujses Observations.* rions de la Terre, soit celles que les hommes ont établies eux-mêmes, soit celles à qui ils attribuent une origine plus relevée. C'est bien là où ces hommes aveugles, ne sachant pas démêler ce qu'il y a d'arbitraire, & ce qu'il y a de réel, ont sait de l'un & de l'autre un monstrueux aflèmblage, capable d'obscurcir les notions les plus lumineuses. C'est auíli, n'en doutons point, un des objets les plus intéressants pour l'homme & dans lequel il lui importe essentiellement de ne point saire de méprises, puisque c'est-là où il doit apprendre à régler les sacultés qui le composent.

Examinons pourquoi, par les observations que *ies* hommes ont saites sur les différentes pratiques, usages, coutumes, loix, religions, cultes, qni ont dans tojs les temps varié chez les différentes Nations, ils ont été induits à penser qu'il n'y avoit rien de vrai, & que tout étant arbitraire & conventionnel parmi les hommes, ce seroit une illusion d'admettre des devoirs à remplir, & quelque ordre naturel & essentiel qui dût leur servir de flambeau.

S'il étoit vrai que tout fût conventionnel, comme ils le prétendent, ils auroient raison d'en tirer cette conséquence, parce qu'alors, n'y ayant pour eux aocune distinction entre le bien & le mal, tons leurs pas deviendroient indifféreras,, & perXonne ne seroit sondé à

es. rappel te ler à des regles de conduite. Mais si la mépris» vient de ce que les Observateurs n'ont pas démêle dans l'homme les deux sacultés qui le constituent; s'ils ont consondu dans lui l'intellecluel & le sensible, & qu'ils aient appliqué au premier toutes les variations & les disparités auxquelles le second se trouve assujetti; s'ils ont mis le complément à ces erreurs, en consondant même la Cause active & intelligente avec les sacultés particulieres de l'homme, pour- rions-nous donner quelque croyance à une doctrine aussi peu approsondie, & aussi sausse?

Telle est cependant la marche qu'ils ont suivie; c'est-à-dire, qu'ils n'ont presque jamais porté leur vue au delà du sensible; or cette faculté sensible étant bornée, & privée du pouvoir nécessaire pour se diriger elle-même, ne présentera jamais que des preuves réitérées de variété, de dépendance & d'incertitude; c'est donc par elle uniquement & par elle remise à sa propre Loi que doivent s'introduire toutes les différences que nous pouvons remarquer ici-bas.

Jìn effet, toutes les branches de Tordre civil & politique qui réunit les différens Peuples, ont-elles d'autre but que la Matiere? La partie morale même de tous leurs établissements s'eleve-t-elle au delà de cet ordre humain & visible? Il n'y a pas jusqu'à leurs institutions les plus vertueuses qu'ils n'aienf réduites d'euxmêmes i&ó *Ht Institution Èeligìtujfe.* mêmes â des regles sensibles,.& à des Loix extérieures, parce que dans toutes ces choses les Instituteurs ayant marché seuls & sans guide, c'est l'unique terme où ils aient pìi portes leurs pas.

La saculté intellectuelle de l'homme n'est donc absolument pour rien dans de pareils saits & moins encore dans les observations dont ils' ont été si souvent l'objet. Ainsi hous devons bien hous garder d'adopter les jugements qni en sont provenus, avant d'avoir examiné jusqu'où s'étendent leurs conséquences, & s'ils sont applicables à tout. Car sans cela, H nous seroit impossible de les admettre, puisqu'une Vérité doit être uni Verstlle.

Commençons par observer Institution

la plus respectée & la plus universellement répandue' chez tous les Peuples, ceHe qu'ils regardent aVec raison comme ne devant pas être l'ouvrage dë leurs mains. Il est bien clair, par le zele avec lequel toute la terre s'occupe de cet objet sacré que tous les hommes en ont en eux l'image &c l'idée. Nous appercevons chez toutes les Nations une unisormité entiere sur le Principe' fondamental de la Religion; toutes reconnoissent un Etre supérieur, toutes reconnoissent qu'il saut le prier, toutes le prient; toutes sentent la nécessité d'une sorme à leur priere; toutes lui en ont donné une; & jamais la volonté de l'homme» lìa pu anéantir cette vérité, ni en mettre d'au-» tres à la place.

Cependant les soins que les différents Peuples se donnent pour honorer le premier Etre, nous présentent, comme toutes les autres institutions, des différences & des changements successiss *Si* arbitraires, dans la pratique comme dans la théorie; ensorte que parmi toutes les Religions, on n'en connoît pas deux qui l'honorent de la même maniere. Or, je le demande, cette différence pourroit-elle avoir lieu, si les hommes avoienc pris le méme guide, & qu'ils n'euífent par perdu de vue la seule lumiere qui pouvoit les éclairer, & les concilier Et cette lumiere est-elle autre chose que cette Cause active & supérieurs qui devroit tenir l'équilibre entre leurs sacultés sensibles & intellectuelles, & sans laquelle U leur est impossible de saire un seul pas avec justesse?

C'est donc elle qui doit nourrir dans fhomme l'idée primitive d'un Etre unique & universel ainsi que la cpnnoiffance des Loix auxquelles cet Etre assujettit la conduite des-hommes envers lui, lorsqu'il leur permet de rapprocher. C'est donc en s'éloignant de cette lumiere « que l'homme demeure livré à ses propres sacultés, & alors ces sacultés mêmes s'affoiblisfent, *Sc* s'effacent presque entiérement en lui; l'obfcuricé les recouvre d'un voile épais, que sans il-.. le 168 *Des fausses Religions.* le secours d'une main biensaisante, il ne pôtlrrbií jamais s'en délivrer.

Et cependant quoique l'homtne soit alors abandonné à lui-même, il est toujours obligé de *voyager*. C'est ce qui sait -, qu'au milieu de cette terrible ignorance, étant toujours tourmenté de l'idéé & du besoin de cet Etre, dont il sent qu'il est séparé, il tourne vers lui des yeux incertains, & l'honore selon sa pensée; & quoiqu'il ne sache' plus si l'hommage qu'il offre, est vraiment celui que cet Etre exige il présere d'en rendre urí tel qu'il le conçoit, à la secrete inquiétude & au regret de n'en point rendre du tout.

Tel est ert partie le Principe qui a sormé íes sausses Religions, & qui á défiguré celle que toute la terre auroit dû suivre; alors póurronsnous être surpris de voir si peu d'unisormité dans les usages pieux de l'homme & dans son Culte; de lui voir produire toutes ces contradictions, toutes ces pratiques opposées j tous ces íites qui se combattent, & qui eh effet ne présentent rien de vrai à la pensée; N'est-cè pas là où l'imaginàtiort de l'homme n'ayant plus de srein, tout est l'otivrage de son caprice &de son aveugle volonté? N'estce pas là, par conséquent où tout doit paroître indifférent à la raison, puisqu'elle ne voit plus de rapports' entre le Culte, & l'Etre auquel les Instituteurs &' leurs-partisans veulent l'appltquer Mais je demande si la plupart de ces différences, & même de ces contrariétés palpables » tombent sur autre chose que sur ce qui est fournis aux yeux corporels de l'homme, c'està-dire » sur le sensible. Alors, que pourroit-on. en conclure contre le Principe, dont elles ne s'occupent même pas? Ce Principe ne seroit-ìl pas tout aussi, inaltérable & aussi intact, quànd la pensée ténébreuse de l'homme introduiroit des variétés jusques 'dans la théorie & dans les dogmes; puisque, tant que l'homme n'est pac éclairé de son seul flambeau, & soutenu de son seul appui, il ne peut pas avoir plus de certitude de la pureté de sa doctrine, que de la justesse de ses actions; & ensin, de quelque nature que soient ses erreurs, pourront-elles jamais rien contre la Vérité?

Si l'erreur poursuit les Observateurs & les rend aveugles, c'est donc toujours saute de dis-» ringuer l'homme ainsi démembré, & qui n'em ploie qu'une partie de lui-même, d'avec Phomme qui se sert de toutes ses sacultés; c'est saute de distinguer la source défigurée d'où Phomme tire ses productions insormes, d'avec celle où il auroit dû puiser, qu'on nous l'annonce comme incapable de rien connoître de fixe & d'assuré.

Voyons néanmoins jusqu'où le pouvoir parti- culier de l'homme peut s'étendre, lorsqu'il eíl *I. Partit.* (,0) «mis a io *Vt'rités indépendantes de?Homme.* remis à lui-même; ne lui accordons que les droits qui lui appartiennent, & examinons s'il ri'y a rien au delà de ce qu'il sait & de ce qu'il connoîc.

Premiérement, nous avons vu, que malgré tous leurs raisonnements sur la Nature, les hommes étoient obligés de se soumettre à ses Loix; nous avons assez sait còntioître que les Loix de cette Nature étoient fixes & invariables, quoique par une suite des deux actions qui sont dans l'Univers, leur accomplissement fût souvent dérangé.

Voilà donc déja une vérité sur laquelle tout l'arbitraire de l'homme n'a pas la moindre prise. Il n'est plus temps de m'objecter ces sensations, ces impressions de toute espece, que sont les différents corps sur nos sens, & qui varient dans chaque individu, d'où la multitude» s'est crue sondée à nier qu'il y eût quelque regle dans la Créature. Nous avons prévenu l'objection en annonçant que la Nature ne pouvoit agir que par relation.

Nous pourrions encore sortifier ce principe, en disant que cette Loi de relation n'est pas plus soumise à l'arbitraire de l'homme que la Nature elle-même, & que nous ne sommes pas les maîtres d'en changer en rien les effets; car les détourner & les prévenir, ce n'est point du touc les changer, c'est au contraire consirmer d'autant plus leur stabilité,

Nous Nous savons donc déja avec éVidence, qu'il est dans la Nature corporelle, une Puissance su périeure à l'homme, & qui l'assujettit à ses Loix j hous ne pouvons plus douter de son existence » quoique les soins que l'homme a pris pour connoitre & expliquer cette Puissance, lui aient si rarement sait obtenir des lumieres & des succès satissaisants

Secondement, rappellons-nous comment nous avons démontré la soiblesse & l'insirmité de la Nature, relativement aux Principes d'où elle a: tiré son origine & d'où elle tire journellement sa subsistance & sa réaction, nous verrons alors que si l'homme est soumis à Cette Nature, à plus sorte raison le sera-t-il aux Principes supérieurs qui la dirigent & qui la soutiennent; Sc quoiqu'il ait auffi peu conçu leur puissance que celle de la Nature, sa propre raison l'empécheroic d'en nier l'existence, quand son sentiment nd viendroit pas à l'appui.

Que produira donc tout ce qu'il pourra saire f imaginer, dire, instituer contre les Loix de ces Principes supérieurs? loin qu'ils en soient 3 plus légèrement altérés, ils ne sont que montrer davantage leur sorce & leur puissance, en laissant l'homme qui s'en éloigne j livré à ses propres doutes & aux incertitudes de son imagination, & en l'assujettissant à ramper tant qu'il voudra les méconnoître.

(Oz) st

Ì12 *Vérités inâépeniantcs àe tHomnîe!*

Il ne saut rien de plus que ces observation! pour prouver rinsuffisance de l'homme qui ne prend que le sensible pour regle & pour guide 5 car, si l'impuissance que nous remarquons dans la Nature corporelle, nous empêche absolument de lui attribuer les saits qu'elle opere: si l'homme par sa propre raison peut parvenir à sentir la nécessité indispensable du concours d'une Cause active, sans laquelle les Etres Corporels n'auroient aucune action visible, il n'a donc besoin que de lui-même pour avouer l'existence de cette Cause active & intelligente, & pour parvenir delà à la Cause premiere & unique, qui a produit hors d'elle toutes les causes temporelles destinées à l'accomplissement de ses œuvres, & à l'exécution de ses volontés.

J'ai annoncé cette Cause active & intelligente comme ayant une action universelle, tant sur la Nature corporelle que sur la Nature pensante. C'est, en effet, la premiere des causes temporelles,

& celle sans laquelle aucun des Etres existants dans le temps, ne peut subsister; elle agit sur eux par la Loi même de son essence & par les droits que lui en donne sa destination dans l'Univers. Aussi, soit que les Etres qui habitent cet Univers la conçoivent ou non, il n'en est pas un seul qui n'en reçoive 1des secours, & puisqu'elle est active & 'intelligente, U saut que les Etres pensants participent â ses saveurs, comme les Etres qui ne sont pas.

Voilà donc pourquoi j'ai dit que tous les Peuples de la terre avoient reconnu nécessairement un Etre supérieur. Ils n'ont pas sait toutes les distinctions que je viens d'établir entre les différentes causes; il n'ont pas distingué cette Cause active &: intelligente, de la Cause premiere, qui est absolument séparée du sensible & du temps; souvent même il l'ont consondue avec les causes insérieures de la Création, auxquelles ils ont quelquesois adressé leurs hommages; auffi n'ont-ils pas reçu de leur culte les secours qu'ils auroient pu en attendre, fi leur marche eût été plus éclairée. Mais ce sujet nous meneroit beaucoup trop loin,

Bornons-nous donc à saire observer que l'action de cette Cause active & intelligente, ayant été universelle, Thomme a dû, par le sentiment & par la réflexion, parvenir à en reconnoître la nécessité; & de quelque maniere qu'il l'ait envisagée, il n'a pu se tromper que sur la véritable nature de cette Cause, J mais jamais suc son existence,

L'homme stétant sak cet aveu, n'a pu se dispenser de poursuivre sa marche; son sentiment fie ses. propres réflexions l'ont dirigé dans le second pas, comme ils l'avoient sait dans, le premier quoique se conduisant encore il4 *Verités indépendantes de VHotnme'.* par lui-même dans ce nouveau sentier, il naît pas pu y trouver plus de certitude ni des lumieres plus évidentes.

Mais ensin, quelles qu'aient été ses découvertes, après avoir reconnu une Cause supérieure dans la Nature, après avoir même reconnu qu'elle étoic supérisure à sa pensée, il n'a pu s'empêcher d'avoueir qu'il devoit y avoir des Loix par lesquelles elle agissoit sur ce qui

lui étoit soumis, & que si les Etres qui devoient tout attendre d'elle rie remplifioient pas ces Loix, il ne pouvoit espérer aucune lumiere, aucune vie, aucun outien,

Il étoit entraîné à ces conséquences, par ses observations sur la marche de la Nature corporelle même, à laquelle il est attaché - il voyoit, par exemple, que s'il en transgreïïbit íes Loix, peur les temps & les procédés de la culture, la terre ne lui rendoit que des productions imparsaites & mal làines; il voyoit que s'il n'observoit l'ordre des Saisons, & une précision exacte dans toutes ses cambinaisons, les résultats. n écoient sans sruit & sans succès. C'est là ce qui l'instruisoit sensiblement que cette Nature corporelle étoit dirigée par des Loix, & que ces Loix tenoient eflêntiellement à la Cause active & intelligente, dont tous les hommes sendent la nécessité.

Ja.isan.t ensujtÇ n mçme réflexion par rapport

à à son Etre pensant, il a bien senti que ne pouvant rien sans la Cause premiere, il étoit de íbn intérêt, de mettre tous ses soins à se la rendre savorable; il a conçu que puisque cette Cause pouvoit veiller sur lui & s'intéresser à son propre bien y elle devoit avoir établi des moyens pour le préserver du mal; que par conséquent, les actes qui étoient avantageux aux hommes, devoient plaire à cette Cause, & que ceux qui pouvoient leur nuire, n'étoient point consormées â sa Loi, qui est de rendre heureux tous les Etres, qu'ainsi ils ne pouvoient mieux saire que d'agir toujours selon son desir & sa volonté.

Mais l'homme ne pouvant seul approsondir si le culte qu'il imaginoit, avoit un rapport certain, tant avec lui-même, qu'avec l'Etre premier qu'il vouloit honorer, chacun adoptoit à son gré les moyens qu'il croyoit les plus propres à se le rendre savorable, & tous les Peuples, qui ne se sont conduits que par eux-rr.êmes dans la recherche de cette institution, ont établi celle que leur imagination, ou quelque circonstance particuliere avoient sait naître dans leur pensée.

Voilà la raison pour laquelle toutes

Des erreurs et de la vérité, ou, Les hommes rappellés au principe universel de la science (1) • Louis Claude de Saint-Martin

• 47

les Nations de la terre ont été divisées, soit dans les, cérémonies de leur culte, soit dans l'idée & Pimage qu'elles se. sont sormée de celui qui doit être l'objet de ce culte. Voila aussi pourquoi, malgré leur division sur les sormalités de ce (0) même.

ilê Du Zele sans Lumhrt même culte, elles sont toutes d'accord iûr la nécessité d'en rendre un; & cela, parce que toutes ont connu l'existence d'un Etre supérieur, *Sc* que toutes ont senti le besoin & le desk de l'avoir pour appui. Si les hommes ainsi livrés à eux-mêmes avoient pu apporter autant de vertu & de bonne fbi que de zele, dans ces établissements, chacun d'eux eût suivi en paix le culte qu'il auroit adopté, sans déprimer ceux où il auroit apperçu des différences, Mais comme le zele sans lumiere ne mene que plus promptement à l'erreur, ils ont donné exclusivement la préférence à leur ouvrage; le même principe qui les avoit fait marcher seuls pour s'établir un culte, les a conduits à regarder ce culte comme le seul véritable» ils ont cru en remplir encore mieux les devoirs en n'en laissant subsister aucun autre; ils se sont sait un mérite auprès de leur idole,,de se combattre & de se persécuter mutuellement, parce que dans leurs vues ténébreuses, ils avoient joint leur propre cause à la sienne, & il n'y a presque pas eu de Nation qui n'ait cru honorer l'Etre supérieur, en proscrivant les cultes différents de celui qu'elfe avoit choisi.

C'est là, comme on le sait, une des principales causes des guerres, soit générales, soit' particulieres, *Sc* des désordres que l'on voit cous les jours troubler les diverses classes qu» composent les Corps politiques, & même renverser les Empires les mieux affermis, quoiqu'il y ait en eux une insinité d'autres causes de division assez connues & trop sutiles pour que je m'occupe d'en saire, ni rémunération# ni l'examen dans cet Ouvrage.

Or, toutes ces erreurs & tous ces crimes que les hommes ont sait au nom de leur Religion, viennent-ils d'une autre source que de ce qu'ils se sont mis à la place de la main éclairée qui devoit les conduire, & qu'ils ont cru être gui-

dés par un Principe vrai, pendant qu'ils ne l'étoient que par eux-mêmes.

Il saut donc conclure d'abord de ce qui vient de précéder, que tous les hommes, par l'unique secours de leurs réflexions, & par la voix de leur sentiment intérieur, n'ont pu s'empêcher de reconnoltre l'existence d'un Etre supérieur quelconque, de même que la nécessité d'un culte envers lui; c'est une idée que l'homme ne peut effacer entiérement en lui-même, quoiqu'elle s'obscurcisse íi souvent dans le plus grand nombre.

Et certes, nous devons en être peu surpris, puisqu'il y en a qui ont laissé s'éteindre en eux: l'idée même de leur Etre, & en qui les sacultés intérieures se sont tellement affoiblies, qu'ils so sont crus mortels & périssables.

Mais il saut conclure également que si cette idée de l'existence d'un Etre supérieur & de la nécessité

ii 8 ï)u Mobile de tHomme: fité d'un culte, est dans l'essence de Thomme, c'est aussi le dernier terme où il puisse parvenir tout seul ici-bas; ce sont là les uniques sruits qui puissent provenir de sa saculté sensible, & de sa saculté intellectuelle livrées à leurs propres efforts. Ce sentiment est un germe sondamental dans l'homme; mais si aucune puissance ne vient réactionner, ce germe, il ne peut rien manisester de solide, & à coup sûr ses productions n'auront aucune consistance,, de même que les germes des Etres corporels demeureroient sans action & sans production, si une Cause active & intelligente n'en dirigeoit la réaction & généralement tous les actes qui les concernent.

Nous nous persuaderons bien plus encore de la vérité de cette pensée, quand nous réfléchirons sur la nature & les propriétés de la Cause intelligente & active; elle est distincte de la Cause premiere, elle en est le premier agent, elle ne donne point les germes aux Etres corporels, mais elle les anime; elle ne donne point les sacultés intellectuelles & sensibles à l'homme, mais elle les dirige & les éclaire. En un mot, étant la premiere, & la souveraine de toutes les Causes temporelles, elle est chargée seule de les conduire, & il n'y en a pas

une qui puisse se passer de son secours, & qui ne lui soit assujettie.

Si c'est donc par elle exclusivement que les choses se manisestent, rien sans elle ne pourra devenir sensible j or, ne pouvant ici-bas *connoître* que par le sensible, comment y réuíírons-nous si cette même Cause active & intelligence n'agit pas elle-même avec nous, & n'opere pas ce qu'elle seule peut opérer dans l'Univers?

Nous voyons donc alors quelle est la nécessité absolue que les d ux sacultés de l'homme soient toujours guidées & soutenues par cette Cause temporelle, universelle; elle ne donnera point à l'homme l'idte de l'Etre premier dont elle est la premiere Cause agissante, mais elle sera connoître à l'homme les sacultés de cet Etre premier, en les manisestant par des productions sensibles; elle ne donnera pas non plus à l'homme l'idée d'un culte envers cet Etre premier, mais elle éclaircira ses idées sur cet objet, & en lui rendant sensibles les sacultés de cet Etre premier, elle lui rendra également sensibles les moyens sûrs de l'honorer.

C'est là que je vois cesser tous les doutes de l'homme, & toutes les variations qui en sont les suites: cette Cause active & intelligente étant préposée pour actionner & diriger tout, ne peut manquer de concilier tout, lorsque son pouvoir sera employé; & le seul & unique moyen que l'homme ait de ne se pas tromper, c'est de ne l'exclure d'aucun de ses actes, d'aucune de ses institutions, d'aucun de ses établissements, comme elle n'est exclue d'aucun des actes réguliers de la Nature. Alors l'homme sera sûr de connoître les Vrais rapports de ce qu'il cherche; il n'y 'aura plus

iio De r Unité dans le Culte. plus de disparité entre les Religions des Peuples J puisqu'ils auront tous la même lumiere; il n'y aura plus entr'eux de difficultés sur les dogmes, ni sur le culte, puisqu'ils connoîtront la raison premiere des choses ; en un mot, tout sera d'accord, parce que chacun marchera selon la véritable Loi.

Nous ne pouvons donc plus douter que la raison de toutes ces différences que le? nations nous offrent dans leurs dogmes & dans leur culte, ne vienne de ce que dans leurs institutions, elles ne se sont pas appuyées de cette Cause active & intelligente qui seule devoit les conduire, & qui pouvoit seule les réunir; nous ne pouvons plus douter, dis-je, que sa Lumiere ne soit le seul point de ralliement; que hors d'elle il n'y ait d'autre espoir que l'erreur & la souffrance, & que ce ne soit à elle à qui convienne essentiellement & par nature, cette vérité invincible que hors le centre il n'y a rien de fixe.;

On ne me soupçonnera pas, je l'espere, d'après cet exposé, de vouloir établir l'égalité & l'indifférence entre les divers cultes qui sont en usage parmi les Peuples de la terre, & bien moins encore de vouloir enseigner l'inutilité d'un culte. Au contraire, j'annonce qu'il n'y a pas un Peuple qui n'en ait senti la nécessité, j'annonce encore que ce culte doit exister aussi long-temps qu'il y aura des hommes sur la terre; mais que tant qu'ils ne seront pas soutenus par un appui qui leur îtit commun, il est inévitable qu'ils soient divisés, & par conséquent, il sera impossible qu'ils atteignent le but qu'ils se proposent. Ainsi, non seulement je maintiens la nécessité d'un culte, mais je sais voir encore plus clairement la nécessité d'un seul culte puisque c'est un seul Ches, ou un# seule Cause qui doit le diriger.

On ne doit pas non plus me demander actuellement, quel est celui de tous les cultes établis, qui est le véritable culte; le principe que je viens de poser doit servir de réponse à toutes les questions sur cet objet. Le culte qui sera dirigé par cette Cause active & intelligente, sera nécessairement juste & bon: le culte où elle ne présidera pas, sera certainement nul ou mauvais: voilà la regle. C'est à ceux qui, parmi les diTérentes nations, sont chargés d'instruire les hommes & de les conduire dans la carriere, à consronter leurs statuts & leur marche avec la Loi que nous leur présentons; notre but n'est pas de juger les cultes établis, mais d'en mettre les Chess & les Ministres en état de se juger eux-mêmes.

Je dois m'attendre à une objection toute naturelle, relativement à cette Cause active & intelligente que j'ai sait connoître comme Ches principal & unique de tout ce qui doit s'opérer généralement dans l'Univers. Les hommes peuvent bien convenir de la, nécessité de l'action de cette Cause sur les Etres corporels j ils ne peuvent pas même douter iil *Incertitude de?Homme.* douter qu'elle n'ait lieu, par la régularité & Punisormité des résultats qui en proviennent: mais, me dira-t-on, quand même ils en viendroient à convenir auffi de la nécessité de l'action de cette Cause, pour diriger toute la conduite des hommes, quels moyens auroient-ils pour savoir quand elle y préside ou non? Car leurs dogmes & leurs établissements en ce genre, n'ayant pas la moindre unisormité, il leur saut absolument une autre Loi que celle de l'opinion, pour s'assurer qu'ils sont dans le vrai chemin.

C'est ici que l'homme montre sa soiblesse & son impuissance, & c'est en même temps par-là qu'il donne d'autant plus de sorce à ce que nous avons dit; car, si l'homme pouvoit par lui-même choisir & fixer son culte, le pouvoir de la Cause active & intelligente, que je reconnois comme indispensable, deviendroit alors superflu pour cet objets Si cependant cette Cause active & intelligente ne pouvoit jamais être connue sensiblement par l'homme, il ne pourroit jamais être sûr d'avoir trouvé la meilleure route, & de possJder le véritable culte, puisque c'est cette Cause qui doit tout opérer, & tout manisester; il saut donc que l'homme puisse avoir la certitude dont nous parlons, & que ce ne soit pas l'homme qui la lui donne; il saut que cette Cause elle-même offre clairement à l'intelligence & aux yeux de l'homme, les témoignages de son approbation; il saut ensin, ìí l'homme peut être trompé par les hommes, qu'il ait des moyens de ne se pas tromper lui-même, & qu'il ait sous la main des ressources d'où il puisse attendre des secours évidents.

Les Principes que j'ai si souvent établis, nou prouvent assez la certitude de ce que j'avance. N'avons-nous pas déja reconnu plusieurs sois que l'homme

étoit libre f Comme tel, n'est-il pas responsable des effets bons ou mauvais qui doivent résulter de son choix parmi les pensées bonnes ou mauvaises qui lui parviennent? En seroit-il responsable, s'il n'avoit en lui la saculté de les démêler sans erreur? Nous voyons donc que de tout les actes qu'il casante, il n'en est aucun qu'il ne soit tenu essentiellement de consronter avec sa regle, & que, tant qu'il n'en verra pas la consormité avec cette regle, il ne sera absolument sûr de rien.

Or, quelle peut être cette regle, sinon l'aveu & l'adhésion de la Cause active & intelligente, qui étant préposée pour diriger tous les Etres soumis au temps, doit visiblement mettre réquilibro. entre les différentes sacultés de l'homme, comme elle le met parmi les différentes actions des Etres corporels, ou de la Madere.

Car, si elle est préposée pour diriger les sacultés de l'homme, à plus sorte raison doit-elle en diriger les actions? Et, parmi ces actions, certes, la moins indifférente est celle par laquelle il dpit observer fidellement les Loix qui peuvent lui concilier le

Principe $24 *Regie de tRorfime:*

Principe premier, & le rapprocher de cet Etsd auquel il sent universellement qu'il doit des hommages. Et, si la Cause active & intelligente est le soutien insaillible qui doit étayer l'homme dans tous lès pas, si elle est la lumiere sûre qui doit diriger tous les actes de son Etre pensant, il est de toute nécessité que ce guide universel vienne présider à l'institution du culte de l'homme, comme à toutes ses autres actions, & qu'il y préside d'une maniere qui mette sa voix & son témoignage à l'abri de toute incertitude.

La question n'est pas encore résolue, je le sais; & dire quelle est la nécessité que la Cause active & intelligente fixe elle-même les Loix de nos hommages envers le premier Principe, ce n'est pas prouver qu'elle le sasse. Mais, après avoir annoncé d'où l'homme devoit tirer cette preuve, on ne peut plus attendre d'autres indications de ma part. Je ne citerai pas même ma propre & personnelle expérience, quelque consiance que j'y doive apporter. Il y a eu un temps où je n'aurois ajouté aucune soi à des vérités que je pourrois certifier aujourd'hui. Je serois donc injuste & inconséquent de vouloir commander à la persuasion de mes Lecteurs; non, je ne crains pas de le répéter, je desire sincérement qu'aucun d'eux ne me croie sur ma parole, parce que, comme homme, je n'ai point de droits à la consiance de mes semblables; mais je serois au comble de ma joie, si chacun d'eux pouvoit prendre une assez grande idée, de lui-même & de la Cause qui veille sur lui, pour espérer que par sa persévérance & ses efforts, il lui seroit possible de s'assurer de la vérité.

Je sais que par des vues sages & hors de las portée du vulgaire, les Chess & les Ministres de presque toutes les Religions en ont annoncé les dogmes avec prudence, & sur-tout avec une réserve qu'on ne peut assez louer; pénétrés sans doute de la sublimité de leurs sonctions, ils ont senti combien la multitude devoit en rester éloignée, & c'est sûrement pour cela, qu'étant dépositaires de la cles de la Science, ils ont mieux aimé amener les Peuples à avoir pour elle une vénération ténébreuse, que d'en exposer les secrets à la prosanation. S'il est vrai que ce soient là leurs motiss, je ne peux les blâmer. I'ombre & le silence sont les asyles que la vérité présere; & ceux qui la possedent, ne peuvent prendre trop de précautions pour la conserver dans sa pureté; mais ne puis-je leur représenter qu'ils auroient dû craindre aussi de l'empêcher de se répandre, qu'ils sont préposés pouc Ja saire sructifier, pour veiller à sa désense, & no» pour l'ensevelir; ensin, que la rensermer avec trop, de soin, c'est peut être lui saire manquer son but qui est de s'étendre & de triompher?

Je croirois donc qu'ils auroient agi très-sagtment, s'ils avoient approsondi davantage ce moc L Partie (P) Mysien aifi Des Dogmes Myjïe'rìeux: Mystere dont ils ont sait un rempart à leurt Religions. Ils pouvoient bien étendre des voiles sur les points importants, en annoncer le développement comme le prix du travail & de la constance, & éprouver par-là leurs prosélytes, en exerçant

à la fois leur intelligence & leur zele; mais ils ne devoient pas rendre ces découvertes si impraticables que l'Univers en fût découragé; ils ne devoient pas rendre inutiles les plus belles sacultés de l'Etre pensant, qui ayant pris naissance dans le séjour de la lumiere, étoit déja assez malheureux de ne plus habiter auprès d'elle, sans qu'on lui ôtât encore l'espérance de l'appercevoir ici-bas; en un mot, j'aurois à leur place, annoncé un Mystere comme, une vérité voilée, & non comme une vérité impénétrable, & j'ai le bonheur d'avoir la preuve que cette définition auroit mieux valu.

Rien ne m'empêchera donc de persévérer dans ïes principes que je m'efforce de rappeller aux hommes, & d'assurer à mes semblables que non seulement la Cause active & intelligente doit nécessairement les diriger dans tous leurs actes, & par conséquent dans ceux qui ont rapport au culte, mais encore, qu'il est en leur pouvoir de s'en assurer par eux-mêmes, & cela d'une maniere qui ne leur laisse point de doutes.

En effet, il ne saut qu'observer la conduite des différentes Nations, pour appercevoir qu'elles ont toutes regardé leur culte comme étant sondé fondé sur la base que je viens d'établir. Ne saitort pas avec quelle ardeur elles ont défendu leurs cérémonies & leurs dogmes religieux? Chacune d'elle n'a-t-elle pas soutenu sa Religion, avec autant de zele & d'intrépidité, que si elle eût eu la certitude que la vérité même l'avoit établie?

Que dis-je, ce nom de vérité n'est-il pas 1© rempart de toutes les Sectes & de toutes les? Opinions? Na-t-on pas vu les Minisires mêmes des plus grandes ahominations, s'envelopper de ce nom sacré, sachant bien que par-là ils en imposeroient plus sûrement aux Peuples? Pourquoi donc cette marche seroit-elle îî universelle, si le Principe n'en étoit pas dans l'homrhe? Pourquoi, même dans ses saux pas j chercheroit-il à s'appuyer d'un nom qui en impose, s'il tie cprtnoiflbit pas intérieurement que ce nom est puiflant, & qu'il en a besoin? & en même tëmps, pourquoi annonceroitjl que ses pas sont dirigés par la vé-

rité, s'il ne sentoit pas qu'ils le peuvent être?

Nous croyons ces observations suffisantes, pour Convaincre nos Lecteurs de la nécessité & de la possibilité du concours d'une Cause active & intelligente dans toutes les actions des hommes, &c principalement dans la connoissance & la, pratique des Loix qui doivent diriger leurs hommages envers le premier Etre, que nul d'entr'eux ne peuc avoir méconnu de bonne soi.

Ainsi dès que par leur nature, ja Loi leur

P 2) feíl ia8 *Des Dogmes Mystérieux.* est imposée de ne jamais marcher sans cet appui & que d'après tous les Principes qu'on vient de voir, il leur est possible de l'obtenir, il est clair qu'ils erreront sans cesse, & seront exposés à toutes sortes de dangers, lorsqu'ils voudront agir par euxmêmes. Alors ils seront bien plus condamnables encore de s'annoncer aux antres hommes, comme étant guidés par cette vraie lumiere, quand ils n'en auront pas la certitude.

Mais, quelles que soient à ce sujet leurs Erreurs ou leur mauvaise soi, quelques bizarreries qu'ils puissent introduire dans leurs institutions religieuses, nous devons assez reconnoître à présent, comme je l'ai déja dit, qu'on n'en peut pas conclure qu'il n'y ait ni regle, ni vérité pour l'homme. Nous devons voir bien plutôt, que les méprises des hommes en ce genre, ne peuvent tomber sur d'autres objets, que sur l'extérieur & le sensible de leurs Religions , & qu'étant inférieurs & absolument subordonnés à l'Etre premier, toutes les opinions & toutes les contradictions qu'ils pourront ensanter, ne lui porteront jamais la moindre atteinte.

C'est-là la premiere conséquence que l'on doit inférer de tout ce qu'on vient de lire sur la diversité des Religions & des cultes. Par-là l'homme sage & accoutumé à percer l'enveloppe des choses, ne doit plus se laisser séduire par la variété des établissements de cette efpece, ni être tbraiJé par les contradictions universelles des,. hommes hommes sur cet objet. Il doit voir actuellement quelle en est la source, & ne pas douter que fi J'homme porte en lui l'idée du premier Etre, il doit auffi avoir un moyen fixe & unisorme de lui témoigner qu'il le connoît & qu'il lui rend hommage, moyen qui doit être un & auffi inaltérable que cet Etre même, quoique les hommes se méprennent chaque jour sur la nature de l'un & de l'autre.

C'est là en même temps ou nous pouvons voir le peu de consiance que méritent ceux qui prétendent prouver une Religion par la Morale, & combien ils sont dignes du peu de succts qu'ils ont ordinairement. Car la Morale, quoiqu'étant un des premiers devoirs de l'homme actuel, n'a pas toujours été enseignée par des Maîtres assez éclairés pour l'appliquer. juste; elle a presque toujours été bornée au sensible corporel, & dès-lors elle a dû varier selon les lieux, & selon les différentes habitudes dans lesquelles l'homme aura sait consister sa vertu: d'ailleurs cette Morale n'étant jamais que l'accesloire de la Religion, lors même qu'elle est le plus persectionnée, la vouloir employer pour preuve, c'est annoncer à la soi, & qu'on ne connoît pas les véritables preuves, & qu'il y en a nécessairement qui portent ce titre.

Je ne crois pas inutile, non plus, de saire observer que c'est par-là que pechent les Doctrines modernes, qui réduisent toutes les Loix de (P 3) l'homme *De h Morale-*. l'homme à la Morale, & toute sa Religion *ï* deá actes d'humanité, ou au soulagement des malheufeux dans l'ordre matériel, c'est-à-dire à cettô vertu si naturelle & si peu remarquable, dont mon siecle essaie d'étayer ses systèmes, & qui concentrant Fhomme dans des œuvres purement passives, n'est plus qu'un voile à l'ignorance, & perd tout son prix aux yeux dû Sage. Cette vertu est sans doute au nombre de nos obligations, & personne ne doit la négliger sous aucun prétexte; mais on ne feorneroit pas exclusivement tous nos devoirs, à des actes temporels & sensibles, si on ne s'étoit pas persuadé que les cfeoses sensibles & l'hofnme sont du même ranfr & de la. même nature.

Après le résultat que nous verofts d'appercevoir, nous devons en attendre un second, qui, peut nous aider à combattre & à renverser une autre erreur, à laquelle les Observateurs se sont Lissés entraîner Fur le même sujet & qui tient naturellement à la même source.

En éffet, fi selon eux, la connoissance d'un Etre supérieur, objet d'un culte, ainsi que celle de la nécessité de ce culte, n'étoient point innées dans l'homme, il s'enseivroit que l'origine & la. naissance des institutions religieuses seroient toutà-sait indécises; il scroit alors d'une difficulté insurmontable de savoir de quelle maniere, ou dans quel temps elles auroient été imaginées, jjarce qu'alors les hommes n'ayant pour regle & pour Loi que les révolutions continuelles de la Nature, ou les impulsions de leur caprice & de leur volonté, chaque instant auroit pu être l'époquè d'une nouvelle Religion, comme chaque instant auroit pu anéantir les plus anciennes, & successivement détruire toutes celles qui sont en honneur sur la terre.

Dans cette supposition, il seroit très-certain que les institutions dont nous parlons, n'étant plus que l'ouvrage de la soiblesse ou de l'intérêt, non seulement l'homme vrai pourroit les mépriser, mais même il devroit employer ses efforts, pour en effacer jusqu'à la moindre trace dans lui-même *Sc* dans tous ses semblables.

Mais, après avoir assuré tous nos principes j en les sondant, comme nous l'avons sait, sur la nature de l'homme, après avoir reconnu l'universalité d'une base sondamentale à toutes les Religions des peuples, on devroit être suffisamment persuadé que ce sentiment naît avec l'homme, & dès-lors toute difficulté devroit cesser sur l'origine de cette idée d'un Etre supérieur & du culte qui lui est dû

On ne verroit plus dans l'accord & la consormité des idées des Peuples sur ces deux points que les sruits naturels de ce germe indestructible, inné dans tous les hommes, & qui leur a parlé) dans tous les temps, quoique nous ne puis fions nier les usages bizarres & saux qu'ils en ont presque toujours saits; on en peut dire autant des Loix. unisormes qu'ils, devxoient tout observer dans.

i? U k» *131 De Vanciennetè de la Religion.* leur culte; car quoique par une suneste suite de leur Liberté, ils éloignent & méconnoissent presque continuellement la Cause physique supérieure, préposée pour diriger ce culte, ainsi que toutes leurs autres actions, on verroit bien-tôt qu'ils n'ont jamais été. privés de la saculté de la sentir & del'entendre, puisque dès-lors qu'ils sont liés au temps, cette Cause active & intelligente, qui veille essentiellement sur le temps, n'a jamais pu les perdre de vue, comme: eux-mêmes auroient encore cet avantage à son égard, s'ils n'ttoient les premiers à la suir & à l'abandonner.

Si nous voulons nous convaincre encore mieux des rapports qui se trouvent entre l'homme & ces vérités lumineuses, donti nous l'annonçons comme dépositaire, nous n'avons qu'à réfléchir sur la na" ure de la pensée; nous verrons bientôt qu'étant simple, unique & immuable, il ne peut y avoir qu'une seule espece d'Etres qui en soient susceptibles, parce que rien n'est commun parmi des Etres de différente nature; nous verrons que si l'homme a en lui cette idée primitive d'un Etre supérieur, & d'une Cause active &-intelligente qui exécute ses volontés, il doit être de la même Essence que cet Etre supérieur & que la Cause qui correspond de l'un à l'autre; nous verrons, dis-je, que la pensée leur doit être commune, tandis que tous les Etres qui ne pourront recevoir aucune communication de cette pensée, n.. en en donner le moindre témoignage, seront exclus nécessairement de la classe de ceux dont nous parlons.

Et c'est bien par-là que l'homme pourroit acquérir des lumieres sur lui-même, en apprenant à se distinguer de tous les Etres passiss & corporels qui l'environnent. Car, quelqu'effort qu'il emploie pour se saire entendre de quelqu'un d'eux, sur les princi, pes de la justice, sur la connoissance d'un Etre supérieur & des autres objets qui sont du ressort de sa pensée, il n'appercevra dans cer. Etre corporel *Sc* sensible aucun signe, aucune démonstration qui L i annonce qu'il en ait été entendu. Tout ce qu'il pourra obtenir, & non encore de tout les animaux, c'est de leur saire

Des erreurs et de la vérité, ou, Les hommes rappellés au principe universel de la science (1) • Louis Claude de Saint-Martin

• 51

concevoir & exécuter les actes de sa volonté, sans toutesois qu'ils en comprennent la raison; encore saudroic-il, pour la persection de ce commerce, que l'homme pût se rappelles leur langage naturel dont il a perdu la connoissance; car les moyens sactices dont il se sert aujourd'hui pour y suppléer, ne sont que des preuves de son impuissance, & ne servent qu'à lui montrer que la grandeur ne consiste pas dans l'industrie, mais dans la sorce & dans l'autorité.

Lorsque l'homme au contraire, cessant de fixer *hs* yeux sur les Etres sensibles & corporels, les ramene sur son Etre propre, & que dans le dessein de le connoître, il sait usage avec soin de sa saculté intellectuelle; sa vue acquiert une étendue ìmense, il conçoit & touche, pour ainsi dire,

". 1, des 134 *&?affinité des Etres pensants.* des rayons de lumiere qu'il sent bien être hors de lui, mais dont il sent aussi toute l'analogie avec luimême; des idées neuves descendent dans lui, mais il est surpris, tout en les admirant, de ne les point trouver étrangeres. Or, y verroit-il tant de rapports avec lui-même, si leur source & la sienne n'étoient pas semblables? Se trouveroit-il si à l'aise & si satissait, à la vue des lueurs de vérité qui se communiquent à lui, si leur Principe & le sien n'a" voient pas la même essence?

C'est là ce qui nous sait reconnoître que la pensée de l'homme étant semblable à celle de l'Etre premier, & à celle de la Cause active & intelligente, il doit y avoir eu entre eux une correspondance parsaite dès le moment de l'existence de l'homme. Alors, si c'est vraiment sur cette affinité nécessaire entre tout Etre pensant, que sont sondées toutes les Loix qui doivent diriger l'homme, tant dans la connoissance de l'Etre supérieur, que dans celle du culte qu'il doit lui rendre nous pouvons voir à présent, avec évidence, quelle a dû être l'origine de la Religion parmi les hommes, & si elle n'est pas aussi ancienne qu'eux-mêmes.

Cependant, la similitude que je viens de saire entrevoir entre tous les Etres qui sont doués de la pensée, exige que je sasse remarquer en c moment, une distinction importante qui échappe à la plus grande partie des hommes, ce qui tes retient dans d'éoaisses ténèbres, & les

ÇXfJOíft çxpose aux méprises les moins excusables.

En effet, s'ils accordent la pensée à un Etre immatériel, tel que l'homme, & qu'on leur avoue, comme je l'ai sait, que le Principe de la Matiere est immatériel, ils voudront aussi que ce Principe ait la pensée, & ne concevront pas que l'on puisle 'a lui resuser.

D'un autre côté, fi je refuse la pensée aa Principe immatériel de la Matiere, ils ne sauront plus s'ils ne doivent pas la resuser aussi au Principe immatériel de l'homme, parce qu'ils ne voient dan ces deux différents Etres immatériels , qu'une même nature, & par conséquent, que les mémes propriétés. Mais c'est toujours la même erreur qui les abuse; c'est toujours pour ne vouloir pas démêler deux natures aussi distinctes, qu'ils se laissent aller aux plus grands écarts sur cet objet. Rappellons-les donc aux premiers Principes sur lesquels nous nous sommes déja appuyés.

Tous les Etres immatériels proviennent médiatement ou immédiatement, de la même source, & cependant ils ne sont pas égaux. Nous ne pouvons douter de cette inégalité des Etres, puisque Fhomme, qui est un Etre immatériel, reconnoît nécessairement au dessus de lui, des Etres immatériels auxquels il doit des hommages & des soins assidus, comme étant dans leur dépendance; il reconnoît que quoiqu'il soit semblable à ces Etres immatériels, par sa nature immatérielle & par sa pensée . *z6 Différence entre les Etres pensants'.* pensee, cependant il est insiniment insérieur J eux, en ce qu'il peut perdre lissage de ses sacultés & s'égarer, au lieu que les Etres qui le dominent sont à couvert de ce suneste danger.

De même, le Principe de la Matiere est immatériel & indestructible comme le Principe immatériel de l'homme, mais ce qui met entre eux une distinction hors de tout rapport, c'est que l'un a la pensée & que l'autre ne l'a point, & cela parce que, comme je viens de le dire, l'Etre immatériel de l'homme provient immédiatement de la source des Etres, au lieu que l'Etre immatériel de la Matiere n'en provient que médiatement.

Je ne crois pas saire d'indiscrétion en avouant que c'est *un nombre* qui les distingue, ce qui sera expliqué ci-après. Je crois en même temps rendre un service essentiel à mes semblables, en les engageant à croire à des Etres immatériels qui ne pensent point. Car plusieurs Observateurs de mon temps ont cru n'être plus Matérialistes dès qu'ils ont pu parvenir à admettre & reconnoître comme moi, un Principe immatériel dans la Matiere. Mais le Matérialisme consiste-t-il uniquement à n'avoir pas une connoissance parsaite, ni une idée juste de la Matiere & de son Principe? & le vrai Matérialiste n'est-il pas plutôt, & ne sera-t-il pas toujours celui qui mettra dans la même classe & au même rang, 'Je Principe immatériel de l'homme intellectuel, & le Principe immatériel de la Matiere.

Je Je ne puis donc trop recommander de ne paï consondre les vraies notions que nous porîons en nous sur ces objets, & de croire à des Etres immatériels qui ne pensent point; c'est une distinction & une vérité qui doit résoudre toutes les difficultés qu'on a élevées sur cet *ob)zt.*

Si cependant il restoit encore des doutes sur la Pensée, que j'ai présentée comme devant être commune & unisorme dans tous les Etres distincts de la Matiere & du sensible, & que, pour appuyer ces doutes, on objectât cette différence si remarquable parmi les sacultés intellectuelles des hommes que chacun d'eux paroît n'être pas en ce genre partagé plus également que dans les sacultés corporelles & sensibles; je conviendrois avec ceux qui auroient cette incertitude, qu'en effet, à juger d'après la différence universelle que l'on apperçoit dans les sacultés intellectuelles des hommes, il paroît difficile à croire qu'ils puissent tout voir une égale idée de leur Etre, ainsi que du culte auquel ils sont tenus envers lui.

Mais nous n'avons jamais prétendu que les idées de tous, sussent égales sur cet objet, il nous suffit qu'elles soient semblables. Il n'est pas néceslaire, il n'est pas même possible que tous les hommes sentent également leur Principe, mais il est constant que tous le sentent, & qu'il n'y en a aucun qui n'en ait une idée quelconque. Cet aveu est tout ce que nous souhaitons de leurt part, & c'est

à

è 38 *ìïfference entre les Êtres penfanW* a la Cause active & intelligente à saire le reste ì

Ce ne sera point trop m'ëcarter de mon sujet, que de m'arrêter un instant sur la différence naturelle que nous appercevons dans les sacultés intellectuelles de l'homme, & il sera utile d'apprendre à connoître ce qu'elles auroient éré dans son origine première, s'il se fût maintenu dans sa gloire, & cè qu'elles sont aujourd'hui qu'il en est descendu.

Quand même l'homme auroit conservé tous les avantages de fòn premier état, il est certain que les sacultés intellectuelles de chacun des hommes de sa postérité auroient annoncé des différences parce que ces sacultés étant toutes le signe du Principe premier dont ils émanent, & ce Principe étant toujours neus, quoique toujours le même, les signes qui le représentent, doivent manisester par euxmêmes sa nouveauté continuelle, & saire connoître par-là d'autant plus sa fécondité. Mais loin qutí ces différences eussent produit une impersection ni causé des peines & des humiliations parmi les hommes, aucun d'eux ne s'en sut seulement apperçu; trop occupés à jouir, ils n'auroient pas eú lé loisir de comparer, & quoique les mesures de leurs sacultés n'eussent pas été égales, elles auroient chacune satissait abondamment ceux á qui elles auroient été réparties.

Dans l'état actuel de l'homme, au contraire, entre ces mêmes inégalités originelles qui ont toujours lieu il est sujet à celles qui provier není heht des Loix de la région sensible qu'il habite; ce qui rend bien plus pénible encore l'excrcice de ses sacultés premieres, & en multiplie à l'insini les différences. Cependant, n'étant point condamné à la mort, ou à la privation perpétuelle de ces mêmes sacultcs premieres, la région élémentaire ne sait que lui présenter un obstacle de plus, & il a toujours l'obligation indispensable de travailler à la surmonter; ensin aujourd'hui, comme dans son premier état, la mesure de ses dons seroit suffisante, s'il avoit toujours la serme résolution de les employer à son profit.

Mais qui ne sait que loin de tirer avantage de ces obstacles, & de les saire tourner à sa gloire, l'homme les augmente encore par l'usagc saux de sa volonté, par les générations irrégulieres par l'ignorance où il s'ensonce tous les jours sur les choses qui lut conviennent, ou qui lui sont contraires, ainsi que par une multitude d'autres causes qui occasionnent sans cesse le dépérissement de ces mêmes sacultés, & qui les dénaturent au point de les rendre presque méconnoissables.

Aussi, dans cet état de dégradation où l'homme se laisse ontraîner, il perd la véritable notion des privilèges qui lui appartiennent, son cœur se vuide, & ne connoissant plus ses vraies jouissances, il se rabaisse, & ne s'éstime plus que sur des différences conventionnelles, qui n'existent que dans ía volonté déréglée, mais auxquelles 140 *Différence entre les Etres pensants'.* auxquelles il s'attache avec d'autant plus d'ardeurs qu'ayant laissé échapper son seul appui, il n'a plus rien qui le soutienne.

Cependant, malgré ces différences originelles, multipliées encore, soit par les écueils de la région sensible, soit par les vicieuses habitudes des hommes, pourrons-nous jamais dire que l'homme ait changé de nature, pendant que rous avons vu que les Etres corporels mêmes ne sauroient en changer, malgré la multitude des révolutions, auxquelles leur propre Loi & la main de l'homme peuvent les assujettir?

Or, s'il est de la nature & de l'essence des hommes d'avouer un Etre supérieur, & de sentir qu'étant attachés à la région sensible, il doit y avoir un moyen sensible de lui saire parvenir leurs hommages, il est certain que, malgré tous leurs égarements, la Loi ne sauroit jamais varier pour eux. Ils pourront rendre leur tâche plus longue & plus difficile, comme ils le sont en effet tous les jours par leur aveuglement & leur imprudence, mais ils ne se dispenseront jamais de l'obligation de la remplir. Soit que l'un se trouve plus chargé que l'autre par sa nature, soit qu'il le devienne par sa propre saute, il saudra néanmoins que le tribut de chacun se paie, & ce tribut n'est autre chose, de la part de l'homme, que le sentiment, l'aveu & le juste emploi des sacultés qui le constituent.

Alors, Alors, quelque défiguré que soit l'homme, nous devons toujours trouver en lui sa Loi première, pujsque sa nature est toujours la même nous devons toujours le trouver semblable à l'Etre qui lui communique la pensée, puisque cette pensée ne peut correspondre qu'entre des Etres de même nature j nous devons, dis-je, le reconnoître comme inséparablement lié à l'idée de son Principe, & à celle des devoirs qui l'attachent à lui, puisqu'étant convenus que ces idées sont universelles parmi les hommes nous n'avons pas pu nier qu'elles ne naissent & qu'elles ne vivent perpétuellement avec eux. C'est pour cela que nous avons porté jusqu'à l'origine même de l'homme, l'époque de la naissance de sa Religion.

Quel cas pouvons-nous saire alors des opinions imprudentes & insensées, qui ont sait naître cette institution sacrée, de la crainte & de la timidité des hommes? Comment de pareilles soiblesles leur pourroient-elles donner une idée aussi sublime que celle d'un guide qui peut les éclairer & les soutenir à tous leurs pas, si le germe n'en étoit pas dans leur sein? Et puisqu'ils portent ce germe en eux-mêmes, pourquoi lui chercher un autre origine Non, sans doute, on ne dira plus que les efsrayantes révolutions de la Nature auront donné naissance à cette idée dans l'homme. Tout au plus, auroient-elles été un des moyens propres à ranimer dans lui les sacultés précieuses qui s'y l *Partie.* (Q) *son ì% Erreur sur V origine ie la Religion;* sont fi souvent assoupies; mais jamais elles né lui auront communiqué le germe de ces sacultés, puisque ce n'est que par là qu'il est homme.

Bien moins encore, lui auroient-elles donné toutes les lumieres & toutes les contioissances nécessaires à l'entier ac-

Des erreurs et de la vérité, ou, Les hommes rappellés au principe universel de la science (1) • Louis Claude de Saint-Martin

• 53

complissement des devoirs relatiss à sa Religion & à son culte, puisqu'en même temps que l'homme sent que ces lumieres lui manquent, il sent qu'il ne peut les tenir que d'une Cause intelligente, qui étant au-dessus de lui, est à plus sorte raison au dessus de la Nature matérielle. Or, sil'hpmme, malgré sa misere & sa privation, est encore par son essence au dessus de cette même Nature matérielle, quels sont donc les secours & les lumieres qu'il en pourroit attendre?

Qn voit par-là quels médiocres sruits toutes les révolutions de la Région élémentaire ont pu produire dans l'homme, & combien il seroit déraisonnabla d'y chercher la source de ses vertus & de sa grandeur.

Ce n'est pas, comme je viens de le dire, que les terribles événements auxquels la Nature élémentaire est exposée, n'aient servi souvent à réveiller les sacultés intellectuelles engourdies danî l'homme, en le rappellant à la sois à Pidée de i'Etie premier, & à la néceílké de l'hpnorer.

Je veux même que dans la fâcheuse situation où il s'est trouvé sréquemment, & qui a dû devenir encore plus affreuse par l'ignOrance à laquelle jj s'est presque toujours abandonné, il ait choisi, 144 *Erreur sur Porigine de la Religion:* férents lieux, ou, ce qui est encore plus vrai, ont introduit des variétés dans les Religions déja établies, il ne seroit pas juste de conclure que telle a été la source de toutes les Religions, *&c* que c'est là où l'homme a puisé les principes & les notions qui lui sont communes universellement avec ses semblables. Mais il n'est pas absolument impossible de montrer encore plus clairement la cause de cette erreur, & de la mettre entièrement à découvert.

N'ai-je pas annoncé l'homme comme étant un 'assemblage de sacultés sensibles & de sacultés intellectuelles? N'a t'on pas dû concevoir par-là que ses sacultés sensibles lui étant communes avec les bétes, il devenoit dès-lors susceptible d'habitudes comme elles; mais aussi que ces habitudes, tenant toutes au sensible, ne pouvoient naître que par le secours des causes & des moyens sensibles.

N'a-t'on pas dû concevoir, au contraire, que les sacultés intellectuelles de l'homme étant d'un ordre supérieur aux causes sensibles, ne pouvoient pas être commandées par ces causes sensibles, & qu'il leur salloit, pour les mouvoir & les animer, la réaction d'une cauíe & d'un agent d'un autre ordre, c'est-à-dire qui fût de la même nature que l'Etre intellectuel de l'homme.

C'est donc là que se trouve la solution du problême; il salleit distinguer les œuvres sensibles de l'homme d'avec ses idées premieres qui n'appartienment qu'à son Etre intellectuel; il salloit voir que le climat, la température & tous les accidents plus ou moins considérables de la Nature matérielle & sensible pouvoit bien opérer sur les mœurs, les habitudes & les actions extérieures de l'homme qu'ils pouvoient même par la liaison de l'homme au sensible, opérer passivement sur ses facultés intellectuelles; mais que le concours de toutes les révolutions élémentaires quelconques ne lui donneroient jamais la moindre idée d'une Cause supérieure, ni des points sondamentaux que nous avons découverts en lui, puisqu'en un mot toutes les causes que nous examinons dans ce moment, étant par leur nature, dans l'ordre sensible, ne peuvent opérer activement que sur le sensible & jamais ainsi sur 'intellectuel.

Alors nous ne verrions dans tous ces sruits de la soiblesse & de la crainte de l'homme, qu'un usage saux & une application insensée de ses sacultés intellectuelles; mais nous n'y verrions jamais leur origine. Car si lors même que ces sacultés intellectuelles agissent sur le sensible, elles le sont simplement mouvoir, & ne le créent pas, quoiqu'elles lui soient supérieures; à plus forte raison le sensible leur étant inférieur, elles en pourront être affectées, lorsqu'il agira sur elles, mais elles n'en recevront jamais la naissance & la vie. Nous rentrons donc de nouveau dans notre prin (Q î) p« *y±$ 'Germe intellectuel ie PHvmme..* cipe, qui *s, été* de placer l'existence de la Religion au premier moment de l'existence de l'homme.

Si, après de semblables démonstrajiqas, ceux qui ont avancé l'opjnion cons raire, persiûqient encore à la soutenir, & à vouloir que l'homnie eût trouvé dans des causes inférieures & sensibles, la source des. notipns & de toutes les lumieres dont nous annonçons qu'il porte le germe en lui-mêms; npus n'au- rions, pour renverser absolument leur système qu'une seule chose à leur demander: savoir, pourquoi, si selon eux, les révolutions de la. Nature ma-rielle ont donné aux bomrnes une Religion, les, Bétes n'ont-elles pas aussi la leur; car elles ont é/té présentes, comme les hommes, à toutes ces, ïévolutjpns.

Çestpps dpnc de nous arrétet à une pareille opinion, & attachons-nous plutôt à recannoître tout 1© prix du germe qui a été placé dans pous-mêmes; attachorjs-npus à sentir que si ce germe précieux doit ppus r.endre des sruits sans nombre, quand il aura reçu *(a culture* naturelle; il ne pourra aufli annoncer que la consusion & 1c désordre quand iL recevra des, *cultures* étrangeres. Enfin n'attribuons qu'à ces sausses *cultures* , les incertitudes que l'homme a mon,-, tarées daps tous les pas qu' il a saits sans son guide.

Mais je pressens la curiosité de mes Lecteurs sur çette *culture* naturelle, ser les effets invariables de la Cause active & intelligente que j'ai reconnue 1(3®% % J». lurniete indisgeplable de Tbommc; en un 1 mot, sur cette Religion & ce culte unique, qui d'après les princpes que j'ai exposés, rameneraient tous les cultes à la même Loi.

Quoique j'aie annoncé que ce n'étoit point de la main de son semblable, que l'homme devôit attendre les preuves & ks témoignages certains de ces vérités; il peut au moins en recevoir le tableau, & je me propose de lë lui présenter.

Je ne lui cacherai cependant pas tous les efforts que je me sais à moi-même pour l'entreprendre Je ne jette point les yeux sur la science, que je ne sois couvert de honte, en voyant tout ce que l'homme a perdu & je voudrois que rien de moi ne sût ce que je sais, car je ne trouve rien en, moi qui en soit digne; c'est pour cette raison que je ne puis jamais m'exprimer sur ices objets que par des symboles.

La Reiigion de l'homme dans son premier etat étoit soumise à un culte, comme elle l'est encore aujourd'hui quoique la sorme en fût différente , la principale Loi de cet homme étoit de porter continuellement sa vue depuis l' *Orient* jusqu'à l' *Occident, 8c* depuis le *Nord* jusqu'au *Midi*; c'està-dire, de déterminer les *latitudes* & les *longi- tudes* dans toutes les parties de lUnivers.

C'est par-là qu'il avoit une connoissance parsaites de tout ce qui s'y passoit, qu'il purgeoit de mal— fciteurs tout son empire, qu'il assurait la route aux. voyageurs bien intentionnts, & qu'il établissoit

CQitl tordra 248 *Seconde Religion de r Homme.* Tordre & la paix dans tous les Etats soumis à sa domination; par-là aussi, il manisestoit pleinement la puissance & la gloire de la Cause premiere qui l'avoit chargé de ces sublimes sonctions, & c'étoit lui rendre les hommages les plus dignes d'elle, & les seuls capables de l'honorer & de lui plaire; car étant *Une* par essence, elle n'a jamais eu d'autre objet que de saire régner son *Unité,* c'est-à-dire, de saire le bonheur de tous les Etres.,

Cependant, si l'homme n'eût pas été secondé dans l'exercice de l'emploi immense qui lui étoit consié, il n'auroit pu seul en embrasser toutes les parties: aussi avoit-il autour de lui des Ministres fideles qui exécutoient ses ordres avec précision & célérité: il pensoit, ses Ministres lisoient ses volontés, & les écrivoient avec des caracteres si nets & si expressiss qu'ils étoient à couvert de toute équivoque.

La premiere Religion de l'homme étant invariable, il est, malgré sa chiite, assujetti aux mêmes devoirs; mais comme il a changé de climat, il a sallu aussi qu'il changeât de Loi pour se diriger dans l'exercice de sa-Religion.

Or, ce changement n'est autre chose-que de s'être soumis à la nécessité d'employer des moyens sensibles pour un culte qui ne devoit jamais les connpître. Néanmoins comme ces moyens se présentent naturellement à lui, il n'a que très-peu de soins à se donner pour les chercher, mais beaucoup plus, il est

vrai, pour les saire valoir & s'en servir avec succès.

Premiérement, il ne peut saire un pas sans rencontrer son *Autel;* & cet *Autel* est toujours garni de *Lampes* qui ne s'éteignent point, & qui subsisteront aussi long-temps que *Y Autel* même.

En second lieu, il porte toujours *Yencens* avec lui, en sorte qu'à tous les instants il peut se livrer aux actes de sa Religion.

Mais avec tous ces avantages, il est effrayant de songer combien l'homme est encore éloigné de son terme, combien il a de tentatives à saire avant de parvenir au point de pouvoir remplir entiérement ses premiers devoirs; & même encore quand il y seroit parvenu, resteroit-il toujours dans une sujétion irrévocable & qui lui seroit sentir jusqu'à la fin la rigueur de sa condamnation.

Cette sujJtion est de ne pouvoir absolument rien de lui-même, & d'être toujours dans la dépendance de cette Cause active & intelligente qui peut seule le remettre sur la voie quand il *s* égare; qu peut seule l'y soutenir, & qui doit diriger aujourd'hui tous ses pas, en sorte que sans elle nonseulement il ne peut rien connoitre, mais qu'il ne peut pas même tirer le moindre sruit de ses connoistanees & de ses propres sacultés.

En outre, ce n'est plus comme pendant sa gloire où il lisoit jusqu'aux pensées les plus intimes de ses

Supérieurs

ïfo *De la Lecture* fi? *de r Ecriture.* Supérieurs & de ses Sujets, & où il pouvoit, en conséquence, commercer avec eux selon sa volonté. Mais dans l'horrible expiation à laquelle il s'est exposé, il ne peut se flatter de rétablir ce commerce qu'il ne commence par apprendre à *écrire f* heureux ensuite s'il fe trouve dans le cas d'apprendre à *Ure* , car il y a bien des hommes, & même des plus célebres par leurs connoissances, qui passent leur vie sans avoir jamais *lu.*

Ce n'est pas que quelques-uns n'aient *lu* sans avoir jamais *écrit;* mais ce sont-là des privileges particuliers, & la Loi générale est de commencer par *écrire;* au lieu que l'homme, dans son premier état, pouvoit à son gré s'occuper conti-

nuellement à la *lecture.* Or, comme l'expiation de l'homme doit se passer dans le temps, c'est cette Loi du temps qui l'assujettit à une gradation pénible & indispensable dans le recouvrement de ses. droits & de ses connoissances, tandis que dans sa premiere origine, rien ne se saisoit attendre, & que chacune de ses sacultés répondant toujours à ses,, besoins, agissoit sur le champ selon son desir.

Ces avantages inexprimables étoicnt attachés à la possession & à l'intelligence d'un Livre sans prix,. qui étoit au nombre des dons que.l'homme avoit reçus avec lá naissance. Quoique ce Livre ne contînt que dix seuilles, il rensermoit toutes les lumieres & toutes les Sciences de ce qui a été, de ce qui«st & de ce qui sera; &; le pouvoir de l'homme? *itoh* fi étendu alors, qu'il avoit la saculté do lire à la sois dans les dix seuilles du Livre & do les embrasser d'un coup d'œil.

Lors de sa dégradation, le même Livre lui est bien resté, mais ïl a été privé de la saculté de pouvoir y lire auïE sacilement, & il ne peut plus en connoître toutes les seuiljes que l'une après l'autre. Cependant il ne sera jamais entiérement rétabli 4áns ses droits qu'il ne les ait toutes étudiées; car quoique chacune de ces dix seuilles contienne une connoissance particuliere & qui lui soit propre, elles sont néanmoins tellement liées, qu'il est impossible d'en posséder une parsaitement, sans être parvenu; à les connoître toutes j & quoique j'aie dit que l'homme ne pou voit, plus les lire que successivement, aucun de ses pas ne seroit assuré, s'il ne les avoit parcourues en entier, & principalement» la quatrieme, qui sert de point de ralliement à toutes les autres.

C'est une vérité sur laquelle les hommes ont peu fixé leur attention, c'est cependant celle qu'il leur étoit insiniment nécessaire d'observer & de connoître: car ils naissent tous le Livre à la main; & si l'étude & l'intelligence de ce Livre sont précisément la tâche qu'ils ont à remplir, on peut juger de quel intérêt il est pour eux de n'y pas saire de méprise.

Des erreurs et de la vérité, ou, Les hommes rappellés au principe universel de la science (1) • Louis Claude de Saint-Martin

• 55

Mais leur négligence sur cet objet a été portée à un point extrême.;, il n'en est presque pas parmi eux.

25 i *Bu Livre. de t'Homme.* eux qui aient remarqué cette union essentielle des dix seuilles du Livre, par laquelle elles sont absolument inséparables. Les uns se sont arrêtés à la moitié de ce Livre, d'autres à la troisieme seuille, d'autres à la premiere; ce qui a produit les Athées, les Matérialistes & les Déistes; quelques-uns en ont bien apperçu la liaison, mais ils n'ont pas saisi la distinction importante qu'il y avoit à saire entre chacune de ces seuilles, & les trouvant liées, ils les ont crues égales & de la même nature.

Qu'en est-il arrivé? C'est que se bornant à l'endrait du Livre qu'ils n'avoient pas eu le courage de païer, & s'appuyant sur ce qu'ils ne parloient cependant que d'après le Livre, ils ont prétendu qu'ils le possédoient tout entier, & se croyant par-là infaillibles dans leur doctrine, ils ont sait tous leurs efforts pour le persuader. Mais ces vérités isolées, ne recevant aucune nourriture, ont bientôt dépéri entre les mains de ceux qui les avotent ainsi séparées, & il n'est plus resté à ces hommes imprudents qu'un vain phantôme de Science, qu'ils ne pouvoient donner comme un corps solide, ni comme un Etre vrai, sans avoir recours à l'imposture.

C'est de-là précisément d'où sont sorties toutes les erreurs que nous aurons à examiner dans la suite de ce Traité, ainsi que toutes celles que nous avons deja relevées sur les deux Principes opposés, sur la nature & les Loix des Etres corporels, sur les différentes sacultés de l'homme, sur les principes & l'origine de sa Religion & de son culte.

On verra ci-après sur quelle partie du Livre sont tombées principalement les méprises; mais, avant d'en venir-là, nous compléçerons l'idée qu'on doit avoir de ce Livre incomparable, en donnant le détail des différentes Sciences & des différentes propriétés, dont chacune de ses seuilles rensermoit la connoissance...

La premiere traitoit du Principe universel ou du Centre, d'où émanent continuellement tous les Centres.

La seconde, de la Cause occasionnelle de l'Unîvers; de la double Loi corporelle qui le soutient de la double Loi intellectuelle, agissant dans le temps; de la double nature de l'homme, & généralement de tout ce qui est composé & sormé de deux actions.

La troisieme de la base des Corps; de tous les résultats & des productions de tous les Genres, & c'est-là que se trouve le *nombre* des Etres imma tériels qui ne pensent point.

La quatrieme, de tout ce qui est actis; du Principe de toutes les Langues, soit temporelles, soit hors du.temps; de la Religion & du culte de l'homme, & c'est-là que se trouve le *nombre* des Etres immatériels qui pensent.

La cinquieme, de l'Idolâtrie *Sc* dc la putrésaction.

fo d ttíommê: La sixieme, des Loîx de la formation du Monáê temporel, & de la division naturelle du Cerclfc ar le rayon. La septieme, de lá cause des Vents & des Mai rées; de l'Echelle geographique de l'homme; dë fa vrEie Sciance &: de la source de ses productions intellectuelles ou sensibles.

La huitieme, du *nombre* temporel de celui qui fest le seul appui, la seule source & le seul espoíí de Phomme, cëst-à-dire, de cet Etre réel & physique, qui a deux *'noms* & quatre *nombres*, eíí tant qu'il est à la fois actis *Sc* intelligent, & qnê son action s'étend sur íes quatre Mondes. Elle ttaitoit aussi de la Justice & dë tous les pouvoirs í&í gislatiss; qui comprend Íes droits dêâ Souvêrains & l'autorité des Genéraux & des Juges.

La neuvieme, de la sormation de l'hommè corporel dans le sein de la semme, & de la dé composition du triangle universel & particulier.

La dixieme enfin étoit la voie &: le' complément des neus précédentes. C'étoit sans doute là plus essentielle, & celle sans làquelle toutes lés autres fre seroient pas connues, parce qVên les díspòíanÉ toutes dix en circonférence, sélon leur ordre nu-ì mérique, elle se trouve avoir le plus á'assinité. avec la premiere, dont tout émane; & si l'on veut juger de son importance, que Ton sache que c'est par elle que F Auteur des choses est invincible, farce que c'est une barriere qui le désend de toutes tOUtes parts, & que nul Etre ne peut passer

Ainsi, comme l'on voit rensermées dans cette énumération, toutes les connoissances où l'homme peut aspirer, & les Loix qui lui sont imposées, il est clair qu'il ne possédera jamais aucune Science ni qu'il ne pourra jamais remplir aucun de ses vrais devoirs, sans aller puiser dans cette source; nous savons aussi actuellement quelle est la main qui doit l'y conduire, & que si par lui-même il ne sauroit saire un pas vers cette source féconde, il peut être sûr d'y parvenir, en oubliant sa volonté, & laissant agir celle de la Cause active & intelligente qui doit seule agir pour lui.

Félicitons-le donc de pouvoir encore trouver un tel appui dans sa misere; que son cœur se remplisse d'espérance, en voyant qu'il peut même aujourd'hui découvrir sans erreur, dans ce précieux Livre, l'essence & les propriétés des Etres, la raison des choses, les Loix certaines & invariables de sa Religion & du culte qu'il doit nécessairement rendre à l'Etre premier; c'est-à-dire, qu'étant à la sois intellectuel & sensible, & n'y ayant rien qui ne soit l'un ou l'autre, il doit connoître le$ rapports de lui-même avec tout ce qui existe.

Car, si ce Livre n'a que dix seuilles, & que cependant il contiene tout, rien ne peut exister, sans appartenir par sa Nature à l'une des dijt seuilles. Or, il n'y a pas un Etie qui n'indique luimême *t%6 Du Livre de r Homme.* même quelle est sa classe & à laquelle des dix feuilles il appartient. Chaque Etre nous offre donc par-là les moyens de nous instruire de tout ce qui le concerne. Mais, pour se diriger dans ces connoissances, il faut savoir distinguer les Loix vraies & simples qui constituent la nature des Etres, d'avec celles que les hommes supposent & leur substituent tous les jours.

Venons à cette partie du Livre, dont j'ai annoncé que l'on avoít le plus abusé". C'est cette quatrieme seuille qui a été reconnue comme ayant le plus de rapport avec l'homme, en ce que c'estlà où étoient écrits ses devoirs & les véritables Loix de son Etre pensant, ' de même que les préceptes de sa Religion & de son culte.

En effet, en suivant avec exactitude, avec constance & avec une intention pure, tous les points qui y étoient clairement énoncés, il pouvoit obtenir des secours de la main même qui l'avoit puni, s'élever au-dessus de cette Région corrompue, dans laquelle il est relégué par condamnation, & retrouver des traces de cette ancienne autorité, en vertu de laquelle il déterminoit autrefois les *latitudes* & les *longitudes* pour lemaintien de Tordre universel.

Mais, comme c'est à cette quatrieme seuille qu'étoient attachées de si puissantes ressources, c'est aussi, comme nous l'avons dit, sur cette paitie du Livre.; que ses erreurs devoient être les plus importantes; & en effet fi l'homme n'ent. eût point négligé les avantages, tout seroit en- fcore heureux & en paix sur la Terre.

La premiere de ces erreurs a été de transpo-f ser cette quatrieme seuille, & d'y substituer la cinquieme, Qu celle qui traite de l'idolâtrie 5 parc qu'alors l'homme défigurant les Loix de sà Religion, ne pouvoit en retirer les mêmes sruits, rií les mêmes secours que s'il eût persévéré dans le Vrai culte. Au contraire, ne recevant que les téhebres pour récompense, il s'y ensevelifibit ait point de ne plus même désirer la lumiere.

Telle fut la marche de ce Principe % dobé hous avons dit au commencement de cet Ouvrage, qu'il s'étoit sait mauvais par sa propre Volonté; telle a été celle du premier homme, & telle a été celle de plusieurs de ses descendants sur-tout parmi les Nations qui prennent leuf *Orient* au *Sud* de la Terrei

C'est lá cette erreur ou ce crime, qui ne *fá* pardonne point, & qui, au contraire j subit indispensablement les punitions les plus rigoureuses mais la multitude des hommes est à couvert de» ces égarements; car ce n'est qu'en marchant que l'on tombe, & le plus grand nombre ne marché point; cependant, comment avancer sans marcher?

La seconde erreur est d'avoir pris une grossiere des propriétés attachées à

cette quatrieme seuille, & d'avoir cru pouvo ir les appli *L Partis* (R) que *&yÌ Erreurs fur le Livre àe VHomme'*. qùer à tout; car, en les. attribuant à des objets auxquels elles ne pouvoient convenir, il étoit impossible de rien trouver.

Aussi, qui ne sait quel est le peu de succès de ceux qui sondent la Matiere sur quatre Eléments, qui n'osent resuser la pensée aux bêtes, qui s'efsorcent de saire quadrer le calcul Solaire avec le calcul Lunaire, qui cherchent la longitude sur la Terre & la quadrature du cercle; en un mot qni tentent tous les jours une insinité de découvertes de cette nature, & dans lesquelles ils n'ont jamais de résultats satisfaisants; comme nous continuerons à le saire voir dans la suite de ce Traité? Mais, cette erreur n'étant pas dirigée directement contre le Principe universel, ceux qui la suivent, n'en sont punis que par l'ignorance & elle ne demande point d'expiation.

Il y en a une troisieme, par laquelle, avec cette même ignorance, l'homme s'est cru tréslégerement en possession des avantages sacrés que cette quatrieme seuille pourroit en effet lui communiquer; dans cette idée,il a répandu parmi ses semblables les notions incertaines qu'il s'est saites de la Vérité, & a tourné sur lui les yeux des Peuples, qui ne devoient les porter que vers le premier Etre, vers la Cause Physique active & intelligente, & vers ceux quî par leurs travaux & leurs *Vertus* avoient obtenu Je droit de la représenter sur la Terre.

Cett« Cette erreur, sans être aussi suneste que la premiere, est cependant infiniment plus dangereuse que la seconde, parce qu'elle donne au hommes une idée sausse & puérile de Y Auteur des choses, & des sentiers qui menent à lui; parce qu'ensin chacun de ceux qui ont eu l'imprudence *te* l'audace de s'annoncer ainsi, a pour ainsi dire, établi autant de Systêmes, autant de dogmes & autant de Religions. Or, ces établissements déja peu solides par eux-mêmes, & par le vice de leur Institution, n'ont pu manquer d'éprouver encore des altérations, de saçon qu'étant obscurs & ténébreux, dès le moment de leur origine, ils ont par la longueur des temps, découvert pleinement leur difformité.

Joignons donc les énormes abus qui ont été faits des connoissances rensermées dans la quatrieme seuille de ce Livre dont nous naissons tous dépositaires; joignons la consusion qui en est provenue, à tout ce que nous avons observé sur l'ignorance, la crainte & la soiblesse des hommes; & laissant là les symboles, nous aurons l'explication & l'origine de cette multitude de Religions & de cultes en usage parmi les Nations.

Nous ne pourrons que les mépriser, sans doute, en appercevant cette variété qui les défigure, & cette opposition mutuelle qui en découvre la sausseté; mais lorsque nous ne perdrons pas de vue que ces différences & ces bizarreries n'ont jamais (Ri) pu.

4(Jo *Origine de la diversite' des Religions* pu tombes que sur le sensible; lorsque nous nouS rappellerons que l'homme par sa pensée, «"tant!'» mage & la similitude du premier Etre pensant, apporte avec lui toutes ses Loix, nous recohnoitronS alors que sa Religion naît également avec lui-même; que loin qu'elle ait été en lui une suite de l'exemple » du caprice, de Tignorance &,de la srayeur qu'ont pu lui inspirer les catastrophes de la Nature, ce sont, au contraire, toutes ces causes qui l'ont fi souvent défigurée, & ont amené l'homme au point de se défier même du seul remede qu'il eût à ses maux. Nous reconnoîtrons bien mieux encore qu'il est le seul qui souffre de ses variations & de ses soiblesses; que la source de son Existence & la voie qui lui est accordée pour y parvenir, n'en seroní jamais moins pures, & qu'il sera'toujours-sûr de tfouver un point de réunion qui lui soit commun avec ses semblables, quand il portera les yeux vers cette source, & vers la seule lumiere qú doit l'y conduire.

Telles sont les idées que nous devons avoir de la véritable Religion de l'homme, & de toutes celles qui ont usurpé ce nom sur la terre. Maintenant cherchons la cause des erreurs que les Observa teurs ont saites dans la politique; car, après avoir considéré l'homme en lui-même, & relativement à son Principe, il paroît très-important de le coû îidérer dans ses relations avec ses

Des erreurs et de la vérité, ou, Les hommes rappellés au principe universel de la science (1) • Louis Claude de Saint-Martin

• 57

semblables..

Fin de la premiere partia

E T de la Vérité, *o u* tES HOMMES RAPPELLÉS *4U PRINCIPE UNIVERSEL* DE LA SCIE NCE; *Çuvrage dans lequel, en faisant remarquer aux Observateur t'inceriitude de leurs Recherches, & leurs Méprises continuelles, on leur indique la route qu'ils auroient dû suivre , pour acquérir évidence Physique sur l'origine du Bien & du Mal,sur tHomme , sur la Nature matérielle, la Nature immatérielle, & la Nature sacrée,sur la base des Gouvernement politiques, fur t Autorité des Souverains fur la Justice civile & Criminelle, fur les Sciences, les Langues, 6 les Arts.*

Par Un P H..... I N c....,
Seconde Partie.

A EDIMBOURG. —.

1782. *&c de la Vérité, Ou les Hommes rapellès au Principe uni versel de la Science.* 5

Ì.N envisageant l'homme sous ïés rapports politiques, il présentera deux points de vue comme dans les observations précédentes: le premier, celui de cë qu'il pourroit & devroit être dans l'état de société; le second, celui de ce qu'il est dans ce même état; Or, c'est en étudiant avec soin ce qu'il devroit être dans l'état de société, que nous apprendrons à mieux juger de ce qu'il est aujourd'hui. Cette consrontation est le seul moyen, sans aucun doute, de pouvoir développer clairement les mysteres qui voilent encore l'orìgine des sociétés, d'asseoir les droits des Souverains, & de poser les regles d'administration par lesquelles les Empires pourroient & devroient se soutenir & se gouverner.

Le plus grand embarras qu'aient éprouvé les Politiques qui ont le mieux cherché à suivre la marche de la Nature, a été de concilier toutes les Institutions sociales avec les principes de justice & d'égalité *Ai)* qu'il

'4 *incertitude des Politiques.* qu'ils apperçoivent en eux. Dès qu'on leur a iáíÉ voir que l'homme étoit libre, ils l'ont cru sait pouf l'indépendance, & dès-lors ils ont jugé que tout assujettissement étoit contraire à sa véritable essence.

Ainsi, dans le vrai, selon eux, tout Gouvernement seroit un vice, & l'homme ne devroit avoir d'autre ches que lui-même.

Cependant ce vice prétendu de la dépendance de l'homme & de l'autorité qui l'assujettit, subsistant généralement sous leurs yeux ils n'ont pu résister á la curiosité de lui chercher une origine & une cause; c'est là où leur imagination prenant la chose même pour le Principe, s'est livrée à tous ses écarts, & où les Observateurs ont montré autant d'insuffisance que lorsqu'ils ont voulu expliquer l'origine du mal.

Ils ont prétendu que l'adrêsse & la sorce àvoient mis l'autorité dans les mains de ceux qui commandoient aux hommes; & que la Puissance souveraine n'étoit sondée que sur la soiblesse de ceux qui s'étoient laissé subjuguer. De-là, ce droit invalide n'ayant aucune consistance, est, comme on le voit, sujet à vaciller & à tomber successivement dans toutes les mains qui auront la sorce & les talens nécessaires pour s'en emparer.

D'autres se sont plâs à détailler les moyens violens ou adroits, qui selon eux, ortt présidé à la naissance des États; & en cela ils n'ont sait que présenter le même système plus étendu; tels sont les vains raisonnemens de ceux qui ont donné pour mobile de ces établissemens 5tablìssemens, les besoins & la férocité des premiers hommes, & ont dit que vivant en chasseurs & dans, les sorêts, ces hommes effrénés fàisoient des incursions sur ceux qui s'étoient livrés à l'agriculturq & aux soins des troupeaux, & cela dans la vue d'en détourner â leur profit tous les avantages; qu'ensuite pour se maintenir dans cet état d'autorité que la violence avoit sormé, & qui devenoit une véritable oppression, les usurpateurs surent sorcés d'établir des. loix & des peines, & que c'est ainsi que le plus adroit, le plus hardi & le plus ingénieux parvint à demeurer le maître, & â assurer son despotisme.

Mais on voit que ce ne peut être là la premiere société, puisqu'on suppose deja des agriculteurs, & des bergers. Cependant voilà quelle est à-peur»rës la

principale opinion de ceux des Politiques qui ont décidé que jamais un Principe de justice & d'équité n'a pu saire la base des Gouvernemens, & c'est à cette conclusion qu'ils ont ramenés tous ïeurs systèmes, & les observations dont ils les ont appuyés.

Quelques-uns ont cru remédier à cette injustice en établissant toute société sur le commua accord & la volonté' unanime des individus qui *la.* composent, & qui ne pouvant chacun en pat ticulier, supporter les suites dangereuses de la liberté & de l'indépendance naturelle de leurs semblables, se sont vus sorcés de remettre entre les mains d,'un seul ott d'un petit nombre, les, (A *l)* 6 *De î Association forcées.* droits de leur état de nature, & de s'engager à. concourir eux-mêmes par la réunion de leurs sorces à maintenir l'autorité de ceux qu'ils ayoient choisis pour Chess.

Alors cette cession étant volontaire, il n'y a plus d'injustice, difent-ils, dans l'autorité qui en émane. Fixant ensuite par le même acte d'association les pouvoirs du Souverain, ainsi que les privileges des Sujets voilà les Corps politiques tout sormés, & il n'y aura plus de différence entr'eux que dans les moyens particuliers d'administration, qui peuvent varier selon les temps & les occurrences.

Cette opinion est celle qui paroîtroît la plus judicieuse, & qui rempliroit le mieux l'idée naturelle qu'on veut nous donner de la justice des Gouvernemens, où les personnes & les biens sont sous la protection du Souverain, & où ce Souverain ne devant avoir pour but que le bien commun, n'est occupé qu'à soutenir la Loi qui doit le procurer.

Dans l'assòciatton sorcée, on ne voit au contraire, que l'image d'une atrocité révoltante, où les Sujets sont autant de victimes, & où le Tyran rapporte à lui seul tous les avantages de la so, ciété dont il s'est rendu maître. Je n'arrêterai donc pas ma vue plias long-temps sur cette eseece de gouvernement, quoiqu'elle ne soif pas sans exemple; mais n'y voyant aucune trace de justice, ni de raison, elle ne peut» se concilier avec aucun des vrais principes naturels de l'homme; autrement il saudroit dire qu'une bande de voleurs sorme aussi un Corps politique.

Il ne suffit pas cependant qu'on nous ait présenté l'idée d'une association volontaire; il ne suffie pas même qu'on puisse trouver dans la sorme des Gouvernemens qui en seroient provenus, plus de régularité que dans tous ceux que-la violence a pu saire naître; il saut encore examiner avec soin si cétte association volontaire est possible, & si cet édifice n'est pas tout aussi imaginaire que celui de l'association sorcée. Il saut examiner deplus si dans le cas où cette convention seroit possible, l'homme a-pu légitimement prendre sur lui de, la sormer.

C'est d'après cet examen que les Politiques pourront juger de-la validité des Droits qui ont sondé les Sociétés; & si nous les trouvons évidemmentdésectueux, on appercevra bientôt, en découvrant par où ils pechent, quels sont ceux qu'il saut néces- sairement sour substituer.

Il n'est pas nécessaire de réfléchir long-temps pour sentir combien l'association volontaire de tout un Peuple est-difficile à concevoir. Pour que les. voix sussent unanimes, il saudroit que la maniere d'envisager les motiss & les conditions du, nouyel engagement, le sus aussi; c'est ce qu (A y) n'a/ 8 *De l Association volontaires,* n'a jamais eu & n'aura jamais lieu dans une Région, & dans des choses qui n'ont que le sensible pour base & pour objec, parce que l'on ne doit plus douter que tout est relatis dans le sensible, & qu'en lui t n'y a rien de fixe.

Outre qu'ii saudroit supprimer dans chacun des Membres, l'ambition d'être 1# Ches, ou d'appartenir au Ches, il saudroit encore le concours d'une insinité d'opinions, qui ne s'est jamais rencontré parmi les hommes, tant sur la sorme la plus avantageuse du Gouvernement, que sur l'intérêt général & particulier, & sur la multitude des objets qui doivent composer les Articles du Contrat.

De plus longues observations sexoient donc inutiles, pour nous saire reconnoître qu'un État social, sormé librement de la part de tous les individus,

est absolument hors de toute vraisemblance, & pour avouer qu'il est impossible qu'il y en, ait jamais eu de semblable.

Mais admettons-en la possibilité, supposons ce concours unanime de toutes les voix, & que la sorme, ainsi que les Loix qui appartiendront aa Gouvernement dont il s'agit, aient été fixées d'un commun accord; il reste encore à demander fi Miomme a le droit de prendre un pareil engagement, & s'il seroit raisonnable de se reposer sur ceux qu'il auroit sormés.

'Après la connoissance que l'pn a dû acquérir. de l'homme, par tout ce qu'on a vu à son sujet, il est aifó de pressentir qu'un pareil droit ne put jamais lui être àccqrdé, & que cet Acte seroit nul & superflu. Premièrement, rappellons-nous cette boussole invariable que nous avons reconnue pour son guide: ayons toujours devant les yeux que tous les pas qu'il pourroit saire sans elle, seroient incertains, puisque sans elle l'homme n'a point de lumiere, & qu'elle est préposée par son Essence même à le conduire & à présider sor toutes les; actions.

Alors donc, fi sans l'aveu de cette Cause qui veille sur lui, l'homme prenoit un engagement d'une aussi grande importance que celui de se soumettre à un autre homme, il devroit d'abord douter que sa démarche fût consorme à sa propre Loi, & par conséquent, qu'elle sût propre à le rendre heureux; ce qui suffiroit pour larréter, pour peu qu'il écoutât la prudence.

Résléchissant ensuite avec plus de soin sur sa conduite, ne reconnoîtroit-il pas que non seulement il s'est exposé à se tromper, mais même qu'il a attaqué directement tous les principes de la Justice en transférant à d'autres hommes des droits dont il ne peut pas légitiment disposer, & qu'il sait résider essentiellement dans la main qui doit tout faire pour lui?

Secondement, cet engagement seroit vague & déraisonnable » parce que, s'il est vrai que cette ift *De VAJsociation volontaire.* cette Cause dont nous parlons, doive être universellement le guide de l'homme, & qu'elle en ait tous

les pouvoirs, il est absolument inutile de chercher à employer une autre main. Aplus sorte raison dirons-nous la même chose de l'homme, considéré à la maniere des Politiques; c'est, selon eux, l'impuissance de l'homme& la difficulté qu'il éprouve à supporter l'étas de Nature, qui l'engage à se donner des Chess & des Protecteurs. En effet, si cet homme avoit la sorce de se soutenir, il n'auroit pas besoind'appuis étrangers; mais ensin, s'il n'a plus cette sorce , si c'est après l'avoir perdue qu'il veut en revêtir un autre homme, que lui donnet-il donc, & où trouver ce qui sait la matiere duContrat?

L'association volontaire n'est donc pas réellement plus juste ni plus sensée, qu'elle n'est pratiquable; puisque par cet Acte, il saudroit que Phomme attachât à un autre homme un droit dont lui-même n'a pas la propriété, celui de disposer desoi; & puisque, s'il transsere un droit qu'il n'apas, il sait une convention absolument nulle, & que ni le Ches, ni les Sujets, ne peuvent sairevaloir, attendu qu'elle n'a pu les lier ni les uns ni les autres.

Ainsi, reprenant tout ce que nous venons de. dire, si l'association sorcée est évidemment une atrocité; il l'asso£Ìa,tion volontaire est impossible „ *te* en même-temps opposée à la Justice & à la raison, où trouverons-nous donc les vrais Principes des Gouvernemens? Car ensin, il est des Etats quî les ont connus & qui les suivent.

C'est, comme je l'aî dit, à cette recherche que les Politiques consument tous leurs efforts; & fi ce que nous venons de voir est exactement tout ce qu'ils ont trouvé sur cette matiere, nous pouvons aíìûrer avec raison qu'ils n'ont pas encore sait les premiers pas vers leur Science.

Il y a bien en eux une voix secrete qui les porte à convenir, que quelle qu'ait été la cause de l'association d'un Corps politique, le Ches se trouve essentiellement dépositaire d'une suprême autorité & d'une puissance qui par elle-même doit lui subordonner tous ses sujets; ils reconnoissent, dis-je, dans les Souverains une sorce supérieure qui inspire naturellement pour eux le respect &

l'obéissance.

C'est aussi ce que je me sais gloire de prosesser hautement avec les Politiques; mais, comme ils n'ont pu démêler d'où cette supériorité devoit provenir, ils ne s'en sont pas sormé une idée nette, & alors les applications qu'ils en ont voulu saire, ne leur ont offert que des saussetés ou des contradictions.

Aussi la plupart d'entr'eux, peu satissaits de leurs découvertes, & ne trouvant aucun moyen d'expliquer l'homme en société, ont recouru à leu j *i De la Sociabilité de VHomms. eai* premiere idée, & se sont réduits à dire quìl ne devroit pas être en société; mais on verra trèsccrtainement que cette conjecture n'est pas mieux fondée que. celles qu'Us ont sormées sur ies moyens d'association, & qu'elle est plutôt une preuve évidente de leur incertitude & de la précipitation de leurs Juemens.

Il ne saut que jeter un moment les yeux sut J'homme, pour décider cette question» Sa viç n'est-elle pas une chaîne de dépendances continuelles? L'acte même de son entrée dans la vie corporelle ne porte-t-il pas le caractere de l'assujettissement où il va être condamné pendant son cours? Na-t-il pas besoin pour naître qu'une cause extérieure vienne féconder son germe, & Jui donner une réaaion sans laquelle il ne vivroit pas? Et n'est-ce pas là cette humiliante sujétion qui lui est commune avec tous les Etres de la Nature?

Dès qu'il a reçu le jour, cette dépendancedevient encore plus sensible, en ce que les yeux, corporels des hommes en sont témoins. C'est?lors que dans une impuissance absolue, & une soiblesse vraiment honteuse, l'homme a besoin pour ne pas mourir, que des Etres de son espece lui donnent des secours & des soins sans nombre, jusqu'à ce que parvenu â l'âge de pouvoir se passer d'eux quant aux besoins de son corps, il soit rendu à lui-même & jeuiffe de tous les avan-i tageS: tages & de toutes les sorces de son Etre corporeL Mais telle est la nature de l'homme & la sagesse de l'oeïl qui veille sur lui, qu'avant de parvenir a ce terme d'indépendance corporelle, il éprouve un besoin d'un autre genre, & qui le lie encore plus étroitement à la main qui a soutenu son ensance; c'est celui de son Etre intellectuel lequel commençant à sentir sa privation, s'agite & se livre aveuglément à tout ce qui peut lui rendre ie repos.

Encore insirme á cet âge, il s'adreste naturellement à tout ce qui l'entoure & surtout á ceux qui soulageant chaque jour ses besoins corporels, semblent devoir être de droit les premiers dépositaires de sa consiance. C'est à eux qu'il demande à chaque pas la science de lui-même & ce si'est que d'eux, en effet, qu'il devroit l'attendre, car c'est à eux à le diriger, à le soutenir, á l'éclairer, selon *son* âge, á l'armer d'avance contre *YErreur* & à le préparer au *combat*; en un mot, c'est à eux à saire sur son Etre intellectuel ce qu'ils ont sait sur son corps dans un temps où il éprouvoit les douleurs, sans avoir la sorce ni de les supporter, íìi de s'en garantir. Voilà, n'en doutons point, la vraie source de la société parmi les hommes, & en même temps le tableau où l'homme peut apprendre quel est le premier de ses devoirs quand il ie sait Pere,

Pourquoi *ì* 4 *De la Sociabilité de VÉotnmé.*

Pourquoi ne trouverons-nous rien de sernblá-s ble parmi les bêtes, c'est qu'elles ne sont pas dè nature à connoître de pareils besoins; c'est que la bête, ne se dirigeant que par le sensible, quand ce besoin ne lui parle plus, elle ne connoit plus rien; c'est que l'affection corporelle, étant la mesure de toutes ses saultés, lorsque cette affection est satissaite, il n'y a plus pour elle de sensibilité, ni de desir; aussi n'y a-t-il point pour elle de lien social.

On ne doit pas me citer l'exemple de rattachement de quelques Animaux, soit entr'eux, soi pour l'homme; nous ne parlons ici que de la marche, & des mouvemens naturels des Etres j & tous les exemples qu'on pourroit nous opposer seroient sûrement le sruit de l'habitude, qui *j* comme nous l'avons dit ailleurs, peut convenir & se trouver dans ía bête, en qualité d'Etre sensible.

On ne doit pas me citer non plus ces peuplades de certains Animaux qui vivent & voyagent ensemble, soit sur terre, soit dans l'eau, soit dans l'air ' ce n'est que le besoin particulier & sensible qui les rassemble; & iì y a si peu de véritable attachement entr'eux, que l'un peut périr & disparaître sans que les autres s'en apperçoivent.

Nous voyons donc dt'ja par ces observations sur les premiers temps de notre existence materielle, que l'homme n'est pas né pour vivre isolé. v ÍÍQUS ÌNous voyons qu'après que sa dépendance corpo,Telle a cessé, il lui reste un lien insiniment plus sort, en ce qu'il est relatis à son Etre propr»;.nous voyons, dis-je, que par un intérêt inséparable de son état actuel, il recherchera toujours ses semblables, & que s'il ne le trompoient jamais, ou qu'il ne fût pas déja corrompu, il ne.penseroit point à s'éloigner d'eux, lors même que son corps n'auroit plus besoin de leurs secours.

C'est donc mal-à-propos qu'on a cherché la source de la sociabilité dans les seuls besoins sen-sibles & dans ce moyen puissant par lequel la Nature rapproche l'homme des Etres de son espece, pour en opérer la reproduction; car, comme c'est pâr-là qu'il est semblable à la bête, & que cependant la bête ne vit point dans l'état de société; ce moyen seul ne suffiroit pas pour établir celle de l'homme. Aussi, je ne m'occupe que des saultés qui le distinguent, & par lesquelles il est porté à lier avec ses semblables un commerce d'actions.morales, d'où doit dériver toute association pour être juste.

Quand, dans un âge plus avancé, les saultés intellectuelles de l'homme commencent à l'élever au dessus de ce qu'il voit, & qu'il parvient à appercevoir quelques lueurs au milieu des ténebres où nous sommes plongés, c'est alors qu'un nouvel ordre de choses naît pour lui; non seulement:

ÌÒ ì)t la Sociabilité ie tÉommé. seulement tout l'intéreflè mais combien cet intérêt ne doit—il pas s'accroître pour ceux qui íuì auront sait goûter le bonheur d'être homme, de méme que pour ceux à qui il pourroit le saire goûter à son tour?

A mesure qu'il marche dans la carriere de la vie, ce lien social se sortifie encore par l'extenfion que reçoivent ses vues & ses pensées; ensin, au déclin de ses jours, ses sorces venant à dégénérer, il retombe corporellement dans cet état de soiblesse qui avoit accompagné son ensance, il devient pour la seconde sois l'ob" jet de la pitié des autres hommes, & rentre dei nouveau sous leur dépendance, jusqu'à queí la Loi commune à tous les corps acheve de s'accomplir sur le sien & vienne en terminer le cours. Que saut-il de plus pour convenir que J'homme n'étoit pas destiné á pasler ses jours seul & sans aucun lien social?

On voit auílì que dans cette simple société naturelle, il y a toujours des Etres qui donnent & d'autres qui reçoivent; qu'il y a toujours de la supériorité & de la dépendance, c'est-à-dire, qu'il y a le vrai modele de ce que doit être la société politique.

i C'est là cependant ce qUe ceux qui ont traité de ces objets n'avoient pas considéré, lorsqu'ils ont dit que l'état de Société étoit contraire à la Nature, & que ne trouvant pàs de moyen de justifie' justifiet cette société, ni de la concilier avec leurs principes de Droit naturel, ils ont pris la résolution de la proscrire. Pour nous, qui sentons l'indispensable nécessité de la liaison & de la fréquentation mutuelle des hommes, nous ne serons point arrêtés par la saússeté & l'injustice de quelques-uns des liens qui les ont mis souvent en Corps social; nous serons très-persuadés même que les hommes ne seroient pas nés comme ils le sont, avec ces besoins réciproques, & avec ces sacultés qui leur promettent tant d'avantages, s'il n'y avoit pas aussi des moyens légitimes de les mettre en valeur, & d'en retirer tous les sruits dont elles sont susceptibles.

Or, l'usage de ces moyens, ne pouvant avoir lieu que dans le commerce mutuel des individus » & ce commerce, vu J'état actuel de l'homme étant sujets à des inconvéniens sans nombre, nous ne rejetterons pas pour cela les Corps politiques, nous ne serons qu'indiquer une base plus solide que celle qu'on leur a donnée jusqu'à ce jour, & des principes plus satissaisons.

Mais on doit voir actuellement que les ténèbres où les politiques se sont enveloppés sur ce point, ont la même source que ceux qui couvrent encore aujourd'hui les Observateurs de la Nature; c'est pour avoir, comme eux, consondu le Principe avec son enveloppe, sa sorce conIf. *partie.* (B) ventionnelle ïS *Du premier Empire de T Homme.* ventionnelle de l'homme avec sa véritable sorce, qu'ils ont tout obscurci & tout défiguré.

De plus, nous avons vu, le peu de sruits qu'ont produit toutes ces observations sur la Nature par lesquelles on a voulu la séparer d'une Cause active & intelligente, dont le concours & le pouvoir ont été démontrés d'une nécessité absolue.

Nous saurons donc que la marche des Politiques étant semblable, doit être également insructueuse; ils ont cherché dans l'homme isolé les principes des Gouvernemens, & ils ne les y ont pas plus trouvés, que les Observateurs n'ont trouvé dans la Matiere la source de ses effets & de tous ses résultats.

Ainsi, de même qu'une circonférence sans centre ne peut pas se concevoir, de même aucune de ces Sciences ne peut marcher sans son appui; c'est pourquoi tous ces systêmes ne peuvent se soutenir, & tombent sans autre cause que celle de leur propre débilité.

Si par son origine premiere, l'homme étois destiné â être ches & à commander, ainsi que nouk l'avons assez clairement établi, quelle idée devons-nous nous sormer de son Empire dans ee premier état, & sur quels Etres appliqueronsnous son antiquité? Sera-ce fur ses égaux ì mais dans tout ce qui existe & dans tout ce que nous pouvons concevoir, rien ne nous donne l'exem pie d'une pareille Loi, tout nous dit au contraire qu'il ne sauroit y avoir d'autorité que sur des Etres inférieurs, & que ce mot *d'autorité* porte nécessairement avec lui-même l'idée de la supériorité.

Sans nous arrêter donc plus longtemps à examiner sur quels Etres s'étendoient alors les droits de l'homme, il nous suffit de reconnoître que ce ne pouvoit être sur ses semblables. Si cet homme fut resté dans ce premier état, il est donc certain que ja-mais il n'auroit régné sur des hommes, & que la société politique n'auroit jamais existé pour lui, parce qu'il n'y auroit point eu pour lui de liens sensibles, ni de privation intellectuelle, que son seul objet auroit été d'exercer pleinement ses sacultés, & non comme aujourd'hui d'en opérer péniblement la réhabilitation.

Lorsque l'homme se trouva déchu de cette splendeur, & qu'il sut condamné à la malheureuse condition où il est réduit à présent, ses premiers droits ne furent point abolis, ils ne surent que suspendus, & il lui est toujours restí le pouvoir de travailler & de parvenir par ses efforts à les remettre dans leur premiere valeur.

Il poHrroit donc même aujourd'hui gouverner comme dans son origine, & cela sans avoir ses semblables, pour sujets.' Mais cet empire dont nous parlons, l'homme ne le peut (B 2) recouvrer a o *Du nouvel Empire de P Homme.* recouvrer & en jouir que par le» mêmes titres qui l'ont rendu maître autresois, & ce n'est absolument qu'en portant son *ancien Sceptre* , qu'il parviendra à reprendre avec sondement le nom de Roi. Ce sut-là sa condition premiere, & cella à laquelle il peut encore prétendre par l'essence invariable de sa nature; en un mot, telle est son ancienne autorité, dans laquelle, nous le répétons, les droits d'un homme sur un autre homme n'étoient pas oonnus, parce qu'il étoit hors de toute possibilité que ces droits existassent entre des Etres égaux, dans leur état de gloire & de persection.

Or, dans *Y étai* d'expiation que l'homme subit aujourd'hui, non seulement il est â portée de recouvrer les anciens pouvoirs dont tous les hommes auroient joui, sans que leurs sujets fussent pris parmi leur espece, mais il peut acquérir encore un autre droit dont il n'avoit pas la connoissance dans son premier état; c'est celui d'exercer une véritable autorité sur d'autres hommes j & voici d'où ce pouvoir est provenu.

Dans cet état de réprobation où l'homme est condamné à ramper, & où il n'apperçoit que le voile & l'ombre de la vraie lumiere, il conserve plus ou moins le souvenir de sa gloire, il nourrit plus ou moins le desir d'y remonter, le tout en raison de l'usage libre de ses sacultés intellectuelles, tellectuelles, en raison des travaux qui lui sont préparés par la justice, &de l'emploi qu'il doit avoir dans *Xœuvre*.

Les uns se laisièt subjuguer, & succombent aux écueilt semés sans-nombre dans ce cloaque élémentaire, les autres ont le courage & le bonheur de les éviter.

On doit donc dire que celui-qui s'en préservera le mieux, aura le moins laissé défigurer l'idée de son Principe, & se sera le moins éloigné de son premier état. Or, si les autres hommes n'ont pas sait les mêmes efforts, qu'ils n'aient pas les mêmes succès, ni les mêmes dons; il est clair que celui qui aura tous ces avantages sur eux, doit leur être supérieur, & les gouverner.

Premiérement il leur sera supérieur par le sait même, parce qu'il y aura entr'eux & lui une disférence réelle sondée sur des sacultés & des pouvoirs dont la valeur sera évidente; il le sera en outre par nécessité, parce que les autres hommes s'étant moins exercés, & n'ayant pas recueilli les mêmes sruits, auront vraiment besoin de lui, comme étant dans l'indigence & dans l'obscurcissement de leurs propres sacultés.

f S'il est un homme en qui cet obscurcissement aille jusqu'à la *dépravation* , celui qui se sera préservé de l'un & de l'autre, devient son maître non seulement par le sait & par nécessité, mais en.' (B 3) core *il Bu Pouvoir Souverain!* core par devoir. Il doit s'emparer de lui, & ne lui laisser aucune liberté dans ses actions, tant pour satissaire aux loix de son Principe, que pour la sûreté & l'exemple de la Société; il doit ensin exercer sur lui tous les droits de l'esclavage & de la servitude; droits aussi justes & aussi réels dans ce cas-ci, qu'inexplicables & nuls dans toute autre circonstance.

Voilà donc quelle est la véritable origine de l'empire temporel de l'homme sur ses semblables, comme les liens de sa nature corporelle ont été l'origine de la première société.

Cet empire toutesois, loin de

contraindre & de gêner la société naturelle, doit être regardé comme en étant le plus serme appui, & le moyen le plus sûr par lequel elle puisse se soutenir, soit contre les crimes de ses membres, soit contre les attaques de tous ses *ennemis*.

Celui qui s'en trouve revêtu, ne pouvant être heureux qu'autant qu'il se soutient dans les *vertus* qui le lui ont sait acquérir, cherche pour son propre intérêt à saire le bonheur de ses sujets. Et qu'on ne croie pas que cette occupation doive être vaine & sans sruit; car l'homme dont nous offrons ici l'idée, ne peut être tel sans avoir en lui tous les moyens de se conduire avec certitude, & sans que ses recherches ne lui rendent des résultats évidens.

En effet, la lumiere qui éclairoit l'homme dans son son premier état, étant une source inépuisable ds sacultés & de *vertus* , plus il peut s'en rapprocher, plus il doit étendre son empire sur les hommes qui s'en éloignent, & auîlì plus il doit connoître ce qui peut maintenir l'ordre parmi eux, & assurer la solidité de l'Etat.

Par le secours de cette lumiere, il doit pouvoir embrasser, & soigner avec succès toutes les parties du Gouvernement, connoître évidemment les vrais principes des Loix & de la Justice, les regles de la discipline militaire, les droits des Particuliers & les siens ainsi que cette multitude de ressorts qui sont les mobiles de rAdministration.

Il doit même pouvoir porter ses vues & étendre son autorité jusque sur ces parties de l'Administration, qui n'en sont pas aujourd'hui l'objet principal dans la plupart des Gouvernemens, 'miis qui, dans celui dont nous parlons, en doivent être le plus serme lien, savoir, la Religion & la guérison des maladies. Ensin, il n'est pas jusqu'aux Arts, soit d'agrément, soit d'utilité, dont il ne puisse diriger la marche & indiquer le véritable goût. Car le flambeau qu'il est assez heureux d'avoir à la main, répandant une lumiere universelle, doit l'éclairer sur tous ces objets, & lui en laisser voir la liaison.

Ce tableau, tout chimérique qu'il doit pa (B 4) roîtrç

'±4 *De la Dignité des Rôts:* roître, n'a cependant rien qui ne soit consorme à l'idée' que nous nous trouverons avoir des Rois, quand nous la voudrons approsondir.

En réfléchissant sur le respect que nous leur portons, ne verrons-nous pas que nous les regardons comme devant être l'image & les représentans d'une main supérieure, & comme tels susceptibles de plus de *vertus,* de sorce, de lumiere & de sagesse que les autres hommes? N'estce pas avec une sorte de regret que nous les voyons exposés aux soiblesses de l'humanité î Et ne semblerions-nous pas desirer qu'ils ne se rissent jamais connoître que par des actes grands & sublimes comme la main qui est censée les avoir placés tous sur le Trône?

Que dis-je, n'est-ce pas sous cette autorité sacrée qu'ils s'annoncent, & qu'ils sont valoir tous leurs droits? Quoique nous n'ayions pas la certitude qu'ils agissent par elle, n'est-ce pas de ce que nous en sentons la possibilité, que naît cette espece d'effroi qui résulte de leur puissance, & cette vénération qu'ils nous inspirent?

Tout ceci nous indique donc que leur premiere origine est supérieure aux pouvoirs & *k* la volonté des hommes, & doit nous consirmer dans l'idée que j'ai présentée, que leur source est au dessus de celles que la Politique leur a cherché. .,

Quant Quant à ces sacultés & à ces *vertus* innombrables que nous avons montrées, comme devant se trourer dans les Rois qui auroient recouvré leur ancienne lumiere; ce sont encore les Chess des Sociétés établies qui nous les annoncent, puisqu'ils agissent comme ayant la jouissance de tout ce que nous sentons devoir être en eux.

Leur nom n'est-il pas le sceau de toutes les puissances qu'ils versent dans leur Empire? Généraux, Magistrats, Princes, tous les Ordres de l'Etat ne tiennent-ils pas d'eux leur autorité, & lorsque cette même autorité se transmet demain en main jusqu'aux derniers rameaux de l'arbre social, n'est-ce pas toujours en vertu de la premiere émanation? Ne saut-il pas même toujours leur attache pour l'exercice des talens utiles, & quelquesois pour celui des talens qui ne sont qu'agréables?

Dans tous ces cas, les Souverains nous donnent eux-mêmes un signe évident qu'ils sont comme le centre & la source d'où doivent sortir tous les privileges & tous les pouvoirs qu'ils communiquent? Car l'acte même de cette communication, & les sormalités qui l'accompagnent, montrent toujours qu'ils sont, ou qu'ils peuvent être dirigés dans leur choix par une lumiere sûre, & qu'ils sont éclairés sur la capacité des sujets à qui ils confient une *zS De fa Science des Rois.* une partie de leurs droits. Et même ces précantîons de leur part, ainsi que les décisions qui en résultent, supposent non seulement leur capacité' personnelle, mais encore elles sont comme autant de témoignages.

Car toutes les insormations que les Souverains sont prendre dans les différens cas qui se présentent, & l'adhésion qu'ils apportent aux lumieres & aux décisions de leurs différens Tribunaux, ne doivent point être regardées comme des suites de leur ignorance sur les différentes matieres soumises à leur Législation. Ce n'est poînt qu'ils soient censés ne pouvoir connoître lout par eux-mêmes; au contraire, on ne peut iê dispenser de le supposer, puisque ce sont eux-mêmes qui créent ces jurisdictions; mai» c'est que saisant dans le temporel les sonction» cfust Etre vrai & insini, ils sont chargés comme lui de l'action totale & insinie, & sont comme lui dans la nécessité indispensable de ne pouvoir opérer les actions bornées & particulieres, que par leurs attributs & par les agens de leurs sacultés.

Si nous entrions dans le détail de tous les ressorts qui agissent & soutiennent les Gouvernemens politiques, nous en serions la même application aux sacultés des Chess qui les dirigent; l'exercice de la Justice tant civile que criminelle, quoique se faisant par d'autres mains que les leurs, mais toujours par leur autorité, annonceroit aíl'ez clairement qu'ils pourraient avoir les moyens de découvrir les droits & les sautes de leurs Sujets, & de sixer avec certitude l'étendue & le soutien des uns, en même

temps que la réparation des autres. Le soin qu'ils prennent de veiller à la conservation des Loix du Gouvernement, à la pureté des mœurs, au maintien des Dogmes & des pratiques de la Religion, à la persection des Sciences & des Arts, tout cela, dis-je, nous rappellerait qu'il doit être en eux une lumiere féconde qui s'étend à tout, & par conséquent qu'il connoît tout.,

Nous ne nous écartons donc point de la Vérité, en attribuant à l'homme revêtu de tous les privileges de son premier état, les avantages dont les Rois nous retracent si sensiblement l'image, & nous pouvons dire avec raison qu'ils nous instruisent par-là, de ce que Thomme pourrait & devrait être, même au milieu de la Région impure qu'il habite aujourd'hui.

Je ne me dissimule pas, cependant, la multitude d'objections que doit saire naître ce point de vue sous lequel je viens de présenter les Rois, & en général tous les Chess des Sociétés, Accoutumés, comme sont les hommes, à expliquer les choses par elles-mêmes, & non par leur principe, il doit être nouveau pour eux iS *Des Gouvernemens légitimes.* eux d'appercevoir, à tous leurs droits & à toufes leurs puissances une source qui n'est plus à eux; mais qui néanmoins est si analogue avec eux.

Aussi étant peu saits à ces principes, ils commenceront par me demander quelle preuve les Nations pourront avoir de la légitimité de leurs Chess, & sur quoi elles pourront juger que ceux qui en occupent la place, ne les ont point abusées.

Je ne crains pas de me trop avancer, en disant que les témoignages en seront évidens, soit pour les Chess, soit pour les Sujets, qui auront su saire un juste & utile uíage de leurs facultés intellectuelles, & je renvoie pour cet article, à ce que j'ai dit précédemment sur les témoignages d'une Religion vraie. La même réponse peut servir à l'objection présente, parce que Institution sacrée *ic* l'Institution politique ne devroient avoir que le même but, le même guide & la même loi; aussi devroientelles toujours être dans la même main, & lorsqu'elles se sont séparées, elles ont l'une &

Fautre, perdu de vue leur véritable esprit, qui consiste dans une parsaite intelligence & dans Funion.

La seconde question qu'on pourra me saire, c'est de savoir, si en admettant la possibilité d'un Gouvernement, tel que celui que je viens de représenter on peut en trouver des exemples siir la Terre.

Je Je ne serois pas cru, sans doute, fi je voulois persuader que tous les Gouvernemens établis sont consormes au modele qu'on vient de voir, parce qu'en effet le plus grand nombre en est trèséloigné; mais je prie mes semblables, d'être bien convaincus que les vrais Souverains, ainsi que les légitimes Gouvernemens, ne sont pas des Etres imaginaires, qu'il y en a eu de tout dtemps, qu'il y en a actuellement, & qu'il y en aura toujours, parce que cela entre dans l'Ordre universel, parce qu'ensin cela tient au *Grand Œuvre,* qui est autre chose que la Pierre philosophale.

Une troisieme difficulté, qui se présentera naturellement d'après les principes qui ont été établis, c'est d'y avoir vu que tout homme par sa nature, puisfe espérer de recouvrer la lumiere qu'il a perdue, & cependant que je reconnoisse des Souverains parmi les hommes; car, fi chaque homme vient au terme de sa réhabilitation, quels seront les Chess? Tous les hommes ne seront-ils pas égaux, ne seront-ils pas tous des Rois?

Cette difficulté ne peut plus subsister, après ce que j'ai dit sur les obstacles qui arrêtent si souvent l'homme dans sa carriere, & qui, multipliés encore par ses imprudences & l'usage saux de sa volonté, sont de sa part si rarement & si inégalement surmontés.

3© *De? Institution Militaire.*

On pourroit même rappellet ici ce que j'ai dit sur les différences naturelles des sacultés intellectuelles, des hommes, où l'on a pu remarquer que mérae en ne les comparant que sous ce point de vue, il resteroit toujours une inégalité entr'eux, mais inégalité qui ne leur seroit point pénible, & qui ne les humilieroit pas, parce que leur grandeur seroit réelle dans chacun d'eux, & non pas relative, comme celle qui n'est que conventionnelle & arbitraire.

C'est ce qui nous est représenté en

quelque sorte dans les loix de l'institution Militaire, celui de tous les ouvrages des hommes qui nous peigne plus fidellement l'état premier, & qui, comme tel, est le plus noble de tous leurs Etablissemens; quoique n'ayant pas une base plus vraie, ni plus solide que leurs autres œuvres, il ne doive tenir aux yeux de l'homme sensé, que le premier rang dans l'ordre des préjugés; mais, je le répete, il est fi noble, il engage à tant de vertus, qu'on oublie presque qu'il auroit besoin d'être vrai.

Ainsi, regardant cette institution, comme celle qui s'applique le mieux au Principe de l'homme, nous remarquerons que tous les Membres qui composent un Corps Militaire, sont cenfês revêtus & doués chacun des sacultés particulieres qui sont propses à leur grade. Ils sont lònt censés, chacun dans leur classe, avoir atteint & rempli le but qui leur est assignés

Cependant, quoique ces Membres soient tous inégaux, il n'y a point de difformité dans leur assemblage, ni d'humiliation pour les individus, parce que le devoir de chacun est fixe, & que là il n'est pas honteux d'être inférieur aux autres Membres du même Corps, mais seulement d'être inférieur à son Grade.

En même temps, ces Corps Militaires, étant composés de Membres inégaux, ne peuvent jamais demeurer un moment sans Ches, puisqu'il y aura toujours un de ces Membres qui sera supérieur à l'autre.

Si ces Corps n'étoient pas l'ouvrage de la main de l'homme, les différences & la supériorité de leurs Membres seroient fixes, & ce seroit la qualité & le prix réel du sujet qui serviroient de regle. Mais, lorsque le Législateur n'est pas conduit par ía vraie lumiere, & que cependant il a toujours à agir, ii y supplée en établissant une valeur & un mérite plus saciles à connoître, & qui n'ont besoin que du secours des yeux corporels pour être déterminés. C'est l'ancienneté, qui après la différence des Grades fixe les droits dans les Corps Militaires, & n'y eût-il que deux Soldat dans un Poste, la Loi veut que le plus ancien commande l'autre.

Cette 3 D *VInegalité des Hommes.*

Cette Loi, toute sactice qu'elle soit, n'est-elle pas un indice de la justesse du principe que j'ai exposé, & en supposant tous les hommes en possession de leurs Privileges, comme il n'y amroit jamais une entiere égalité entr'eux, ne pourroit-on pas croire qu'ils auroient toujours des Rois?

Ce seroit néanmoins la plus grande des absurdités, que de prendre cette comparaison à la lettre; les Corps Militaires, n'étant que l'ouvrage de l'homme, ne peuvent avoir que des différences conventionnelles, aussi là le supérieur & l'inférieur sont par leur nature de la même espece, & malgré ces distinctions si imposantes, tout s'y ressemble au sond, puisque ce sont toujours des hommes dans la privation.

Mais dans l'Ordre naturel, si chaque homme parvenoit au dernier degré de sa puissance, chaque homme alors seroit un Roi. Or, de méme que les Rois de la Terre ne reconnoissent pas les autres Rois pour leurs Maîtres, & que' par conséquent ils ne sont point sujets les uns des autres; de même, dans le cas dont il s'agit, si tous les hommes étoient pleinement réhabilités dans leurs droits, les Maîtres & les Sujets des hommes ne pourroient pas se trouver parmi des hommes, & ils seroient tous Souverains dans leur Empire. Mais, je le répete, ce n'est pas dans l'état actuel des chose, que les hommes iiommes parviendront tous à ce 'degré de grandeur & de persection, qui les rendroic indépenidans les uns des autres; ainsi, depuis que cet état de réprobation subsiste s'ils oint toujours eu des Chess pris parmi eux, il saut s'attendre qu'ils en auront toujours, & cela est même indispensable jusqu'à ce que ce temps de punition soit entierement accompli.

C'est donc avec consiance que j'établis sur la ré habilitation d'un homme dans son Principe, l'oiigine de son autorité sur ses semblables, celle de sa puissance & de tous les titres de la Souveraineté politique.

Je ne crains pas même d'assurer que c'est le seul & unique moyen d'expliquer tous les droits & de concilier la multitude d'opinions differentes que les Politiques ont ensantées sur cette matiere; parce que, pour reconnoître une supériorité dans un Etre, sur les Etres de la même classe ce n'est pas dans ce en quoi il leur ressemble qu'il saut la chercher j mais dans ce en quoi ií peut en être distingué;

Or, par leur nature actuelle, les hommes étant condamnés à la privation j se ressemblent tous absolument par cet endroit, à quelques nuances prés; ce n'est donc qu'en s'efforçant de saire disparaître cette privation, qu'ils peuvent espérer d'établir des différences réelles entr'eux.

IL Paritéì (C) U 5 $ Du Flambeau du Gouvernement

Je crois aussi ne pas pouvoir offrir à nies semblables un tableau plus satissaisant, que celui de cette société qui, comme nous l'avons dit, seroit sondée sur les besoins corporels des hommes & sur ls desir qu'ils ont de connoître; 6 lui donner un Ches tel que je viens de le peindre, c'est compléter & consirmer l'idée naturelle que nous portons tous secrétement en nous, de l'homme social, & du principe des Gouvernemens.

En effet, nons n'y verrions régner qu'un ordre & une activité universelle, qui sormeroient un tissu de délices & de joie pour tous les Membres du Corps politique; nous verrions jue leurs maux corporels mêmes ont trouvé là des adoucissemens; parce que, selon que je l'aì indiqué, la lumiere qui eût dirigé l'association, en auroit embrassé & éclairé toutes les parties, Alors, c'eût été au milieu des choses périssables, nous présenter l'image la plus grande & l'idée la plus juste de la persection; c'eût été rappeller cet heureux âge qu'on a dit n'exister que dans l'imagination des Poètes, parce que nous en étant éloignés, & n'en connoissant plus la douceur, nous avons eu la soibleíe de croire que, puisqu'il avoit passé pour nous, il devoit avoir cessé d'être;

En même temps, si telle est la Loi qui devroit lier h. gouverner les hommes si c'est-là le *ìe* séuì flambeau qni puisse, sans injustice , les réunir en corps, il est donc certain, qu'en l'abandonnant, ils ne peuvent s'attendre qu'à l'ignorance,

& à toutes les miseres inévitables pour ceux qui errent dans l'obscurité.

Alors, fi par l'exarhen que l'on va voir des Gouvernemens reçus, il s'y trouve des difformités, on pourra conclure avec raison qu'elles ne subsistent que par l'éloignement de cette même lumiere, & parce que ceux qui oat sondé les Corps politiques, n'en ont pas connu les princijpes, ou que leurs successeurs en ont laissé altérer la pureté.

Mais avant d'entreprendre cet important examen, je dois tranquilliser les Gouvernerhens ombrageux, qui pourroient s'alarmer de nos scntimens, & craindre qu'en dévoilant leur désectuosité, j'anéantisse le respect qui leur est dû; &, quoique j'aie déja montré , dans quelques endroits du sujet qui m'occupe actuellement, ma vénération pout la personne des Souverains, àutant que pour íeur caractere il est convenable de réitérer ici cette protestation; afin de bien përsuader à tous ceux qui liront cet Ouvrage, que je në respire que l'ordre & la paix y que je sais á tous les Sujets un devoir indispensable de la soumission à leurs Chess, & que je condamne sans réserve toute subordination & toute révolte, eommë étant diamétrale (. G i) ment 3 *De la Soumission aux Souverains.* ment contraires aux principes que je me suis profofií d'établir.'

On ne pourra se dispenser d'ajouter soi à cette authentique déclaration, lorsqu'on voudra se rappeler ce que j'ai établi précédemment sur la Loi qui doit ici-bas diriger l'homme dans toute sa conduite. N'ai-je pas montré que l'enchaînement de ses souffrances n'étoit qu'une suite du saux usage de sa volonté; que l'usage de cette volonté n'étoit devenu saux que quand l'homme avoit abandonné son guide, & que, par conséquent, s'il avoit la même imprudence aujourd'hui, il ne seroit par-là que perpétuer ses crimes, & augmenter d'autant ses malheurs?

Je condamne absolument la rébellion, dans le cas même où l'injustice du Chess & du Gouvernement seroit à son comble, & où ni l'un ni l'autre ne conserveroit aucunes traces des pouvoirs qui les constitue; parce que, toute

inique, toute révoltante que pourroit être une pareille Administration, j'ai sait voir que ce n'est point le Sujet qui a établi ses Loix politiques & ses Chess, ainsi ce n'est point à lui à les renverser.

Mais il saut en donner des raisons plus sensibles encore; si le mal n'est que dans l'Administration, & que le Ches se soit conservé dans cette sorce & ces droits incontestables que nous lui supposons, supposons, comme étant le sruit de son travail & des *exercices* qu'il aura saits, il aura en lui: toutes les sacultés nécessaires, pour démêler le vice du Gouvernement & pour y remédier sans que le Sujet soit capable d'y porter la main.

Si le vice est en même tempsdans le Gouvernement & dans le Ches, mais que le Sujet ait sa s'en préserver, en remplissant certe obligtion commune à tous les hommes de ne jamais s'écarter de 1» *oï* invariable qui doit les conduire, celui-ci saura se mettre à couvert des vexations, sans employee la violence: ou bien il saura reconnoître si ce n'est point d'une main supérieure que part le fléau; alors, il se gardera d'en murmurer, ni de s'opposer à. la Justice.

Ensin. si lë vice étoit à la sois dans le Ches,, dans l'Administration & dans le Sujet, alors il ne saudroit plus me demander ce qu'il y auroit à saire; car ce ne seroit plus un Gouvernement, ce seroit. un brigandage; or.,, pour les brigandages, il n'y? a pas de Loix.

Il seroit même inutile dannoncer aux hommes, dans un pareil désordre, que, plus ils s'y livreront, plus ils s'attireront de souffrances & d'afflictions; que l'intérêt de leur vrai, bonheur leur désendra toujours de repousser l'injustice par l'injustice & que les maux les poursuivront, tant qu'ils ne s'efforceront pas de plier leur pensée ,, leur. v.olonté. à leur regle naturelle. Ces dis-r *(Ci)* court-.
18 *De la Soumijsion aux Souverains* cours ne trouveroient aucun accès dans cette con-« susion tumultueuse; car ils sont le langage de la raison, & l'Etre livré à lui-méme ne raisonne point.
Qu'on ne m'objecte pas de nouveau, cette difficulté de savoir à quels signes chacun pourra discerner si les choses

sont ou non dans l'erdre, & qnand on devra agir ou s'arrêter. J'ai aflèfc sait en-s tendre que tout homme étoit né pour avoir la certitude de la légitimité de ses actions, qu'elle est indispensable pour fixer la moralité de sa conduite, & qu'ainsi tant que cette preuve lui manque, il s'expose s'il sait un pas.

D'après cela, l'on peut juger si je permets à l'homme la moindre imprudence, & à plus sorte raison le moindre acte de violence & d'autorité privée.

Je crois donc que cet aveu de ma part peut rassurer les Souverains sur les principes qui me conduisent; ils n'y verront jamais qu'un attachement inviolable pour leur personne, & que le plus sublime respect pour le rang sacré qu'ils occupent; ils y verront que même s'il y avoit parmi eux des usurpateurs & des tyrans, leurs Sujets n'auroient aucun prétexte légitime pour leur porter la moindre atteinte.

Si des Rois lisoient jamais cet écrit, ils ne se persuaderoient pas, je pense, que par cette soumission quç je leur voue j'augmente en rien leurs pouvoirs-pouvoirs, & que je les dispense de cette obligation où ils sont comme hommes, d'assujettir leuc marche à la regle commune qui devroit nous diriger tous.

Au contraire, si ce n'est que par l'intime connoissance qu'ils sont censés avoir de cette regle, & par leur fidélité à l'observer qu'ils ont dû porter le titre de Rois, leur rendre le droit de s'en écarter, ce seroit savoriser l'imposture, & insulter au nom même qui nous les sait honorer..

Ainsi, si le Sujet n'a pas le droit de venger une injustice de leur part, ils doivent savoir qu'ils ont encore moins celui d'en commettre; parce qu'en, qualité d'hommes, le Souverain & le Sujet ont la même Loi; que l'Etat politique ne change rien à leur nature d'Etres pensons, qu'il n'est qu'une charge de plus pour tous les deux, & que l'un & l'autre ne peuvent &. ne doivent rien saire par eux-mêmes.

J'ai pensé qu'il t'toit à rropos de saire cette sormelle déclaration avant d'entrer dans l'examen des. Corps-politiques, & je crois actuellement pouvoir suivre mon dessein sans inquiétude, parce que tout désectueux que paroîtroient les Gouvernemens, je ne peux plus être soupçonné detravailler k leur ruine; puisqu'au contraire, tout ce que j'aurois à ambitionner, ce seroit de!eur faire goûter les seuls moyens qui soient évi (C 4ï), demracnfc ko *De Instabilité des Gouvernement.* demment propres à leur bonheur & à leur per-R section.

E N premier lieu, ce qui doit saire présume? que la plupart des Gouvernemens n'ont point eu pour base le principe que j'ai établi ci-devant; savoir, la réhabilitation des Souverains dans leur lumiere primitive, c'est que presque tous les, Corps politiques qui ont existé sur la terre, ont passé.

Cette simple observation ne nous permet gue-t re d'être persuadés qu'ils eussent un sondement réel, & que la Loi qui les avoit constitués, fût la véritable; car cette Loi dont je parle ayant, par sa nature, une sorce, vivante & invincible „ tput ce qu'elle auroit lié, devroit être indissoluble, tant que ceux qui auroient été préposés pour en être les ministres, ne l'auroient pas abandonnée.

Il saut donc-, ou qu'elle ait été méconnue dans, l'origine des Gouvernemens dont il s'agit, ou qu'elle ait été négligée dans les temps qui ont suivi leur institution, parce que sans cela ils subsisteraient ençore.

Et certaine ment, ceci ne répugne point à l'idée que nous portons tous en nous, de la stabilité des. effets d'une pareille Loi *;* selon les notions de vérité qui sont dans l'homme, ce qui est ne passe point *Çc* la durte est cour nous la preuve de la réalité des choses. Lors donc que les hommes se sent accoutumes à regarder les Gouvernemens comme passagers & sujets aux viciísitudes, c'est qu'ils les ont mis au rang de toutes les institutions humaines, qui n'ayant que leurs caprices, & leuE imagination déróg e pour appui, peuvent vaciller dans leurs mains, & ctre anéanties par un autre caprice.

Néanmoins, & par une contradiction intoléra-! ble, ils ont exigé notre respect pour ces sortes d'établissemens dont eux-mêmes reconnoissent la caducité.

N'est-ril pas certain alors que dans leur aveuglement même, le Principe leur parloit encore „, & qu'ils sentoient que toutes vicieuses & toutes sragiles que sussent leurs Institutions sociales, elles en représentoient une qui ne devoit avoir aucun de ces désauts?

Ceci seroit suffisant pour appuyer ce que j'ai avancé sur la Loi fixe qui doit présider à toute Association; mais, sans doute, malgré l'idée que nous avons tous d'une pareille Loi, on hésitera toujours à y ajouter soi, parce qu'ayant vu disparoître tous les Empires, il devient comme évident qu'ils ne peuvent pas être durables, & on aura peine à croire qu'il y en ait qui n'aient point passé.

C'est cependant une des vérités que je puisse lc mieux affirmer, & je ne m'avance point trop, *ji Des Gouvernemens stahles* en certifiant à mes semblables, qu'il y a des Gon-vernemens qui se soutiennent depuis que l'hom me est sur ta terre, & qui subsisteront jusqu'à la fin du temps; & cela, par les mêmes raisons, qui m'ont sait dire qu'ici-bas il y avoit toujours eu, & qu'il y auroit toujours des Gouvernemens. légitimes.

Je n'ai donc point eu tort de saire entendre que si les Corps politiques qui ont disparu de dessus la terre, avoient *été* sondés sur un Principe vrai, ils seroient encore en vigueur; que ceux qui subsistent aujourd'hui, passeront insaillibment, s'ils n'ont un pareil principe pour base, & que s'ils s'en étoient écartés, le meilleur moyen qu'ils, eussent de se soutenir, ce seroit de s'en rapprocher.

Par la durée dont j'annonce qu'un Gouvernement est susceptible, il est clair que je n'entends parler que d'une durée temporelle, puisqu'ils ne sont établis que dans le temps. Mais quoiqu'ils dussent finir avce les choses, ce seroit toujours jouir de la plénitude de leur action, que de la porter jusqu'à ce terme: & c'est-là ce qu'ils pourroient espérer, s'ils savoient s'appuyer de leurPrincipe.

Je ne m'arréterai point à citer pour preuve cet orgueil avec lequel les Gouvernemens vantent leur ancienneté, ni les lbins qu'ils se donnent pour reculer leur origine; je ne rappelerai point non plus, les précautions qu'ils prennent pour leur conservation & pour leur durée, ni tous ces établisiemens qu'ils sorment sans ceîle, dans des vues éloignées, & dont les sruits nei peuvent être recueillis qu'après des siecles; o» voit que ce seroient-là autint d'indices secrets de la persuasion où ils sont qu'ils devroient ctre permanens.

Alors donc, je le repete, dès que nous voyons s'éteindre un Etat, nous pouvons présumer sans crainte, que sa naissance n'a pas été légitime, ou que les Souverains qui l'ont gouverné successivement, n'ont pas tous cherché à se conduire par la lumiere de ce flambeau naturel que nous leur rappelions comme devant être le guide de l'homme & le leur.

Par la raison contraire, îl ne seroit pas encore temps de prononcer fur les Gouvernemens actuels, si.nous n'avions que ce seul motis pour diriger nos jugemens; parce que, tant que nous les verrions subsister, nous pourrions les îùpposer consormes au Principe qui devroit les constituer tous, & ce ne seroit que leur destruction qui nous découvriroit s'ils sont désectueux.

Mais il est d'autres points de vue sous lesquels nous avons encore à les considérer, & qui peuvent nous aider à nous instruire de leurs désauts 8c *Çç* leurs irrégularités..

44 *De la Difference des Gouvernement.* Le second vice que nous ne pouvons nous dissimuler dans les Gouvernemens admis c'est, qu'ils sont différens les uns des autres: Or, si c'étoit un Principe vrai qui les eût sormés, ce-. Principe étant unique & toujours le même, so seroit manisesté par-tout de la même maniere & tous les Gouvernemens qu'il auroit produit seroient semblables. Ainsi, dès qu'il y a de la disparité entr'eux, nous ne pouvons plus admettre l'Unité de leur Principe & très-certainement il doit y en avoir pacmi eux qui sont illégalement établis. ,

Je ne m'arrête point à ces différences locales qui étant amenées par les circonstances & par le, cours continuel des choses, doivent journellement se saire sentir dans l'administration. Comme îa marche de cette administration doit être réglée elle-même par le Principe constitutis universel, loin que les différences qu'elle admettra, selon les temps & les lieux, le puissent altérer, ellesnous montreront bien plutôt sa sagesse 5c sa sécondité.

Je ne dois donc compter dans ce moment-ci que Tes diverses sondamentales, qui tiennent à la constitution de l'Etat.

De ce nombre sont les diverses sormes de. Gouvernement, dont je n'envisagerai que les. deux principales, parce que toutes les autres y tienoçrít tiennent plus 011 moins; savoir, celle où la suprême puissance est dans une seule main, & cellï où elle est à la sois dans plusieurs.

Si, de ces deux sortes de Gouvernemens, l'on suppose que l'une est consorme au Principe, il est bien à présumer que l'autre y est opposée; car l'une & l'autre étant si différentes, ne peuvent pas raisonnablement avoir la même base, ni la même origine.

Je ne puis, par conséquent, admettre cetcô opinion généralement reçue, qui détermine la sorme d'un Gouvernement d'après sa situation, son étendue, & d'autres considérations de cette nature, par lesquelles on prétend fixer l'espece de Législation la plus convenable à chaque Peuple ou à chaque Contrée.

Selon Cette regle, ce seroit dans les Causes secondaires que se trouveroit absolument la raison constitutive d'un Etat, & c'est ce qui ré pugne entièrement à l'idée que j'ai déja donnée de cette Cause ou de ce Principe constitutis. Car, comme Principe, il doit dominer par-tout, diriger tout. Etant lumineux, il peut, il est vrai, s'accommoder aux circonftances que je viens de citer, mais il ne doit jamais plier devant elles au point de se dénaturer, & de produire des effets contradictoires. En un mot, ce seroit renouveller fer-, ' 3 ïju Gouvernement cfun seuì. reur que nous avons dévoilée en parlant de là Religion; c'est-à-dire, que ce seroit chercher dans l'action & les Loix des choses sensibles la source d'un Principe vrai, pendant que ce sont elles qui l'éloignent & qui le défigurent. Ainsi je persiste à soutenir que des deux sormes de Gouvernemens, dont je.viens de parler, il y en a nécessairement une qui doit être vicieuse.

Si l'on me pressoit absolument de me décider ïur celle qui mérite la préférence j quoique mon plan soit plutôt de poser les Principes que de donner mon avis, je ne pourrois me dispenser d'avouer que le Gouvernement d'un seul, est ïáns. contredit le plus naturel, le plus simple & le plus analogue aux véritables Loix, que j'ai exposées précédemment comme étant essentielles à l'homme.

C'est en effet dans lui-même & dans le flambeau qui l'accompagne, que l'homme doit puiser ses conseils & toutes ses lumieres j si cet homme est Roi, ses devoirs comme homme, ne, changent pas, ils ne sont que s'étendre. Ainsi j dans ce rang élevé, àyant toujours le même oeuvre à saire, il a aussi toujours les mêmes secours à espérer.

Ce n'est donc point dans les àutres membres ?e son Etat, qu'il doit chercher ses guides, & s'il est homme, il saura se suffire à lui même Toutes les mains qui seront néi. cessairement' tseffaircment employées dans l'Administration, quoi-qu'étant l'image du Ches, chacune dans ieur classe, n'auront pour objet que de le seconder, & nullement de l'instruire & de l'éclai-" rer, puisque nous avons reconnu en lui la source des immenses pouvoirs qui se répandent dans tout son Empire.,

Donc, fi nous concevons qu'un homme puisse céunir en lui ces privileges, il seroit très-inutile qu'il y eût à la sois plusieurs hommes à la tête d'un Gouvernement, puisqu'un seul peut alors la même rhose que tous les autres.

Ainsi, quelques avantages qu'on voulut trouver ídans le Gouvernement de plusieurs, je ne pourrois regarder cette sorme comme la plus parsaite, parce qu'il y auroit un désaut qui seroit la superfluité, & que dans l'idée que nous portons en nous d'un Gouvernement vrai, il ne doit point s'y trouver de désauts.

Cependant, quoique je donne la présérence aii Gouvernement d'un seul, je ne décide point.encore que tous ceux qui ont cette sorme soient Vrais, selon toute la régularité du Principei Car ensin, même parmi les Gouvernemens d'un seul, il-se trouve encore des différences insinies.

Dans les uns, le Ches n'a presque aucune autorité; dans les autres, il en a une absolue; dans d'autres, il tient le milieu entre la dépendance 48 *De la Rivalite des Gouvernemenii* jpcndance & le despotisme; rien n'est fixe f rien n'est stable en ce genre. C'est pour cela qu'il est très-probable, que ce n'est pas encore par cette Loi invariable, dont nous nous occupons -, qu'ont été dirigés tous iouvernemens où là puissance est dans une seule main, & qu'ainfi hous ne devons pas les adopter tous.

Mais le troisieme, & en méme temps le plus puissant motis qui doive nous tenir en suspens sur la légitimité de toutes les Institutions sociales de la Terre, tant celles où îî n'y a qu'un Ches, que celles qui en ont plu— sieurs, c'est qu'elles sont universellement ennemies les unes des autres; or très-certaine ment cette inimitié n'auroit pas lieu si le même Principe eût présidé à toutes ces Associations $ & qu'il en dirigeât continuellement la marche. Car l'objet de ce Principe étant l'ordre $ tant en général qu'en particulier, tous les Etabîissemens auxquels il auroit présidé, n'auroient eu sans doute que ce méme but; & loin que ce but eût été de s'envahir les uns & les autres, i! eût été, au contraire, de se soutenir mutuellement contre le vice naturel & commun qui prépare sans cesíe leur destruction.

Lors donc que je les vûis employer réciproquement leurs sorces les uns contre les àutres « &C s'écarter si grossiérement de leur objet,)3 dois présumer sans crainte, que dans le nombre de ces Gouvernemehs, il ne se peut qu'il n'y eh ait d'irréguliers & de vicieux.

Les Politiques, je le sais, emploient tous leurs efforts pour pallier cette difformité. Ils considerent les Institutions sociales comme sormées à l'instar des ouvrages de la Nature; ensuite oubliant que sur-tout entre leurs mains la copie ne peut jamais être égale à son mo4 dele, ils transportent & attribuent à ces Corps sactices la même vie, la même saculté & les mêmes pouvoirs que ceux dont les Etres corporels de la Nature sont revêtus ; ils. leur prêtent ia même activité, la même sorce, le même droit de se conserver, & par conséquent celui

Des erreurs et de la vérité, ou, Les hommes rappellés au principe universel de la science (1) • Louis Claude de Saint-Martin

• 67

de repousser également les attaques, & de combattre leurs ennemis.

C'est par-là qu'ils justifient la guerre entré les Nations, & la multitude des Loix établies, pour la sûreté j tant intérieure qu'extérieure deS E tats.

Mais les Législateurs eux-mêmes he peuvent pas sê dissimuler la soibíesse & la désectuosité des moyens qu'ils emploient pont je maintien de ces droits, & pour la conservation des Corps politiques: ils voient évidemment que fi le Principe actis qu'ils supposent dans leur Ouvrage, étoit vivant, il ahirneroit sans violence, & conserveroit sans dé//; *Partie*. (D truirë *Des vrais Ennemis de ÚHommi*. truire, ainsi que le Principe actis des Cofj§ naturels

Or dè; qu'il arrive absolument tout le con traire, dès que les Loix qHelconques des Gouvernemens n'ont de sorce qúe pour anéantir, & qu'elles ne axent rien, le Ches ne trouve plus unè véritable puissance dans l'inflrument dont il se sert, & il ne peut se nier à lui-même, que le principe qui lui a sait composer sa Loi, ne fait trompé.

Alors, je demande quelle peut être cette erreur, si ce n'est de s'être abusé lui-même sur le genre de combat qu'il avoit à saire; d'avoir eu la soiblesse de croire que ses ennemis étoient des hommes, & sormoient les Corps politiques; qu'ainsi c'étoit contre ces Corps , qu'il devoit tourner toutes ses sorces & toute sa vigilance. Or, comme cette idée est une des plus sunestes suites des ténebres où l'homme est plongé, il n'est pas étonnant que les droits qu'elle a sait établir soient également saux, & dèslors qu'ils ne puissent rien produire.

On ne doit point être surpris de me voir annoncer que l'homme ne peut avoir les hom mes pour ses véritables ennemis, & que par la Loi de sa nature, il n a vraiment rien à craindre de leur part; qu'en effet, comme on a reconnu qu'ils he sauroient par eux-mêmes, devenir

Supérieurs Supérieurs les uns des autres, & qu'ils sont tous dans la même soiblesse & la même privation, il est certain que dans cet état, ils n'ont aucun avantage réel sur leur semblable; & s'ils essayoient de saire usage contre, lui dés

avantages corporels qui seroiertt eri feux, comme l'adresse, l'agilité bu la sorce i telui qui seroit l'objet de leurí attaques parviendroit sans doute à s'en préserver, en s laissant conduire par la Loi premiere & universelle, que j'ai présentée â chaque instant daná cet Ouvrage j comme étant le guide indispensable de l'homme.

Si j au contraire c'étoit ën vertu des sa cultés de cette même loi, & par la puissance du Principe qui *Yi* prescrite, que l'homme trouvât réellement des Supérieurs, comme ceux qui auroiertt ces pouvoirs ne les ëmploieroient que pour son propre bien & pour son vrai bonheur ; il est clair qu'il h'auroit rien à craináre de leur part; & qu'il auroit tort de les regarder comme ses ennemis;

C'est donc par soiblesse & pair ignorance; que, l'homme est timide avec ses semblables; c'est pour avoir mal saisi le but de son Origine, & l'objet de sá destination sur la Terre; & si, comme nous l'avons observé j l'on voit fentre les différens Gouvernemens, une jalouse & avide inimitié, nous devons croire (D z) i fi *Des trois Vices des ùouvcrnemeni.* que cette erreur n'a pas eu une autre soúrcê hi un autre principe, & que par conséquent la lumiere qui a présidé à leur association n'a pas tous les droits qu'elle auroit à notre confiance, si elle eût été aussi pure qu'elle auroie dû letre.

Indépendamment des vices d'administration dont nous parlerons ensuite, nous observerons donc ici trois vices essentiels, savoir , l'insta"bilité, la disparité , & la haine, qui se mon-"trent clairement parmi les Gouvernemens reçus, lorsqu'on les considere en eux-mêmes & dans leurs rapports respectiss; sur cela seul, je serois en droit d'assurer que ces associations se sont sormées par la main de l'homme, & sans le secours de la Loi supérieure qui doit leur donner la sanction, & que cette sanction ayant été négli»gée, les Gonvernemens, qui ne peuvent tous se soutenir que par elle, ont dégénéré de leur pre- tnier état.

Mais comme je me suis imposé la Loi de ne prononcer sur aucun, je ne porterai point encore ici mon Jugement, d'autant que chacun de ces Gouvernemens pourroit trouver des objections à

saire pour se désendre de î'inculpatron. Si ceux qui se sont éteints ont été saux, ceux qui subsistent peuvent ne pas l'être; si parmi ceux-ci j'ai remarqué une différence presque universelle, d'où j'ai conclu qu'il y en r en avoit nécessairement de mauvais, je n'aî condamné, & même encore en général, que le Gouvernement de plusieurs; ainsi les Gouvernemens d'un seul n'ont point compris dans ce jugement.

Ensin, si je trouve même entre les Gouvernemens d'un seul, une haine marquée, ou pour parlee-plus décemment, une rivalité générale, chacun d'eux pourroit opposer qu'il est dépositaire de ces "droits réels qui devroient présider à toute Société, & alors qu'il est de son devoir de sc tenir en garde contre les autres Etats.

Ce sont toutes ces raisons réunies qui m'empêcheront toujours de donner mon sentiment; sur aucun des Corps Politiques actuels 5 mais, comme mon dessein est en même temps, do les mettre tous dans le cas de pouvoir se juger eux-mêmes, je vais feur offrir d'autres observations qui les aideront à diriger leurs jugemens sur ce qu'ils sont & sûr ce qu'ils de- vroient être»

C'est sur leur administration que je vais actuellement jetter la vue, parce que pour qu'un Gouvernement soit consorme au Principe vrai son administration doit se conduire par des Loix certaines & dictées par la vraie Justice; fi au contraire, elle se trouve injuste & sausse, ce» fera, aux Gouyernemens qui Pempîoient, â ert (D 3.) tire?.

Ç4 *Du Droit public.* tirer les conséquences sur la légitimité du Principe & du mobile auxquels ils doivent leur nais-, sance.

L'administration des Corps politiques a deux choses principales à régler. premièrement les. droits de l'état & de chacun des membres, ce qui sait l'objet du Droit public & de la Justice civile; secondement, elle a à veiller à la sûreté de la Société tant générale que particuliere, ce qui sait l'objet de la Guerre, de la Police & de la Justice criminelle. Chacune de ces branches ayant des Loix pour se diriger, il ne saut pour nous assurer de leur justesse,

qu'examiner si ces Loix émanent directement du Principe vrai, ou si elles sont établies par 'homme seul, privé de son guide. Çommençons par le Droit public.
'

Je n'en examinerai qu'un seul article, parce qu'il suffira pour indiquer 'obscurité où cette, partie de l'administration est encore plongée c'est celui des échanges que les souverains sont souvent entr'eux, de différentes parties de leurs Etats, selon leur, convenance.

Je demande, en effet, si après qu'un Sujet a prêté, ou. censé avoir prêté serment de fidélité à un Souverain, celuici a le droit de l'en délier, & cela même malgré tous les avantages qui peuvent en résulter pour l'Etat. L'usage où sont les Souverains de ne pas prendre Taveu des Habicans des contrées qu'ils échangent n'annonce-t-il pas que l'ancien serment n'a pas été libre, & que le nouveau ne le sera pas da varttage. Or, cette conduite peut-elle jamais être consorme aux idées que les Législateurs eux" mêmes veulent nous donner d'un Gouvernemen égitime?

Dans celui dont j'ai annoncé la-Vérité & 'Existence indestructible » ces échanges sont également en usage, & ceux qui se pratiquent parmi les Gouvernemens reçus, n'en sont que l'image, parce que l'homme ne peut rien inventer; mais les sormalités en sont diffJrentes, & dictées par des motiss qui en rendent tcus les. actes équitables; c'està-dire, que l'Jchange y çst libre & volontaire de part & d'autre; qu'on, n'y regarde pas les hommes comme attachés au sol, & faisant partie du Domaine; en un mot, qu'on ne consond pas leur nature avec celle des. possessions temporelles.

Je n'ose parler ici de ces illustres usurpations par lesquelles les différens Gouvernemens prétendent acquérir un droit de propriété sur des Nations paisibles & ignorées, ou même sur des Contrées voisines & sans désense, par cela seul qu'ils manisestent contre elles leur sorce & feur cupidité, est vrai que tout se saisant par réaction dans l'Univers, la Justice a souvent &issi armer, des Peuples pour la punition des.
'êi Te la Loi Civth.

Peuples criminels; mais en servant réciproquement de Ministres à sa vengeance, ils n'ont sait qu'augmenter leurs propres crimes & leur propre souillure, & ces horribles envahi íFemens dont nous avons Tous les yeux tant d'affreux exemples, ont peut-être été moins sunestes à ceux qui en ont été les victimes, qu'à ceux qui les ont opérés. Venons à l'examen de la Loi civile.

Je supposé tous les droits de propriété établis, je suppose jle partage de la terre fait-légitimement parmi les hommes, ainsi, qu'il a eu lieu dans l'origine, par des moyens que l'ignorance feroit regarder aujourd'hui comme imaginaires. Alors, quand l'avarice, la mauvaise soi, l'inçertitude même viendront à produire des contestations, qui pourra les terminer ? Qui pourra assurer des droits menacés par l'injostice, & réhabiliter ceux qui auroient dépéri; Qui pourra lliivre la filiation des héritages & des mutations, depuis le premier partage jusqu'au moment de la contestation? Et cependant, comment remédier à tant de difficultés, sans avoir la connoissance évidente de la légitimité de ces droits, & sans pouvoir à coup sûr désigner le véritable propriétaire? Comment juger sans avoir cette certitude, & comment oser prononcer sans âtre sûr que lon ne couronne pas une usurpation?

Çr, perlbnne n'osera nier que cette incertitude. sude ne soit comme universelle, d'où nous con- durons hardiment que la Justice civile est souvent imprudente dans ses décisions.

Mais voici où elle est bien plus condamnable encore, & où elle montre à découvert sa témérité; c'est lorsque'dans l'extrême embarras où elle se trouve sréquemment, de reconnoître l'origine des différens droits & des différentes propriétés, efle fixe une borne à ses recherches, assignant un temps pendant lequel toute possession paisible devient légitime, ce qu'elle appelle *Prescription;* car je demande, dans le cas où la possession seroit mal acquise, s'il est un temps qui puisse effacer une injustice.

Il est donc évident que la Loi civile agit d'ellemême en ce moment, íl est évident que c'est elle qui crée la Justice,

pendant qu'elle ne doit que l'exécuter, ft qu'elle répete par-là cette erreuE universelle par laquelle l'homme consond tonjours les choses avec leur Principe.

Il suffiroit peut-être de me borner à ce seul exemple sur la Justice civile, quoiqu'elle pût m'en offrir plusieurs autres qui déposeroient éga-r lement contr'elle, tels que ces variétés ces contradictions où elle est exposée à tous les pas, & qui l'obligent à se désavouer elle-même dans mille occasions.,

Jajouterai seulement qu'il est une circont tance où elle découvre tout-à-fait son imprudence f& 2« ƒ *Adultere'*. dence & son aveuglement, & où le principe d© Justice qui devroic toujours diriger sa marche, est bieste bien plus grièvement que lorsqu'elle porte des jugemens hasardés sur de fiaiples possessions. C'est lorsque pour d'autres causes que pour l'adultere, elle pronnonce la séparation des personnes liées par le mariage. En effet l'adultere est le seul motis sur lequel elle puisse légitimement désunir les époux, parce que c'est la seule contravention qui blesse directement l'alliance, & que par cela seul elle est rompue, puisque c'étoit sur cette union sans partage qu'elle étoit sondée. Ainsi lorsque la Loi civilese laisse guider par d'autres considérations, elle annonce avec évidence, qu'elle n'a pas la pre- rniere idt'e d'un pareil engagement.

Je ne peux donc me dispenser d'avouer combien la marche de la Loi civile, est désectueuse tant dans ce qui regarde la personne des membres de la Société, que dans ce qui regarde tous leurs droits de propriété ce qui m'empêche absolument de regarder cette Loi, comme consorme au principe qui devroit avoir dirigé l'association, & me sorce à reconnoître ici la main de l'homme, au lieu de cette main supérieure & éclairée qui devroit tout saire en sa place.

Je m'en tiendrai-là sur la premiere partie de l'Administration des Corps politiques, mais avant de passer à la seconde je crois ». propos, da de dire un mot sur *VAdultere* que nous avons annoncé comme étant la seule cause légitime de la dissolution des Mariages.

Des erreurs et de la vérité, ou, Les hommes rappellés au principe universel de la science (1) • Louis Claude de Saint-Martin

• 69

VAdultere est le crime du premier homme, quoiqu'avant qu'il le commît, il n'y eût point de semmes. Depuis qu'il y en a, l'écueil qui le conduisit à son premier crime, subsiste toujours, & çn outre les hommes sont exposés à l'Adultere de la chair. De saçon que ce dernier Adultere ne peut avoir lieu sans être précédé du premier.

Ce que je dis deviendra sensible, fi l'on conçoit que le premier Adultere ne s'est commis que parce que l'homme s'est écarté de la Loi qui lui avoit été prescrite, & qu'il en a suivi une toute opposée; or, l'Adultere corporel ré-? pete absolument Ja même chose, puisque le Mariage pouvant être dirigé par une Loi pure, ne doit pas être l'ouvrage de l'homme plus que ses autres actions; puisque cet homme ne devant pas avoir sormé lui-même son lien, n'a pas en lui le droit de le pouvoir rompre; puisqu'ensin se livrer à l'Adultere, c'est révoquer de sa propre autorité la volonté de la Cause universelle temporelle, qui est censée avoir conclu rengagement & en écouter une qu'elle n'a point approuvée. Ainsi, la volonté de l'homme précédant toujours ses actions il ne peut s'oublier dans ses actes corporels, sans f'ette auparavant oublié dans sa volonté, de saçoBl *éo De VAiulteri.* saçon qu'en se livrant aujourd'hui à l'Adultere de la chair, au lieu d'un crime, il en commet deux»

Si celui qui lira ceci est intelligent, il pourra bien démêler dans l'adultere de la chair quelques indices plus clairs de l'adultere commis par rhomme avant qu'il fût soumis à la Loi des Elémens. Mais autant je desire qu'on y parvienne, autant mes obligations m'interdiscnt le moindre éclaircissement sur ce point; & d'ailleurs, pouE mon propre bien, j'aime mieux rougir du crime de l'homme, que d'en parler.

Tout ce que j'ai à dire, c'est que s'il est quelques hommes à qui l'adultere ait paru in-, différent, ce n'est sûrement qu'à ceux qui ont été assez aveugles pour être Matérialistes. Cac en effet, si. l'homme n'avoit que des sens, il n'y auroit point d'aduhere pour lui, puisque la Loi des sens n'étant pas fixe, mais relative, tout pour eux doit être égal.

Mais, comme ií a de plus une saculté qui doit me-t surer même les actions de ses sens, saculté; qui se sait connoître jusques dans le choix & la délicatesse dont il assaisonne ses plaisirs corrompus, on voit si l'homme peut de bonne soi se persuader.'indifférence de pareils Actes. '.,.

Ainsi, loin d'adopter cette opinion dépravée, j'emploierai tous mes efforts pour la com-; battre. J'aiîùrerai hautement que le premier adultere.. adultere a été la cause de la privation est dë î'ignorance où l'homme est encore plongé, & que c'est-là ce qui a changé son état de lumierë .èc de splendeur, en un état de ténebres & d'ignominie

Le second adultere, outre qu'il rend ehcorë plus rigoureux le premier Arrêt j expose l'homme temporellement à des désordres inexprimables, 4 des soufrances cruelles, & à des malheurs dont il ignore souvent la principale source & qu'il est bien éloigné de soupçonner fi près de lui; ce qui n'empêche pas cependant qu'ils ne puissent avoir une multude d'autres causes.

C'est encore dans cet adultere Corporel que l'homme pourroit aisément se sormer l'idée des maux qu'il prépare aux sruits de ses crimes, en réfléchissant que cette Cause temporelle universelle ou cette volonté supérieure ne préfidë pas à des assemblages qu'elle n'a pas approuvés, ni à plus sorte raison à ceux qu'elle condamne; que si sa présence est nécessaire à tout ce qui existe temporellement, soit sensible, soit inteU lectuel, l'homme destitue sa postérité de ce soutien, quand il l'engendre d'à près une volonté illégitime; & que, par conséquent, il expose cette postérité à des pâtimens inouïs, & au dépérissement terrible de toutes les sacultés de son être.

Mais *éi Des especes d'Hommes irre'galierèí:*

Mais ce serdit dans les divers adulteres *o 'ìginels,* que les hommes avides de Sciences trouveroient l'explicacion de toutes ces peuplades abâtardies, de toutes ces Nations dont l'espece est si bizarrement construite, ainsi que de toutes ces générations monstrueuses & mal colorées dont la Terre est couverte, & à qui les Observateurs cherchent en

vain une clasiè dans l'ordre des Ouvrages réguliers de la Nature-.

Qu'on ne m'objecte pas ces beautés arbitraires, sruit de l'habitude, qui sont admises dans les diverses contrées: ce ne sont que les sens qui les jugent, & les sens s'accoutument à tout. Il y a très-certainement pour l'espece humaine une régularité fixe & indépendante de la convention & du caprice des Peuples; car le corps de l'homme a été constitué par un *nombre.* Il y a aussi une Loi pour sa couleur, & elle nous est assez clairement indiquée par l'arrangement & l'ordre des Elémens dans la composition de tous les corps; où l'on voit toujours le sel à la sursace. C'est pour cela que les différences du climat & celles que la maniere de vivre operent souvent, tant sur la sorme que sur la couleur du corps, ne détruisent point le principe qui vient d'être établi j Car la régularité de la stature des hommes ne eensiste pas dans l'égalité de leur grandeur réciproque, fîòque, mais dans la jufte proportion de toutes leurs parties.

De même, quoiqu'il y ait des nuances dans leur vraie couleur, cependant il y a un degré qu'elles ne peuvent jamais pafler, parce que les Elemens ne fauroient changer de place, fàns une action contraire à celle qui leur eft natu relle.

Ainfi, attribuons fans crainte aux déréglemens des Ancêtres des Nations, tous ces fignes corporels, qui sont un indice frappant d'une! fouillure originelle; attribuons à la même fource! l'abrutiflement où des Peuples entiers fonC tellement plongés, qu'ils ont perdu tout fenti-» ment de pudeur & de honte, & que non feulement ils ne s'interdifent pas l'adultere, mais que même ils font peu choqués des nudités, que pour quelques-uns d'entr'eux, l'acte de la génération corporelle eft devenu une cérémonie publique & religieufei Ceux qui d'après ces obfervations ont jugé que le fentiment de la pudeur n'étoit point naturel aux hommes, n'ont pas fait attention qu'ils prenoient leurs exemples parmi des Peuples abâtardis; ils n'ont pas vu que ceux qui montrent le moins de répugnance & de délicatefTe à cet égard, font auffi les plus abandonnés à la vie des fens, & fi peu avancés dans la jouiflance & l'ufage de leurs facultés intellectuelles, qu'ils ne different prefque plus des bêtes que 64 De *la pudeur.* que par quelques vestiges de Loix qui leur ôhS *été* transmises, & qu'ils conservent pat habitude & par imitation

Lorsque les Observateurs ont voulu, au contraire, prendre leurs exemples dans les Sociétés jpolicées, où le respect du lien conjugal & la pudeur ne sont presque jamais que l'efiet de l'éducation, ils se sont encore trompés dans leurs jugemens, parce que ces Sociétés n'éclairant pas l'homme sur les droits de sa véritable nature, y suppléent par des instructions & des sentimens sactices que le temps, les lieux, le genre de vie, sont disparoître; aufli j en ôtant de ces Sociétés policées les dehors de décence reçue, ou une attache plus ou moins sorte aux principes de la premiere éducation on n'y trouveroit peut-être pas réellement plus de pudeur que parmi les Nations les plus groslières; mais cela ne prouvera jamais rien contre la vraie Loi de l'homme, parce que dans ces deux exemples, les Peuples dont il est question en sont également éloignés, les uns par désaut de culture & les autres par dépravation; en sorte qu'aucuns d'eux ne sont dans leur état iiaturel.,,

Pour résoudre la difficulté, il salloit donc remonter jusqu'à cet état naturel de l'homme; alors oh auroit vu que la sorme corporelle étant PEcre le plus disproportionné avec l'homme intellectuel lectuel, lui offroît le spectacle le plus humiliant; & que s'il connoissoit le Principe de cette sorme il ne pourroit la considérer sans rougir, quoique cependant chacune des parties de ce même corps ayant un bnt & un emploi différent, elles ne sussent pas toutes propres à lui inspirer la même horreur. On y àuroit vu, dis-je, que cet homme auroit srémi à la seule idée d'adultere, en ee qu'elle lui auroit retracé le souvenir affreux & désespérant de ce premier adultere, d'où sont découlJs tous ses malheurs. Mais comment les Observateurs auroient-ils considéré l'homme dans son Principe Ils ne lui en connoissent aucun; alors quelle consiance pourrions-nous donc ajouter à leurs opinions?

N'oublions donc jamais que toutes les difformités & tous les vices que les différentes Nations montrent, soit dans leurs corps, sok dans leur Etre pensant, viennent de ce que leurs Ancêtres n'avoient pas suivi leur Loi naturelle, ou qu'elles-mêmes s'en sont écartées.

Que les Matérialistes ne me croient pas à présent d'accord avec eux, en m'entendant parler ici d'une Loi naturelle pour l'homme; je veux, comme eux, qu'il suive sa Loi naturelle, mais nous différons, en ce qu'ils veulent qu'il suive la Loi naturelle de la bête, & moi celle qui l'en distingue, c'est-à-dire, celle qui éclaire & assure tous ses pas, celle, *II. Partie.* (E) en 66 "Dis deux *Adulteres.* en un mot, qui rient au flambeau même de la

Venté.

N'oublions pas, je le répete, que le second crime de l'homme ou l'adultere corporel, ne prend sa source que dans le premier adultere, ou celui de la volonté, par lequel l'homme a suivi dans son œuvre une Loi corrompue, au lieu de la Loi pure qui lui étoit imposée. Car, si l'homme peut commettre aujourd'hui l'adultere avec la semme, il peut encore plus, comme dans l'origine, commettre un adulterre sans la semme, c'est-à-dire, un adultere intellectuel; puisque après la premiere Cause temporelle, rien dans le temps n'est plus puissant que la rolonté de l'homme, & puisqu'elle a des pouvoirs, lors même qu'elle est impure & criminelle, en similitude du Principe qui s'est sait mauvais.

Que l'on examine ensuite, fi l'homme qui se trouveroit être l'auteur de tous les désordres que nous venons d'exposer, devroit jamais être heureux & en paix, & s'il pourroit se cacher à lui-même qu'il doit encore plus de tributs à la Justice que sa malheureuse postérité.

Ceux qui croiroient remédier à tous ces maux, en rendant nuls les résultats de leurs crimes, ne prétendront jamais de bonne soi saire adopter cette opinion dépravée; & ils ne peuvent douter, au contraire, que ce ne soit tourner contre eux le fléau fléau tout entier tandis que leur postérité l'auroic pu partager avec eux. En outre c'est donner à ce même

fléau une extension sans mesure, puisque par cet acte criminel, joint aux adulteres corporel *te* intellectuel, de toutes les Loix quf sorment l'Essence de l'homme, il n'y en a pas une qui ne soit violée.

Je ne pourrois sans indiscrétion m'étendra davantage sar cet objet: les Vérités prosondes ne conviennent pas à tous les yeux; mais, quoique je n'expose pas aux hommes la Raison premiere de toutes les Loix de la Sagesse, ils n'en sont pas moins tenus de les observer, parce qu'elles sont sensibles, & que l'homme peut connoître tout ce qui est sensible. De plus, quoiqu'il soie aufli reçu parmi eux que la Génération est un mystere, il n'en est pas moins vrai qu'elle a dans l'homme une Loi & un ordre inconnus à la brute, & que les droits qui y sont attachés sonc les plus beaux témoignages de sa grandeur comme aussi la source de sa condamnation & de sa misere.

Laissons nos Lecteurs méditer sur ce point, & passons à la seconde partie de l'Administration sociale, savoir, celle qui veille à la sûreté extérieure & intérieure de PEtat.

Nous avons vu que cette seconde partie ayant deux objets avoit aussi deux sortes de Loix (Eî.) pou *6t De VAdministration Criminelles* pour se diriger; les premieres, chargées dé veiller au dehors, sorment les Loix de la guerre & les droits politiques des Nations. Mais, comme j'ai sait voir que la maniere d'être des Peuples, & l'habitude où, ils sont de se considérer respectivement comme ennemis, étoient sausses, je ne peux pas avoir plus de consiance dans les Loix qu'ils se sont saites sur ces objets.

On sera sacilement d'accord avec moi, si l'on examine ces incertitudes continuelles où l'on voit errer les Politiques qui veulent chercher parmi les choses humaines, une base à leurs Etablisïemens. Comme ils ne connoissent pour principe des Gouvernemens que la sorce ou la convention; comme ils ne tendent qu'à se passer de leur unique point d'appui; comme ils veulent ouvrir, & que cependant ils s'obstinent à ne vouloir point se servir de là seule cles

Des erreurs et de la vérité, ou, Les hommes rappellés au principe universel de la science (1) • Louis Claude de Saint-Martin

• 71

avec laquelle ils pourroient y parvenir, leurs recherches restenc absolument sans sruit. C'est pour cela que je ne. m'étendrai pas au-delà de ce que j'ai déja dit sur ce sujet.

Ce ne sera donc que sur la seconde espece de Loix, ou sur celles qui s'occupent de la sûreté intérieure de l'Etat, que se dirigeront mes observations, c'est-à-dire, sur cette partie de l'Administration qui concerne la Police & les Loix criminelles; je réunis même ces deux branches sous un seul point de vue, parce i. . aue tjue, malgré la différence des objets qu'elles embrassent, elles ont chacune pour but le maintien de l'ordre & la réparation des délits; ce qui leur donne» à l'une & à l'autre la même origine, *te* les sait également dériver du droit de-jpnir.

Mais dans l'examen que j'en vais saire, mon dessein sera toujours le même que dans tout le cours de cet Ouvrage, & je continuerai de chercher dans tout, si les choses sont ou non consormes à leur Principe, afin que chacun en tire les conséquences, & s'instruise par lui-même, plutôt que par mes propres jugemens.

J'examinerai donc ici dans quelle main le droit de punir doit principalement résider, & ensuite de quelle maniere celui qui en sera revêtu devra légitimement y procéder; car, sans tous ces éclaircissemens, ce seroit être étrangement téméraire que de prendre le glaive, puisqu'il pourroit également tomber sur l'innocent & sur le coupable, & que quand même il n'y auroit pas cet inconvénient à craindre, & qu'il sût possible que les coups ne tombassent jamais que sur des criminels, il resteroit encore incertain de savoir si celui qui srappe en a le droit.

S'il est un Principe iüpérieur, unique *Sc* universellement bon, comme tous mes efforts ont tendu jusqu'à présent à l'établir; s'il est un Principe mauvais doat j'ai aussi démontré l'exis (E3) tence; ro *Du Droit de punir.* tence, qui travaille sans cesse à s'opposer à Faction de ce Principe bon, il est comme inévitable que dans cette classe intellectuelle, il n'y ait des crimes. £

Or, la Justice étant un des attributs essentiels de ce Principe bon, les crimes ne peuvent sou- tenir un seul instant sa présence, & la peine en est aussi prompte qu'indispensable; c'est-là ce qui prouve la nécessité absolue de punir, dans ce Principe bon.

L'homme, dans sa premiere origine, éprouva physiquement cette Vérité, & il sut solemnellement revêtu de ce droit de punir; c'est même là ce qui saisoit sa ressemblance avec son Principe; & c'est aussi en vertu de cette ressemblance que sa Justice étoit exacte & sûre; que ses droits étoient réels, éclairés, & n'auroient jamais été altérés, s'il avoit voulu les conserver; c'est alors, dis-je, qu'il avoit véritablement le droit de vie & de mort sur les malsaiteurs de son Empire.

Mais rappellons-nous bien que ce n'étoit point fur ses semblables qu'il auroit pu l'exercer, parce que, dans la Région qu'il habitoit alors, il ne peut y avoir de Sujets parmi des Etres semblables.

Lorsque en dégénérant de cet état glorieux, il a été précipité dans l'état de nature, d'où réfaite 1 etat de Société, & bientôt celui de corruption, ruption, il s'est trouvé dans un nouvel ordre do choses, où il a eu à craindre & à punir de nouveaux crimes. Mais, de même qu'aucun homme, dans l'érat actuel, ne peut avoir une juste autorité sur ses semblables, sans avoir, par ses efforts, recouvré les sacultés qu'il a perdues; de même, quelle que soit cette autorité, elle ne peut saire découvrir en lui le droit de punir corporellement ses semblables, ni le droit de vie & de mort sur des hommes; puisque ce droit de vie & do mort corporelle, il ne l'avoit pas même pendant sa gloire, sur les Sujets soumis à sa Domination.

Il saudroit pour cela que, par sa chute, ion empire se fût étendu, & qu'il eût acquis de nouveaux Sujets. Mais, loin qu'il en ait augmenté le nombre, nous voyons au contraire qu'il a perdu l'autorité qu'il avoit sur les anciens; nous voyons même que la seule espece de supériorité qu'il puilîe acquérir sur ses semblables, c'est celle de les redresser quand ils s'égarent; de les *arrêter,* quand ils se livrent au *crime* , ou bien plutdt celle de les soutenir, en les rapprochant, par son exemple & par ses vertus, de l'état dont ils n'ont plus la jouissance; & non celle de pouvoir par lui-même, exercer sur eux un empire que leur propre nature désavoue.

Ce seroit donc en vain que nous chercherions aujourd'hui en lui les titres d'un Législateur & (E) d'iw *t '6i Source du Droit de punir.* d'un Juge. Cependant, selon les Loix de la Vérité, rien ne doit rester impuni, & il est inévitable que la Justice n'ait universellement son cours avec l'exactitude la plus précise, tant dans l'état sensible que dans l'état intellectuel. Alors, lì l'homme par sa chute, loin d'acquérir de nouveaux drtits, s'est laissé dépouiller de ceux qu'il avoit, il saut absolument trouver ailleurs que dans lui, ceux dtont il a besoin pour se conduire dans cet état social auquel il est à présent lié.

Et où pourrons-nous mieux les découvrir que dans cette même Cause temporelle & physique qui a pris la place de l'homme, par ordre du premier Principe? N'est-ce pas elle, en effet, qui a été substituée au rang que l'homme a perdu par sa faute? N'est-ce pas elle dont la destination & l'empl»i ont été d'empêcher que l'ennemi ne demeurât maître de l'Emphe dont l'homme avoit été chassé ì En un mot, n'est-ce pas elle qui est préposée pour servir de sanal à l'homme, & pour l'tclairer dans tous ses pas?

C'est donc par elle seule que doit s'opérer aujourd'hui, & l'œuvre que l'homme avoit à saire anciennement, & celle qu'il s'est imposée luimême, en venant habiter un lieu qui n'avoit pas été créé pour lui.

Voilà ce qui peut seul expliquer & justifier la marche des Loix criminelles de l'homme. La

Société Société où il vit nécessairement & à laquelle il est destiné, sait naître des crimes; il n'a en lui ni le droit, ni la sorce de les arrêter; il saut donc absolument que quelqu'autre cause le sasse pour lui, car les droits de la Justice sont irrévocables.

Cependant, cette Cause étant au dessus des choses sensibles, quoiqu'elle les dirige & qu'elle y préside; & les punitions de l'homme en société devant être sensibles comme le sont ses crimes, il saut qu'elle emploie des moyens sensibles pour manisester ses décisions, de même que pour saire exécuter ses jngemens.

C'est la voix de l'homme qu'elle emploie pour cette sonction, quand toutesois il s'en est rendu digne; c'est lui qu'elle charge d'annoncer la Justice à ses semblables, & de la leur saire observerAinsi, loin que l'homme soit par son essence le dépositaire du glaive vengeur des crimes, ses sonctions mêmes annoncent que ce droit de punir réside dans une autre main dont il ne doit être que l'organe.,

On voit aussi quels avantages insinis résulte» roient pour le Juge qui auroit obtenu d'être vraiment l'organe de cette Cause intelligente, temporelle, universelle; il trouveroit dans elle une lumiere sûre qui lui seroit discerner sans erreur l'innocent d'avec le coupable; par-là il seroit à jçouvert des injustices, il seroit sûr de mesurer les peines 74 *Source da Droit de punir.* peines aux délits, & de ne pas se charger îuíîneme de crimes, en travaillant à réparer ceira des autres hommes.

Cet inestimable avantage, quelqu'inconnu qu'iî soit parmi les hommes en général *y* n'offre cependant rien qui doive étonner, ni qui surpasse aucun *&c* ceux dont j'ai sait voir jusqu'à présent que lTiomme étoit susceptible; ils proviennent tous des sacultés de cette Cause active & intelligente, destinée à établir l'ordre dans l'Univers, parmi tous les Etres des deux natures; & si, par son moyen, l'homme peut s'assurer de la nécessité & dela vérité de sa Religion & de son culte; s'il peut acquérir des droits incontestables qui l'élevent *Sc* qui Rétablissent légitimement au destus de ses semblables, il peut sans doute espérer les mêmes secoure pour l'Administration sûre de la Justice civile ou criminelle, dans la Société consiée à ses soins.

D'ailleurs, tout ce que j'ai avancé se trouve figuré & indiqué par ce qui s'observe vulgairement dans la Justice criminelle. Le Juge n'estril pas censé s'oublier lui-même, pour devenir le

lîmple agent & l'organe de la Loi? Cette Loi, quoiqu'humaine, n'est-elle pas sacrée pour lui? Ne prend-il pas tous les moyens qu'il connoît pour éclairer sa conduite & ses jugemens, & pour proportionner, autant qu la Loi le permet la punition au crime; ou plutôt n'est-ce pas le plus sourent souvent cette Loi même qui en est la mesure; ô£ quand le Juge l'observe, ne se persuade-t-il pas avoir agi selon la Justice?

Ce seroit donc l'homme lui-même qui nouá instruiroit de la réalité de ce Principe, quand. d'ailleurs nous n'en aurions pas la persuasion la plus intime.

Mais en même temps, il nous paroît encore plus maniseste que la Justice criminelle en usage parmi les Nations, n'est en effet que la figure de celle qui appartient au Principe dont nous parlons; & que ne le prenant point pour appui, elle marche dans les ténebres, comme toutes les autres institutions humaines, d'où résulte dans ses effets une chaîne affreuse d'iniquités & de véritables assassinats.

En effet, cette obligation imposée au Juge de s'oublier lui-même & son propre témoignage, pour n'écouter que la voix des témoins, annonce bien, à la vérité, qu'il y a des témoins qui ne mentent pas, & que c'est leur déposition qui devroit le diriger. Mais aussi, comme ces té-' moins ne doivent pas être susceptibles de corruption, il est bien évident que la Loi a tort de ne les chercher que parmi des hommes, dont elle peut craindre & l'ignorance & la mauvaise soi, parce, qu'alors c'est s'exposer à prendre le mensonge pour preuve, & se rendre tout-à-sait inexcusable, puisque ce n'est qu'envers un témoin fût *j6 Du Pouvoir humain.* sûr & vrai, que le Juge doit s'oublier lui-même & se transsormer en un simple instrument; puisqu'ensin la Loi sausse sur laquelle il croit pouvoir s'appuyer, ne se chargera jamais de ses erreurs, ni de ses crimes.

C'est donc pour cela qu'aux yeux du Juge amême, le plus important de ses devoirs est de chercher à démêler la vérité, dans la déposition des témoins; or, comment pourra-t-il y réussir lâns le secours de cette lumiere que je lui indique

comme son seul guide en qualité d'homme, & comme devant l'accompagner à tous les instans?

N'est-ce donc pas déja un vice énorme dans les Loix criminelles, que. de n'avoir pas eu cette lumiere pour principe; & ce désaut n'expose-t-il pas le Juge aux plus grands abus? Mais examinons ceux qui résulteront de la puissance même que la Loi humaine s'attribue.

Lorsque les hommes ont dit que la Loi politique se chargeoit de la vengeance des Particuliers, à qui elle désendoit alors de se saire justice par euxmêmes, il est certain qu'ils lui ont donné par-là des privileges qui ne pourront jamais lui convenir tant qu'elle sera réduite à ellemême.

Je conviens néanmoins que cette Loi politique, qui peut en quelque saçon mesurer ses coups, renserme une sorte d'avantage, en ce que ue sa vengeance ne sera pas toujours illimitée, comme celle des individus pourroit i'êcre.

Mais premiérement, elle peut se tromper sur les coupables, & un homme ne se trompe pas aussi sacilement sur son propre adversaire.

Secondement, si cette vengeance particuliere, quelque admissible qu'elle fut dans le cas où l'homme ne seroir doué que de la nature sensible, est cependant entiérement étrangere à sa nature intellectuelle; si cette nature intellectuelle non seulement n'a jamais eu le droit de punir corporellement, mais mémé se trouve aujourd'hui dépouillée de toute espece d'autorité, & ne peut en aucune saçon exercer la Justice, jusqu'à ce qu'elle ait recouvré son état d'origine, il est bien certain que la Loi politique qui ne sera pas guidée par une autre lumiere, commettra les mêmes injustices sous un autre nom.

Car, si un homme me nuit en quelque genre que ce soit, il est coupable selon les Loix de toute Justice; si de moimême, je le srappe, que je répande son sang, ou que je le tue, je manque comme lui, aux Loix de ma vraie nature, & à celles de la Cause intelligente & physique qui doit me guider. Lors donc que la Loi politique toute seule, prendra ma place pour la punition de mon ennemi, elle prendra la place d'an homme de sang.

En vain on m'objecteroit à présent, que par la convention 78 *Du Pouvoir humain.* convention sociale, chaque Citoyen s'est soumis *i* en cas de prévarication, aux peines portées par les diffJrentes Loix criminelles; car, ainsi qu'on l'a vu, si les hommes n'ont pas pu légitimement établir les Corps politiques par le seul effet de leur convention, un Citoyen ne pourra pas plus transmettre à ses Citoyens le droit de le punir; puisque sa vraie nature ne lui a pas donné, & puisque le contrat qu'il est censé avoir sait avec eux, ne peut étendre l'essence qui constitue l'homme.

Dira-t-on que cet acte de vengeance politique, ne se considere plus comme étant opéré par l'homme, mais par la Loi? Je répondrai toujours que cette Loi politique, destituée de son flambeau, n'est qu'une pure volonté humaine à qui, l'unanimité même des suffrages ne donne pas un pouvoir de plus. Dès-lors, si c'est un crime pour l'homme d'agir par violence & de son propre mouvement, si c'est un crime pour lui de répandre le sang, la volonté réunie de tous les hommes de la terre, ne pourroit jamais l'eftacer.

Pour éviter cet écueil, les Politiques ont cru ne pouvoir mieux saire que d'envisager un criminel comme traître, & comme tel, ennemi du Corps social; alors le plaçant en quelque sorte dans un état de guerre, sa mort leur paroît légitime, parce que les Corps politiques étant sormés, felon eux, à l'image de l'homme, doivent ausli veiller veiller comme lui, à leur propre conservation. Ainsi d'après ces principes, l'autorité souveraine a droit de disposer de toutes ses sorces contre les malsaiteurs qui menacent l'Etat, soit en luimême, soit dans ses membres.

Mais premiérement, on verra sans peine le vice de cette comparaison, quand on observera que dans un combat d'homme à homme, c'est vraiment l'homme qui se bat, au lieu que dans la Guerre entre les Nations, on ne peut pas dire que ce sont les Gouvernemens qui combattent, attendu que ce ne sont que des Etres moraux,' dont l'action Physique est imaginaire.

Secondement, outre que j'ai sait voir que la Guerre entre les Nations ne s'occupoit pas de son véritable objet, son but même n'est pas de détruire des hommes, mais bien plutôt de les empêcher de nuire: jamais on n'y devroit tuer un ennemi que lorsqu'il est impossible de le soumettre; & parmi les Guerriers, il sera toujours plus glorieux de vaincre une Nation, que de l'anéantir.

Or, certainement l'avantage d'un Royaume entier contre un coupable est assez maniseste, pour que le droit & la gloire de le tuer disparoissent.,

D'ailleurs, ce qui prouve que ce prétendu droit ne ressemble en rien au droit de la Guerre, «'est que là la vie de chaque Soldat est en danger,

&

S» *Du Pouvoir humain.*

& la mort de chaque ennemi est incertaine; au lieu qu'ici un appareil inique accompagne les exécutions. Cent hommes s'arment, s'assemblent, & vont de sang sroid exterminer un de leurs semblables, à qui ils ne laissent pas même l'usage de ses sorces; & l'on veut que le simple pouvoir humain soit légitime, lui qu'o» peut tromper tous les jours; lui qui prononce si souvent des sentences injustes; lui ensin, qu'une volonté corrompue peut convertir en un instrument d'as(aísin.

Non, l'homme a sans doute en lui d'autres, regles; s'il sert quelquesois d'organe à la Loi supérieure pour en prononcer les oracles, & pour disposer de la vie des hommes, c'est par un droit respectable pour lui, & qui en même temps peut lui apprendre à diriger sa marche sur la justice *Sc* sur l'équité.

Veut-on mieux encore juger de son incompétence actuelle, il ne saut pour cela que réfléchir sur ses anciens droits. Pendant sa gloire, il avoit pleinement le droit de vie & de mort incorporelle, parce que jouissant alors de la vie même, il pouvoit à son gré la communiquer à ses sujets, ou la leur retirer, quand la prudence le lui saisoit juger nécessaire; & comme ce n'étoit que par sa présence qu'ils pouvoient vivre, il avoit aussi, seulement en se séparant d'eux, le pouvoir de les saire mourir.

Aujourd'hui, Aujourd'hui, il n'a plus que pan étincelles cette vie premiere, & encore n'est-ce plus envers ses anciens sujets mais envers ses semblables qu'il peut parvenir à en saire usage.

Quant à ce droit de vie & de mort corporelle, qui sait l'objet de la question présente, nous pouvons assurer qu'il appartient encore moins à l'homme considéré en lui-même & pris dans son état actuel. Car, peut-il se dire jouissant & dispensateur de cette vie corporelle, qui lui est: donnée & qu'il partage avec toute son espece? Ses semblables ont-ils besoin de son secours pour respirer & pour vivre eorporellemenr? Sa volonté, toutes ses sorces même suffiront-elles pour leur conserver l'existence, & n'est-il pas obligé à tout moment, de voir la Lpi de nature agir cruellement sur eux sans qu'il puisse en arrêter le cours?

De même, a-t-il en lui un pouvoir & une sorce» inhérente qui puissent généralement leur ôter la vie selon son gré? Lorsque sa volonté corrompue le porte à y penser, quelle distance n'y a-t-il pas entre cette pensée & le crime qui la doit suivre? Quels obstacles, quels tremblemens entre le projet & l'exécution? Et ne voit-on pas que les soins qu'il prend pour disposer ses attaques, ne répondent presque jamais pleinement à ses vues?'

Nous dirons donc avec vérité, que par les *IX. partie.* (F) Loix 82 *Du Droit d?Execution.*

Loix simples de son Etre corporel, l'fiomme doit trouver par-tout de la resistance; ce qui prouve que cet Etre corporel ne lui donne aucun droit.

Et en effet, n'avons-nous pas vu assez clairement que l'Etre corporel n'avoit qu'une vie secondaire, qui étoit dans la dépendance d'un autre Principe; par conséquent, n'est-il pas évident que tout. Etre qui n'auroit rien de plus, seroit également dépendant, & dès-lors auroit la même impuissance?

Ce ne seroit donc pas, je le répete, dans l'homme corporel, pris en lui-même, que nous pourrions reconnoître ce droit essentiel de vie & de mort qui constate une véritable autorité, & tout ceci ne servira qu'à consirmer ce qui a été établi sur la source où l'homme doit aujourd'hui puiser un pareil droit.

Ce sera encore moins dans lui que nous trouverons le droit d'exécution; puisque, s'il n'employoit la violence & des, sorces étrangeres, il seròit rare qu'il pût venir à bout de saire périr un malsaiteur, à moins d'avoir recours à la trahison ou à la ruse, & ces moyens seroient bien éloignés d'annoncer an vrai pouvoir dans l'homme.

Cependant l'exécution des Loix criminelles est absolument nécessaire pour que la Justice ne soit pas inutile; bien plus, je prétends qu'elle est feft inevitable. Ainsi, puisque ce droit ne peuc nous appartenir, il saudra encore il remettre, ainsi que le droit de juger, dans la main qui doit nous servir de guide. C'est elle qui donnera une vraie sorce à *Varríie naturelle* de l'homme, & qui le mettra dans le cas de saire exécuter les Décrets de la Justice, sans attirer sur lui des condamnations.

Tels sont du moins les moyens que les vrais Législateurs ont mis en usage, quoiqu'ils ne nous les sassent connoître que par des Symboles & des Allégories. Peut-être même employerentils la main de leurs semblables, pour opérer en apparence la punition des criminels, pour srapper par des figures sensibles les yeux grossiers des Peuples qu'ils gouvernoient, & pour couvrir d'un voile les ressorts secrets qui dirigeoient l'exécution.

Je parle ainsi avec d'autant plus d'assurance, que l'on a vu ces Législateurs se servir du même voile, dans le simple exposé de leurs Loix civiles; & sociales. Quoiqu'elles sussent l'Ouvrage d'une main sûre & supérieure, ils se sont attachés à ne parler qu'aux sens, pour ne point prosaner leuc Science.

Mais, quant à leurs Loix criminelles, ils en ont peint le tableau sensible avec une extrême sévérité, pour saire sentir aux Peuples qui leuc (Étoient soumis, toute la rigueur de la véritable

F % Justice, 84 *Du Rapport des Peines aux Crimes.*

Justice, & pour saire concevoir que le moindre des Actes résractaires à la Loi, ne pouvoit demeurer impuni.-C'est dans cette vue, que quelques-uns d'eux ont mis des punitions jusques sur les bêtes.

Toutes ces observations nous apprennent de nouveau, que l'homme ne peut trouver dans lui, ni le droit de condamner son semblable, ni celui d'en exécuter la condamnation.

Mais, quand ce droit scroit réellement de l'essence des hommes qui gouvernent, ou qui sont employés au maintien de la Justice criminelle dans les Gouvernemens, ainsi qu'ils en sont tous persuadés, il resteroit toujours à décider une question bien plus difficile encore, ce feroit de savoir comment ils trouveront une regle sûre pour diriger leurs Jugemens, & pour appliquer les peines avec justesse, en les proportionnant exactement à l'étendue & à la nature des crimes; toutes choses íur lesquelles la Justice criminelle est aveugle, incertaine, & n'a presque jamais pour guide que le préjugé régnant, & le génie ou la volonté du Législateur.

Il est des Gouvernemens qui, sentant leur prosonde ignorance ont eu la bonne soi d'en convenir, & ont sollicité les conseils des hommes éclairés sur ces matieres. Je loue leur zele d'avoir pris sur eux de saire de pareilles démarches *j* mais je ne crains point de leur assurer rer qu'en vain en espéreront-ils des lurríieres satissaisantes, tant qu'ils n'iront les chercher que dans l'opinion & l'intelligence de l'homme, & qu'ils ne se sentiront pas le courage, ni la résolution d'aller eux-mêmes les puisser dans leur vraie íburce.

Car les plus célebres des Politiques & des Jurisconsultes n'ont point encore éclairci cette difficulté; ils ont pris les Gouvernemens tels qu'ils étoient; ils ont admis, comme le Vulgaire, que la base en étoit réelle, & que la science & le droit de punir étoient dans l'homme; ensuite ils se sont épuisés en recherches pour asseoir un Edifice solide sur ce sondement; mais, comme on ne peut plus douter qu'ils ne bâtissent sur une supposition, il est clair que les Gouvernemens qui veulent s'instruire, doivent s'adresser à d'autres Maîtres.

Je ne décide donc point quelles sont les peines qui conviennent à chaque crime, je prétends, au contraire, qu'il n'est pas possible à l'homme de jamais rien statuer d'absolument fixe sur ces

objets, parce que n'y ayant pas deux crimes égaux, si la même peine est prononcée, il en résulte certainement une injustice.

Mais si la simple raison de l'homme doit au moins lui enseigner à ne chercher la punition du coupable, que darí l'objet & l'ordre qui ont *été* blessés, & à ne pas les prendre dans une autre

F 3 classe *&6 Des Codes Criminels.* classe, laquelle n'ayant point de rapport avec le sujet du délit, & se trouveroit blessée à son tour, sans que le délit en fût réparé.

Voilà pourquoi la Justice humaine est fi soible & fi horriblement désectueuse, en ce que tantôt son pouvoir est nul, comme dans le suicide & dans les crimes qui lui sont cachés; tantôt ce pouvoir n'agit qu'en violant l'analogie qui devroit la guider sans cesse, comme il arrive dans toutes les peines corporelles qu'elle prononce pour des crimes qui n'attaquent point les personnes, & qui ne tombent que sur les possessions.

Lors même qu'elle paroît observer le plus cette analogie, & qu'elle semble à cet égard conserver une sorte de lumiere, cette Justice humaine est encore insiniment sautive, en ce qu'elle n'a qu'un très-petit nombre de punitions à infliger dans chaque classe, pendant que dans chacune de ces classes, les crimes sont sans nombre toujours différer

Voilà aussi pourqôi les Loix criminelles écrites sont un des plus grands vices des Etats, parce que ce sont des Loix mortes, & qui demeurent toujours les mêmes, tandis que le crime croît & se renouvelle à tous les inslans. Le talion en est presque entièrement banni, & en effet, elles n'en peuvent presque jamais r«ççlir humainement toutes les clauses, soit qu'elles ne connoissent pas toujours, toujours toutes les circonstances des crimes, soit que quand même elles les connoîtroient, elles ne soient pas assez fécondes par elles-mêmes, pour produire toujours le véritable remede à des maux fi multipliés.

Alors, que sont donc ces Codes criminels, íî nous n'y trouvons pas ce talion, la seule Loi pénale qui soit juste, la seule qui puisse régler sûrement la marche de l'homme, & qui, par consé-

Des erreurs et de la vérité, ou, Les hommes rappellés au principe universel de la science (1) • Louis Claude de Saint-Martin

• 75

quent, ne pouvant venir de lui, est nécessairement l'ouvrage d'une main puissante, dont l'intelligence sait mesurer les peines, & les étendre ou les resserer selon le bessoin?

Je ne m'arrête point à cet usage barbare, par lequel les Nations ne se contentent pas de condamner un homme aveuglément, mais emploient encore sur lui les tortures pour arracher la Vérité. Rien n'annonce plus la soiblesse & Pobscurité où languit le Législateur, puisque, s'il jouissoit de ses véritables droits, il n'auroit pas besoin de ces moyens saux & cruels, qui servent de guides à ses Jugemens; puiqu'en un mot la même lumiere, qui l'autoriseroit à juger son semblable, à saire éxecuter ses condamnations, & qui l'instruiroit de la nature des peines qu'il doit infliger, ne le laisseroit pas non plus dans l'erreur sur le genre des crimes, nï sur les noms des coupables & des complices.

Mais ce' qui nous découvre clairement l'im (F4) puissance 18 *jivcugLtmtnt des législateurs.* puissance & l'aveuglement des Législateurs, c'est de voir qu'ils n'infligent des peines capitales, qu'aux crimes qui tombent sur le sensible & sur le temporel; tandis qu'il s'en commet une multitude autour d'eux, qui tombent sur des objets bien plus importans, & qui échappent tous les jours à leur vue. Je parle de ces idées monstrueuses qui font de l'homme un Etre de Matiere; de ces Doctrines corrompues & désespérantes qui lui ôtent jusqu'au sentiment de l'ordre & du bonheur; en un mot, de ces Systêmes insects, qui portant la putrésaction jusques dans son propre germe, l'étouffent ou le rendent absolument pestilentiel, & sont que le Souverain n'a plus à régner que sur de viles machines, ou sur des brigands.

C'est assez s'étendre sur la désectuosité de l'Administration; bornons-nous actuellement à rappeller à ceux qui commandent & à ceux qui jugent, quelles sont les injustices auxquelles ils s'exposent, quand ils agissent dans l'incertitude, & sans être assurés de la légitimité de leut marche.

Le premier de ces inconvéniens est de courir le risque de condamner un inno-

cent. Or les maux qui en résultent sont de nature à ne pouvoir jamais s'évaluer par Phomme, parce qu'ils dépendent en grande partie du tort plus ou moins considérable, que doit en éprouver le condamné-, par rapport aux sruits qu'il auroit pu recueillir recueillir de ses sacultés intellectuelles, s'il fût resté plus long-temps sur la Terre; & par rapport à l'impreslìon décourageante que doit saire sur lui, un supplice insamant, cruel & inattendu; comment le Juge pourroit-il donc jamais estimer l'étendue de ces maux, s'il n'acquéroit un jour le sentiment amer de ses imprudences & de ses écarts; Et cependant, comment pourroit-il satissaire à la Justice, s'il n'en subissoit rigoureusement l'expiation.?

Le second inconvénient est celui d'insliger à un coupable, une autre peine que celle qui étoit applicable à son crime. Dans ce cas, voici la chaîne des maux que le Juge imprudent prépare, soit à sa victime, soit à lui-même.

Premièrement, le supplice auquel il la condamne, ne la dispense en rien de celui,que la vraie Justice lui a assigné. Bien plus, il ne sait que le rendre plus assuré, puisque, sans cette condamnation précipitée, peut-être la vraie Justice eût elle laissé au coupable le temps d'expier sa saute par des remords, & que toute rigoureuse qu'elle est, elle eût réduit son tribut à des repentirs.

Secondement, îi le Jugement léger & aveugle de l'homme, ôte le temps du repentir au criminel, l';ittrocité de l'exécution lui en ôte la sorce, & l'expose à perdre dans le désespoir une vie précieuse, dont un usage plus juste & un sacrifice 9© *Des faux Jugemens.* crifice sait à temps, auroicnt pu effacer tons íef crimes; de saçon que c'est lui saire encourir deux peines pour une, & dont la premiere, loin de rien expier, peut au contraire lui saire multiplier ses iniquités, & rendre par là la seconde peine plus inévitable.

Lors donc que le Juge voudra se considérer de prás, il ne pourra se disp. snser de s'imputef la premiere de ces peines qui ne differe d'un assassinat que par la sorme ; ensuite il sera obligé de s'impiiter aussi toutes les conséquences sunestes, que nous venons de voir naître

de sa témérité & de son injustice. Qu'il réfléchisse alors fur sa situation, & qu'il voie s'il doit être en paix avec lui-même.

Quittons ces scenes d'horreur, & employons plutôt tous nos efforts à rappeller les Souverains & les Juges, à la connoissance de leur véritable Loi, & à la consiance dans cette lumiere destinée à être le flambeau de l'homme; persuadonsleur que s'ils étoient pur, ils seroient plus trembler les malsaiteurs, par leur présence & par leur nom, que par les gibets & les échaffauds; persuadons-leur que ce seroit le seul & unique moyen de dissiper tous ces nuages que nous avons apperçus sur l'origine de leur Souveraineté, sur les causes de l'Association des Etats politiques, & sur les Loix de l'Administration civile & criminelle de leurs Gouvernemens; engageons-le gageons-les ensin à jetter sans cesse les yeux sur le Principe que nous leur avons offert comme la seule boussole de leur conduite, & la seul© mesure de tous leurs pouvoirs.

POUR augmenter, l'idée que les Souverains en doivent prendre, montronsleur à présent, que ce même Principe dont ils devroient attendre tant de secours, pourroit aussi leur communiquer ce don puissant que j'ai placé précédemment au nombre de leurs privileges, celui de guérir les maladies.

Si cette Cause universelle temporelle, préposée pour diriger l'homme & tous les Etres qui habitent dans le temps, est à la sois active & intelligente, il est certain qu'il n'y a aucune partie des sciences & des connoissances qu'elle n'embrasse; cela suffit pour saire voir ce que devroit en espérer celui qui seroit dirigé par elle.

Ainsi ce n'est point être dans l'erreur de dire ju'un Souverain qui auroit cette lumiere pour guide, connoîtroit les vrais Principes des Corps, ou ces trois Elémens sondamentaux, dont nous avons traité au commencement de cet Ouvrage; qu'il distingueroit dans quelle proportion leur action se maniseste dans les différens Corps, selon l'âge, le sexe, le climat, & autres considérations naturelles; qu'il concevroit la propriété particuliere de chacun de ces Elémens ainsi

, que *De la Guerison des Maladie si* que le rapport qui doit toujours régner entr'eux; & que quand ce rapport seroit dérangé ou détruit, quand les Principes élémentaires tendrqient, ì se surmonter les uns & les autres, ou à se séparer, il verroit promptement & sans erreur, îe moyen de rétablir l'ordre.'

C'est pour cela, que la Médecine se doit réduire à cette regle simple, unique, & par conséquent universelle: *rassembler ce qui est divisé, 6 diviser ce qui est rassemblé.* Mais à quels désordres & à quelles prosanations cette regle puisée dans la nature même des choses, n'est-elle pas exposée en passant pár la main des hommes; puisque le moindre degré de différence dans les moyens qu'ils emploient, & dans l'action des remedes, produit des effets si contraires à ceux qu'ils devroient en attendre; puisque le mélange de ces Principes sondamentaux, qui sont réduits au nombre de trois, change cependant-, & se multiplie de tant de manieres, que des yeux ordinaires ne pourroient jamais en suivre toutes les variétés; & puisque, dans ces sortes de combinaisons, le même Principe parvient souvent à avoir des propriétés différentes, selon Tespece de réaction qu'il éprouve.

Car tout en reconnoissant un seu universellement répandu, comme les deux autres Elémens, cependant on sait que le seu intérieur crée, que le seu supérieur ' féconde, & que le seu inférieur consume consume. On en peut dire autant des sels, l'intérieur excite la sermentation, le supérieur conserve & l'inférieur ronge. Le mercure même, quoique la propriété générale soit d'occuper un rang intermédiaire entre les deux Principes ennemis dont je viens de parler, & par ce moyen d'établir la paix entr'eux; cependant ce mercure, dis-je, les rassemble dans mille circonstances, & les rensermant dans le même cercle, il devient ainsi la source des plus grands désordres élémentaires, & offre en même temps l'image du *désordre universel.*

Quels soins, quelles précautions ne saut-il donc par pour démêler la nature & les effets de ces différens principes, qui par leur mélange, îê diversifient encore plus que par leurs propriétés naturelles? Mais malgré cette multitude insinie de différences qui peuvent s'observer dans les révolutions des Etres corporels, un œil éclairé, tel que doit être celui d'un Souverain, ne perdra jamais sa regle de vue; il ramenera toujours ces différences à trois especes, en raison des trois principes sondamentaux d'où elles émanent, & par conséquent, il ne reconnoîtra que trois maladies; & même il saura que ces trois maladies doivent avoir des signes auíïï marqués & aussi distincts, que les trois principes sondamentaux le sont eux-mêmes dans leur action & dans leur propriété primitive.

Ce 94 *Maladies de la Peau.*

Ces trois especes de maladies concernent chacune, une des substances principales dont le corps animal est composé; c'est-à-dire, le sang , l'os & la chair, trois parties qui sont relatives à l'un des trois Elémens dont elles proviennent. Ce sera donc par les mêmes Elémens qu'elles pourront recevoir leur guérison: ainsi, la chair se guérira par le sel, le sang par le sousre, & les os par le mercure; le tout avec les *préparations* & les *tempe'ramcns* convenables.

On sait, par exemple, que les Maladies de la chair & de la peau, proviennent de l'épaismTement & de la corruption des sécrétions saJines dans les vaisseaux capillaires, où elles peuvent être fixées par la trop vive & trop subite action de l'air, de même que par la trop soible action du sang. U est donc naturel d'opposer à ces liqueurs stagnantes & corrompues, un sel qui les divise sans répercuter; qui les corrode & les ronge dans leur soyer, sans les saire rentrer dans la masse du sang, auquel elles communiqueraient leur propre putrésaction. Mais quoique ce sel soit le plus commun de ceux que produit la Nature, il saut convenir cependant qu'il est encore, pour ainsi dire, inconnu à la Médecine humaine, ce qui sait qu'elle est si peu avancée dans la guérison de ces sortes de maladies.

Secondement, dans la maladie de os, le mercure doit être employé avec beaucoup de modé ration, parce qu'il lie & resserre trop les deux autres principes qui soutiennent la vie de tons les corps, & c'est par les entraves qu'il donne principalement au sousre, qu'il est le destructeur de toute végétation, tant terrestre qu'animale. La prudence exigeroit donc souvent, que l'on laissât simplement agir le mercure inné dans le corps de l'homme, parce que l'action de ce mereure se conciliant avec celle du sang, ne croît pas plus qu'elle, & la contient assez pour qu'elle ne s'affoiblisse & ne s'évapore pas, mais non assez pour l'étouffer & pour l'éteindre. Aussi la Nature nous donnet-elle à ce sujet la leçon la plus claire & la plus linstructive, en réparant les sractures des os par sa propre vertu, & sans le secours d'aucun mercure étranger.

Quant aux maladies du sang, le sousre doit s'y employer avec insiniment plus de ménagement encore, parce que les corps étant beauccup plus volatils que fixes, augmenter leur action sulfureuse & ignée, ce seroit les exposer à se volatiliser encore plus; l'homme vraiment instruit n'appliqueroit donc jamais ce remede qu'avec la plus grande sobriété, d'autant qu'il sauroit que quand l'humide radical est altéré, l'humide grosfier ne peut jamais seul le réparer; &.c'est pour cela qu'il y joindroit l'humide radical même, en allant le puiser dans la source, qui n'est pat toute entiere dans la moelle des os.

y 6 De la Pharmacie.

Et, soie dit en passant, c'ell-là la raison de la sréquente insuffisance & du danger de la Pharmacie, qui recherchant avec tant d'empreîlèment les principes volatils des corps médicinaux, néglige trop l'usage des principes fixes, dont le besoin est tellement universel, qu'il sefoit exclusis, fi l'homme étoit sage. Auffi, qui ne sait que cette Pharmacie détruit plutôt qu'elle ne conserve; qu'elle agite & brûle au lieu de ranimer, & que quand au contraire elle se propose de calmer, elle ne sait y procéder que par des absorbans & par des poisons?

On voit donc à quoi se borneroit la Médecine entre les mains d'un homme qui se seroit rétabli dans les droits de son-origine; il donnerait lui-même une activité salutaire à tous les remedes, &

Des erreurs et de la vérité, ou, Les hommes rappellés au principe universel de la science (1) • Louis Claude de Saint-Martin

• 77

rendroit par-là les guérisons insaillibles quand toutesois la Cause active, dont il seroit l'organe, n'auroit pas l'ordre d'en disposer autrement.

Il ' se seroit bien gardé d'employer dans cette digne & utile Science, les calculs matériels de la Mathématique humaine, qui n'opérant jamais que sur des résultats, sont nuls ou dangereux dans la Médecine, dont l'objet est d'opérer sur les principes rnêmes qui agissent dans les corps.

Par cette même raison, il ne se fût pas attaché à des sormules,' qui dans l'art de guérir sont la même chose que les Codes criminels dans l'Adminis tration tration des Etats; puisque de toutes maladies, n'y en ayant jamais deux qui présentent absolument les mêmes nuances, i est impossible que le rnême remede ne nuise à l'une ou à l'autre.

Mais comme en qualité de *Souverain,* cet homme auroit connu les vertus des Etres corpo-, tels, il en auroit aussi connu le dérangement) & dès-lors il eût été à l'abri de l'erreur sur lmplication du remede: or, qu'on n'oublie pas que pour en venir là-, l'homme ne doit pas prendre la Matiere pour le Principe de la Matiere , car nous avons vu que cette erreur étoit la principale caule de son ignorance.,

Qu'on ne croie pas non plus que ce pouvoir inestimable soit hors de la portée de l'homme j il entre au contraire, au nombre des Loix qui lui sont données - , relativement à la tâche qu'il a à remplir pendant son passage sur la terre, puisque fi c'est par son enveloppe corporelle, que se dirigent sur lui les attaques, il saut qu'il ne soit pas entièrement privé des moyens de les sentir & de les repousser; ainsi, dès que l'usage de ce privilege peut être commun à tous les hommes à plu sorte raison devroit-il être particuliérement le propre des Souverains, dont la véritable destination est » autant qu'ils le peuvent, de préserver leurs Sujets, des maux de toute espece, & de les désendre dáns le sensible, comme dans l'intelieduel.

II. Partie: (G) Alors j3 *Des Privileges des Souverains;*
Alors donc, si ce privilege ne leur est pas píu3 connu que tous leurs autres droits, c'est une raison de plus pour eux de sentir, s'ils ont été mis à la tête des hommes par le Principe dont je leur ai montré la ptlîssance, & qui est absolument nécessaire pour la régularité de toutes leurs démarches C'est, dis-je, un moyen de plus que je leur offre pour se juger eux-mêmes.

Qu'ils joignent donc les observations que je viens de saire sur l'art de guérir, à toutes celles que j'ai saites avec eux sur les vices de l'administration politique, civile & criminelle des Etats sur les vices des Gouvernemens mêmes, qui nous ont dévoilé ceux de leur Association; ainsi que sur la source où les chefs doivent puiser leurs différens droits; ensuite qu'ils décident s'ils reconnoissent en eux les traces de cette lumiere qui est censée les avoir constitués tous, & ne les pas quitter un instant; car ce n'est que par-là qu'ils pourront être assurés de la légitimité de leur puissance, & de la justesse des institutions auxquelles ils président.

Néanmoins, répétons en cè moment avec autant de sermeté que de sranchise, qu'un Sujet qui apperçoit toutes ces défectuofités dans un État, & qui voyant les Souverains eux-mêmes si sort au dessous de ce qu'ils devroient être, fé croiroit délié du moindre de ses devoirs envers eux, & de la soumission à leurs décrets, dès-lors s'écarteroir fc'écarteroit fenfiblement de fa Loi, & marcheïoit directement contre tous les principes que nous établifîbns.

Que tout homme fe perfuade au contraire, que la Juftice ne lui imputera jamais que fes propres fautes; qu'ainfi, un Sujet ne feroit qu'augmenter les défordres, en prétendant s'y oppofer & les combattre, puifque ce feroit marcher par la volonté de l'homme, & que la volonté de l'homme ne mene qu'au crime.

Je croirai donc que malgré toutes les applications que les Souverains pourroient fe faire à euxmêmes de tout ce que je trace à leurs yeux, ils ne devront jamais m'imputer d'avoir établi des principes contraires à leur autorité, tandis que mon feul defir feroit de les përfuader qu'ils en peuvent avoir une invincible & inébranlable.

four fuivre l'enchaînement de nos Obfervations, nous allons pafler à l'examen des erreurs qui ont été faites fur les hautes Sciences, parce que les Principes de ces Sciences tenant à la même fource que les Loix Politiques & Religieufes, leur connoiffance doit également entrer au nombre des droits de l'homme. too *Des Principes Mathématiques. 6.* jf'EXAMINERAI principalement ici la Science Mathématique, comme étant celle à laquelle toutes les hautes Sciences sont liées, & comme tenant le premier rang parmi les objets du raisonnement ou de la saculté intellectuelle de l'homme; & d'abord, pour rassurer ceux que le nom de Mathématiques pourroit arrêter, je leï préviendrai que non seulement il n'est pas né-. cessaire d'être avancé dans cette Science, pour me suivre dans les observations dont elle sera le sujet, mais même qu'à peine est-il besoin pour cela, d'en avoir les plus légeres notions, & que la maniere dont j'en traite, peut convenir à tous. les Lecteurs.

Cette science nous offrira sáns doute, des preu ves encore plus srappantes des Principes qui ont été avancés précédemment, de même que des erreurs auxquelles elle a donné lieu, lorsque les hommes se sont livrés en aveugles aux jugemens de leï'.rs sens.

Et ceci doit paroître naturel, parce que leî Principes mathématiques, sans être matériels, étant cependant la vraie Loi du sensible, les Géometres sont à la vérité toujoars les maîtres d» de raisonner de la nature de ces Principes à leur maniere; mais, quand ils viennent à Implication des idées qu'ils s'en sont sormées, il saut nécessairement qu'ils avouent leurs méprises, parce qu'alors ce n'eîl plus eux qui menent le Principe, mais c'est le Principe qui les mene; ainsi rien ne sera plus propre à saire discerner le vrai d'avec le feux, qu'un examen exact de la marche qu'ils onC suivie, & des conséquences qui en réíülteroient si nous l'adoptions»

Je commencerai par saire observer que rien; n'est démontré en Mathématique, s'il n'est ramené à un axiome, parce qu'il n'y a que cela de vrai; je prierai en même temps de remarquer pour quelle raison les axiomes sont vrais; c'est qu'ils sont indépcndans du sensible ou de la Matiere, & qu'ils sont purement intellectuels; ce qui peut déja consirmer tout ce que j'ai die sur la route qu'il saut prendre pour arriver à la Vérité, & en, mëme temps rassurer les Observateurs sur ce qui nest pas soumis à leur vue corporelle.

U est donc clair que fi les Géometres n'eussent pas pecdu de vue les axiomes, ils ne se seroient jamais égarés dans leurs raisonnemens., puisque les. axiomes sont attachés à l'Essence méme des Principes intellectuels, & pac-là reposent sur k certi-tude la plus évidente.

La production corporelle & sensible, qut s 'est faite, d'agrès, ces. Loix, intel-lectuelles est-sans.

CG £ doutft: joi *Des Axiomes* doute parsaitement réguliere, prise dans sa claîfè, en ce qu'elle est exactement consorme à Tordre de ce Principe intel-lectuel, ou aux axiomes qui en dirigent par-tout l'existence & l'exécution. Ce-pendant, comme la persection de cette produc-? tion corpor:!le n'est que dé-pendante, ou relative au Priacipe qui l'a engendrée, ce n'est pas dans, cette pro-duction que peut en résider la regle & la source.

Ce ne seroit donc qu'en comparant continuel-i lement cette production sen-sible avec les axiomes ,, ou avec les Loix du Principe intellectuel, que l'on pourroit juger de sa régularité, ce ne se-roit, dis-je, que par ce moyen qu'on par-viendroit à en démontrer la justesse.

Mais, fi cette regle est la seule vraie, fi en même temps elle est purement in-tellectuelle, comment les hommes peuvent-ils donc espérer d'y suppléer par une regle prise dans le sensi- bie Comment peuvent-ils se flatter de rem-placer un Etre vrai, par un Etre conven-tionnel & supposé?

Comment douter cependant que ce. ne soit là ou tendent tous les efforts des Géometres, puisque nous verrons qu'après avoir établi les axiomes, qui sont les sondemens de toutes les Vérités qu'ils veulent nous apprendre, ils ne nous proposent pour nous enseigner à évaluer l'étendue, qu'une mesure crise dajs cettç méjne. étendue ra des

nombres arbitraires qui ont toujours be-soin eux-mêmes d'une mesure sensible poux se réaliser à nos yeux corporels?

Alors doit-on s'en tenir à une telle démonstration, & regarder de pareilles preuves comme évidentes? Puisque la mesure réside toujours dans le Principe où la production sensible a pris naiss-sance, cette production sensible & pas-sive peut-elle se servir à elle-même de mesure & de preuve *ì* Et y a-t-ii d'autrcs Etres que ceux qui ne sont pas créés, où les Etres viajs, qui puissent se prouver, par euxmêmes?

Loin de contester l'évidence des Principes intellectuels mathématiques ou des axiomes, nous devons déja re-connoître la soible idée que les G.io-metres en ont prisé, & le peu d'usage qu'ils en ont sait pour parvenir à la science de l'étendue & des autres pro-priétés de la Matiere. nous devons dire que s'ils ne connoissent rien sur cet ob-jet, c'est pour être tombés dans la même méprise que les Observateurs ont faite sur tous les autres-sujets que j'ai passes en revue; c'est-à-dire, qu'ils ont séparé l'étendue de son vrai Principe, ou plutôt qu'ils ont cherché ce Principe en elle, qu'ils Pont consondo. avec elle, & qu'ils n'ont pas vu que c'étoient deux, choses distinctes, quoi-qu'indispensablemene rassemblées pour constituer l'existence de Iiv Ma-tière.,

CG Pour: le *De ¥ Etendue.*

Pour rendre ceci encore plus pal-pable, il eft à propos de» fixer nos idées fur la nature de l'éten- due. L'étendue eft, ainfi que toutes les autres prr priétés des corps, une production du Principe générateur de la Matiere, felon les Loix & l'ordre qui font prefcrits à ce Principe inférieur par le Principe Supérieur qui le dirige. Dans ce fens, l'étendue n'étant plus qu'une production fecondaire, ne peut avoir les mêmes avantages que les Etres compris dans la clafle des produc-tions pre-? mieres; ceux-ci ont en eux-mêmes leurs Loix fixes; tontes leurs propriétés font invariables, parce qu'elles font unies, à leur Eflence; c'eft-là en un mot ou le poids, le nombre & la mefure font tellement réglés,, qu'ils ne peuvent pas plus être altérés. que l'Etre

même ne peut être détruit.

Mais, quant aux propriétés des Corps, ou des Etres fecondaires, nous avons vu aflèz amplement qu'il n'en devoit pas être ainfi, puifque n'ayant absolument pour nos fens aucune propriété fixe ils ne fauroienr jamais avoir de valeur à nos yeux, que par çomparaifon avec les Etres de leur même clafle.

-Si cela eft, l'étendue des Corps n'eft donc pas determinée pour nous avec plus de certitude, que leurs autres pro-priétés. Lors donc que pour nous faire connoître la valeur de cette étendue, on lefervir-a d'une mefore qui fera prife dans cette fiêmç étendue, (jette mefure que l'on emploiera sera sujette au même inconvénient que l'objet que l'on vou-dra mesurer, c'est-à-dire, que son éten-due ne sera pas plus sûrement détermi-née; de saçon qu'il nous saudra encore chercher la mesure de cette mesure; car quelques moyens que nous voulions emr 'oyer, nous verrons clairement que ce ne sera jamais dans cette étendue où nous découvrirons sa vraie mesure, & par conséquent, qu'il saudra toujours re-courir au Principe qui a engendré l'étendue, & toutes les propriétés de la Matiere,

C'est donc-là ce qu démontre com-plétement l'insuffisance de la marche des Géometres, lorsqu'ils prétendent fixer la vraie mesure des Etres corpo-rels. Il est vrai, & j'en suis convenu, qu'ils attachent des nombres à cette me-sure étendue *Sc* sensible à laquelle ils ont recoursMais non seulement les nombres dont ils sc servent ne sont eux-mêmes que relatiss & convenventionn-nels, non-seulement l'homme est libre d'en varier les rapports & de s'établir telle échelle qu'il jugera à propos, mais encore cette échelle, quelqu'utile qu'elle soit pour mesurer en général toutes les étendues d'une espece, ne conviendra point du tout pour mesurer les étendues d'une autre espece, & les hommes sont encore à trouver une base fixe, invariable & universelle, à laquelle puissent se rapporter tontes les especes d'étendues quelconques.

toi *Nature de la Circonference.*

Voila d'où vitnt l'embarras que les Géo-metres éprouvent lorsquils veulent me-

Des erreurs et de la vérité, ou, Les hommes rappellés au principe universel de la science (1) • Louis Claude de Saint-Martin

• 79

surer des courbes, parce que la mesure dont ils se servent ayant été saite pour la ligne droite, ne s'accommode qu'à cette sorte de ligne, & offre des difficultés insurmontables, quand on veut l'appliqner à la ligne circulaire, ainsi qu'à tout autre courbe qui en dérive.

Je dis que cette mesure offre alors des difficultés insurmontables; car, quoique les Géometres aient tranché le nœud, en nous donnant la ligne circulaire comme un assemblage de lignes droites insiniment petites, ils auroient tort de croire avoir résolu la question parlà, puisque jamais une saussoté n'a pu rien ré soudre.

Or, je ne puis me dispenser de regardee cette, définition comme sausse, puisqu'elle combat directement l'idée qu'eux-mêmes & la Nature nous donnent d'une circonférence, qui n'est autre chose qu'une ligne dont tous les points sont également éloignés d'un centre commun; & je ne sais même comment les Géometres peuvent raisonnablement se reposer sur deux propositions aussi contradictoires; car ensin, si la circonférence n'est qu'un assemblage de lignes droites, quelqu'insiniment petites qu'on. lei suppose, jamais tous les points de cette circonférence ne seront également éloignés du centre ,, puisque ces lignes droites elles-mêmes seront composées de plusieurs points, parmi lesquels ceux des extrémités & ceux intermédiaires ne seront sûrement pas à la même distance da centre; alors le centre ne leur sera plus commun, alors la circonsérence ne sera plus une circonférence.

C'est donc vouloir réunir les contraires, c'est vouloir traiter comme n'ayant que la même nature, deux choses qui sont d'une nature trèsoppofée, c'est, je le répete, vouloir soumettre au même nombre deux sortes d'Etres, qui étant diste'rens l'un de l'autre, doivent sans doute iè calculer différemment.

Il saut donc l'avouer, c'est ici que les hommes nous montrent le plus clairement leur penchant naturel à tout consondre, & à ne voir dans les Etres des classes différentes qu'une unisormit trompeuse, par le moyen de laquelle ils

tâchent d'assimiler les choses qui se répugnent le plus. Car il est impossible de rien concevoir qui soit plus opposé, plus contraire l'un à l'autre, en un mot, plus contradictoire que la ligne droite & la ligne circulaire.

Outre les preuves morales qui se trouvent, soit dans les rapports de la ligne droite avec la régularité & la persection de l'unité; soit dans ceu de la ligne circulaire avec l'impuissânce & la çpnfusion attachées à *h* multiplicité' dont cetts 108 *Des deux sortes de Lignes*. ligne circulaire est l'image, je puis encore *en* donner des raisons d'autant plus convaincantes, qu'elles seront prises dans les Principes intellectuels, les seuls que l'on doive admettre comme réels & saisant Loi dans la recherche de la nature des choses; les seuls dis-je, qui soient inébranlables comme les axiomes.

J'avertirai néanmoins que ces vérités ne seront pas claires pour le commun des hommes, & bien moins encore pour ceux qui n'auront marché jusqu'à ce jour , que d'après les saux principes que je combats; le premier pas qu'il y auroit donc à saire pour me comprendre, ce seroit d'é-. tudier les choses dans leur source même, & non, dans les notions que l'imagination & les jugemens précipités en ont données.

Mais je sais combien peu d'hommes sont capables d'en avoir le courage; & quand je le supposerais pour un grand nombre, je devrois, supposer aussi que peu d'entr'eux parvienf'roient à un plein succès, tant les premieres sources de la Science ont été infectées d'erreur & de poison.

Si j'ai sait pressentir que tout avoit son *nombre:* dans la Nature, fl c'est parlà que tous les Etres quelconques sont aisés à distinguer les uns des autres, puisque toutes leurs propriétés ne sauroient être que des résultats consormes aux Loix rensermées dans leur *nombre;* il est constant que. la ligne droite & la ligne. courl?e étant de nature, différente. différente, ainsi que je l'ai déja indiqué, doivent avoir chacune leur *nombre* particulier, qui désigne leur différente nature, & nous empêche de les égaler dans notre pensée,. en Iles pre-

nant indifféremment l'une pour l'autre.

Quand on ne réfléchirait qu'un instant sur les sonctions & propriétés de ces deux sortes de lignes j cela suffiroit pour qu'en dût se convaincre de la réalité de ce que je viens de dire. Quel est l'objet de la ligne droite, n'est-ce pas de perpétuer à l'insini les productions du point dont elle émane? N'est-ce pas, comme perpendiculaire, de régler la base & l'aîîxette de tous les Etres, & de leur tracer à chacun leurs Loix »

Au contraire , la ligne circulaire ne borne-t-elle pas à tous ses points, les productions de la ligne droite? par conséquent, ne tend-elle pas con'tinuellemeht à la détruire, & ne peut-elle pas être regardée en quelque sorte comme son ennemie? Alors, comment seroit-il donc pòïïble que deux choses si opposées dans leur marche, & qui ont des propriétés si différentes, ne sussent pas distinguées dans leur *nombre* , comme elles le sont dans leur action?

Si l'on eût sait plutôt cette importante observation, on eût épargné des peines fie des travaux insinis à tous ceux qui s'occupent de la Science Mathématique, en ce qu'on les eût efnpéchés de chercher, comme ils le sont, une mesure commune ì i ò *fttombrc de chaque sorte Ae Lignes*. commune à deux sortes de lignes qui n'aurofil jamais rien de commun entre elles.

C'est donc après avoir reconnu cette différence essentielle qui les distingue' dans leur figure dans leur emploi & dans leurs propriétés, que je tie dois pas craindre d'affirmer que leur *nombre* est également différent;

Si l'on me pressoit de m'expîiquer plus clairement, & d'indiquer quel est le *nombre* que j'attribue à chacune de ces lignes en particulier, J'avouerois sans peine que la ligne droite porte le nombre *quatre* , & la ligne circulaire, le nombre *neuf* & j'oserois assurer qu'il n'y à pas d'autre moyert de parvenir à les connoître; car l'étendue plus ou moins grande de ces lignes, ne changera rien au *nombre* que je leur attribue en particulier, & elles conserveront toujours le même *nombre* chacune dans leur classe, quelqu'étendue qu'on veuille leur donner.

Je sais, je le répete, que ceci pouffa bien n'être pas entendu, tant la Matiere a sait de progrès dans l'intelligence de mes semblables. Il est est donc qui, malgré la clarté de ma proposition, pourroient en inférer saussement qu'untí grande & une petite ligne ayant, selon moi, le même *nombre,* doivent par conséquent être égaies.

Mais, pour prévenir ce paradoxe, j'ajouterai qu'une grande, comme une petite ligne, ne sont chacunef Chacune que le résultat de leur Loi & de leur *nombre;* & qu'ainsi, quoique l'une & l'autre aient toujfturs, dans la même classe, la même Loi & le même *nombre*, cecte Loi & ce *nombre* agissent toujours diversement dans chacune d'elles, c'está-dire, avec plus ou moins de sorce, d'activité ou de durée; d'où l'on voit que le résultat qui en proviendra, doit exprimer aux yeux toutes ces différences sensibles, quoique le Principe qui Varie son action, soit lui-même invariable

Ç'est-là, n'en doutons pas, ce qui peut seul expliquer la différence universelle de tous les Etres des deux statures, tant de ceux qui dans l'une ou l'autre occupent des classes différentes que de ceux qui sont de la même classe & de la même espece; c'est-là ce qui peut saire comprendre comment tous les individus d'une mémé» classe sont différens, quoiqu'ils aient la même Loi, la même source & le même *nombre.*

C'est par-là aufll que sont anéantis les nombres conventionnels & arbitraires, que les Géometres emploient dans leurs mesures sensibles; & véritablement les inconvéniens où cette mesure les entraîne, nous en sont Voir clairement les désectuosités. Car, vouloir choisir la mesure de l'étendue, dans l'étendue, c'est s'exposer à être obligé de tronquer cette mesure, ou de la prolonger, lorsque l'étendue sur laquelle on l'a assise vient à recevoir des Variations; & comme ces lii *Du Calcul de tInfini.* ces variations n'arrivent pas toujours juste fous des nombres multiples ou sous-multiples de lá mesure donnée; qu'elles peuvent tomber suides parties de nombres qui ne soient pas des entiers

par rapport au nombre principal, il saut nécessairement que la mesure donnée subisse la même mutilation; il saut ensin admettre ce que les calculateurs appellent des sractions d'unité, comme si jamais un Etre simple, ou une unité pouvoir se diviser.

Si les Mathématiciens se sussent attachés ï cette derniere réflexion ils auroient pris uns plus juste idée d'un savant calcul qu'ils ont inventé: savoir, celui de *Yinfini.* Ils auroient vd qu'ils ne pouvoient jamais trouver ¥ *infiniment grand* dîns la Matiere qui est bornée à *trois* Elémens mais bien dans les *nombres* qui sont les puissances de tout ce qui existe, & qui vraiment n'ont de bornes, ni dans norre pensée ni dans leur essence-Au contraire, ils auroient reconnu qu'ils ne pouvoient trouver le calcul de *infiniment petit* que dans la Matiere , dont la division indéfinie des molécules se Conçoit toujours possible, quoique nos sens ne puissent pas toujours l'opérer; mais ils n'eussent jamais cherché cette sorte d'insini dans les nombres y puisque l'unité étant indivisible, elle est le premier terme des Etres, & n'admet aucun nombre avant elle.

Rien n'est donc moins consorme au Principe Vrai, que cette mesure conventionnelle que l'homrne s'est établie dans des procédés géométriques, &, par conséquent, rien n'est moins propre à l'avancer dans les connoissances qui lui sont absolument nécessaires.

Le secours d'une telle mesure est, je le sais 4 (de la plus grande utilité dans les détails matériels (du commerce de là vie sociale & corporelle de i'homme; aussi je ne prétends pas qu'il soit blâmable de l'appliquer à cet emploi j tout ce que je lui demanderois, ce seroit de ne pas avoir l'imprudence de la porter jusques dans ses recherches sur les Vérités naturelles, parce que dans ce genre, elle ne peut que le tromper; que les erreurs même les plus simples, sont ici de la plus importante conséquence & que toutes les Vérités étant liées j il n'y en a pas une qui puisse recevoir la moindre atteinte sans la communiquer à toutes les autres.

Les nombres *quatrë* & *neuf j* que j'anhohcë Comme appartenant essen-

tiellement, l'un à la ligne droite & l'autre à la ligne courbe, n'ont pas l'inconvénient qu'on vient de remarquer dáns la méthode arbitraire $ puisque ces nombres restent toujours intacts, quoique leur saculté s'étende òu se resserre dans toutes les variations dont l'étendue est susceptible; aussi, dans la réalité des choses, n'y a-t-il jamais de fraction dans uti *II Partie,* (H) Etiè I m. *Des Mesures conventionnelles.* Être, & si nous nous rappelions ce qui a été die précédemment sur la nature des Principes des Etres corporels, nous verrons que puisqu'ils sont indivisibles en qualité d'Etres simples, les nombres qui ne sont que les représenter & les rendre sensibles, doivent jouir de la même propriété.

Mais, je le répete encore, tout ceci est hors du sensible & de la Matiere, ainsi je ne me flatte pas qu'un grand nombre m'entende. C'est pour cela que je m'attends qu'on reviendra encore à la charge, & qu'on me demandera comment il sera possible d'évaluer les différentes étendues du même ordre, fi je donne sans exception à toutes les lignes droites, le nombre *quatre,* & à toutes les lignes circulaires & courbes, le nombre *neuf.* On me demandera, dis-je, à quel signe on pourra connoître fixement les différentes manieres dont le même nombre agit sur des étendues inégales, & comment il saudra s'y prendre pour déterminer avec justesse une étendue quelconque.

Il m'est inutile de chercher une autre réponse que celle que j'ai déja saite sur cet objet. Je dirai donc que si celui qui me sait cette question, n'a en vue de connoître l'étendue que pour son propre usage corporel, & pour ses besoins ou ses goûts sensibles, comme il n'y a rien en ce genre qui ne soit relatis, les mesures conventionnelles & relatives sont suffisantes; parce que, par le seul secours des sens, on peut porter la régularité jusqu'au jusqu'au point de rendre Terreur inappréciable aux sens.

Mais, s'il s'agit de connoître plus que cettô valeur relative & d'approximation, si l'on demande à trouver la valeur fixe & réelle de revendue; comme cette valeur est en raison de faction de son *nombre,* & que le *nombre* n'est pas Matiere, il est aisé de voir si c'est daiïs l'étendue matérielle, qu'on peut trouver la regle que l'on defire, & si nous avons eu tort de dire que la vraie mesure de l'étendue ne sauroit être connue par les sens corporels: alors, si ce n'est point dans les sens corporels que cette mesure se peut trouver, il ne saudra pas réfléchir long-temps pour juger où elle doit être, puisque nous n'avons cessé de représenter qu'il n'yavoit dans tout ce qui existe, que du sensible & de l'intellectuel

Nous Voyons donc dès-lors ce quti les Géometres ont à nous apprendre, & quelles sont les erreurs dont ils bercent notre intelligence, en ne lui offrant que des mesures prises dans le sensible, & par conséquent relatives, pendant qu'elle xonçoit qu'il y en a de vraies, & qu'elle est saite pour les connoîtrei

Nous voyons en même temps reparoltre ici cette Vérité universelle qui sait l'objet de cet Ouvrage, savoir, que c'est dans le Principê seul des choses qu'il est possible d'en évaluer juste les (Hz) prdpriétós *ttS De la vraie Mejurt.* propriétés, & que quelque difficulté qu'il y ait a savoir y lire, il est incontestable que ce Principe réglant tout, mesurant tout, dès qu'on l'éloigne » on ne trouvera rien.

Je dois ajouter néanmoins, que quoiqu'il soit possible par Je secours de ce Principe, de parvenir à juger sûrement de la mesure de l'étendue, puisque c'est lui-même qui la dirige, ce seroit une vraie prosanation de l'employer à des combinaisons matérielles, car il peut nous saire découvrir des Vérités plus importantes que celles qui n'auroient de rapport qu'à la Matiere; & les sens, comme nous l'avons dit, sont sumsans pour diriger l'homme dans les choses sensibles. Nous voyons même que les Etres au-dessous de l'hom» me, n'ont pas d'autre Loi, & que leurs sens suffisent à leurs besoins; ainsi » pour cet objet pure- ment relatis, la Mathématique vraie & juste, en un mot *y* la Mathématique intellectuelle seroit non-» seulement superflue, mais même elle ne seroit pas comprise.

Quelle plus grande inconséquence n'est-ce donc' pas de vouloir assujettir & subordonner cette Mathématique invariable & lumineuse à celle des sens, qui est si bornée & si obscure; de vouloir que celle-cí tienne lieu de l'autre; ensin, de vouloir que ce soit le sensible qui serve de regle & de guide à l'intellectuel?

Nous ne saisons-là cependant que montrer de nouveau *t ,* I nouveau 'inconvénient auquel les Géometres se íbnt exposes; car, en cherchant à l'etendue une mesure sensible, & nous la donnant comme réelle, ils n'ont pas vu qu'elle étoit variable comme l'etendue même, & que loin de diriger la Matiere, elle étoit elle-même dans la dépendance de cette Matiere, puisqu'elle en suivoït nécessairement le cours & tous les résultats de relation.

Alors, dès que les nombres *quatre* & *neuf,* que j'ai avoué être la mesure des deux sortes de lignes possibles, sont entiérement à couvert de cette sujétion, je ne dois pas craindre d'errer en leur donnant toute ma consiance, & en les annonçant, ainsi que je l'ai sait, comme la vraie mesure, chacun dans leur classe.

J'avouerai qu'il m'est dur de ne pouvoir exposer ces Vérités, sans sentir combien elles sont humiliantes pour les Géometres, puisque, par les efforts qu'ils sont journellement pour consondre ces deux mesures, ils nous obligent à dire que même les plus célèbres d'entr'eux ne savent pas. encore la différence d'une ligne droite à une ligne courbe, ainsi qu'on le verra ci-après plus env détail.

Mais l'erreur que l'on vient d'appercevoir n'est pas la seule qu'ils aient saite sur l'étendue: non-feulement c'est dans elle qu'ils ont cherché, mesure, comme nous l'avons sait observer 11S *Du Mouvement.* mais méme ils y ont encore cherché la source *dxx* mouvement. N'osant jamais s'élever au-dessus de cette ténébreuse matiere qui les environne, ils ont cru pouvoir fixer un espace & une borne au principe de ce mouvement, de saçon que selon ce système, il n'est plus possible, hors de cette borne, de rien concevoir d'actis & qui so meuve.

S'ils ne se sont pas sait encore une idée plus juste du mouvement, n'est-ce pas toujours par la même méprise qui leur sait consondre les choses les plus distinctes, n'est-ce pas parce qu'ils ne cherchent que dans l'étendue, au lieu, de cher-r cher dans son Principe J

Car cette étendue n'ayant que des propriétés, relatives, ou des abstractions, il lui est impostl ble de rien offrir de fixe & d'assez stable pour que l'intelligence de l'honime s'y repose d'une n»TM riere satissaisante; & vouloir trouver dans elle la source de son mouvement, c'est répéter toutes ces tentatives insuffisantes qui ont été déja renverfées, & vouloir, soumettre le Principe à sa production, pendant que selon l'ordre naturel & vrai des choses, l'œuvre sut toujours au-dessous de sou Principe générateur.

C'est doue dans le Principe immatériel de tous les Etres, soit intellectuels, soit corporels, que réside essentiellement la source du mouve-r luent qui tcQiiyç en chacun d'eux. C'est par

Vaction, l'action de ce Principe, que se manisestent toutes leurs sacultés, selon leur rang & leur emploi personnel, c'est-à-dire, intellectuelles dans Tordre intellectuel, & sensibles dans l'ordre sen-r sible.

Or, fi la seule action du Principe des Etres corporels est le mouvement, si c'est par-là seul qu'ils croissent, qu'ils se nourrissent, ensin, qu'ils manisestent & rendent sensibles & apparentes toutes leurs propriétés, & par conséquent Petendue même, comment peut-on donc saire dépendre ce mouvement de l'étendue ou de 'la Matiere, puisqu'au contraire c'est l'étendue ou la Matiere qui vient de lui? Comment peuton dire que ce mouvement appartienne essentiellement à la Matiere, pendant que c'est la Matiere qui appartient essentiellement au mouvement?

Il est incontestable que la Matiere n'existe que par le mouvement; car nous voyons que quand les corps sont privés de celui qui leur est accordé pour un temps, ils se dissolvent & disparaissent insensiblement. Il est tout aussi certain, par cette même observation, que le mouvement qui donne la vie aux corps, ne leur appartient point en propre, puisque nous le voyons cesser dans eux, avant qu'ils aient cessé d'être sensibles à nos yeux; de même que nous »e pouvons douter qu'ils ne soient absplumentj.

(H 4) dans, no *Du Mouvement.* dans sa dépendance, puisque la cessation de ce mouvement est le premier acte de leur des-. fruction.

D'ailleurs, rappelions-nous cette Loi de réaction universelle à laquelle tous les Etres corporels; sont assujettis, & reconnoissons que fi les Principes immatériels des Etres corporels sont eux-mêmes soumis à la réaction d'un autre Principe, à plus forte raison les résultats sensibles de ces Principes, tels que l'étendue & autres, doivent nécessairement éprouver cette su-, jétion.

Concluons, donc, que fi tout disparolt à mesure que le mouvement se retire, il est évident que l'étendue n'existe que par le mouvement, ce qui est bien diffèrent de dire que e mouvement est à l'étendue & dans l'étendue.

Cependant, de cette assertion que c'est le moui vement qui sait l'étendue-, on pourroit inférer que fe mouvement étant de l'Essence des Principes immatériels, que nous devons reconnoître à présent comme indestructibles, il est impossible que ce mouvement n'existe pas toujours, & par conséquent, que l'étendue ou la Matiere ne soit éternelle; ce qui nous replongerojt dans ces précipites ténébreux, dont j'ai pris tant da soin de préserver mes Lecteurs; car, je le sais, on pourroit m'objecter qu'on ne peut pas concevoir de mouve-, jnent sans étendue»

Çettft Cette derniere proposition est vraie dans l'or-w dre sensible, où l'on ne peut concevoir de mou- vement qui ne produise l'étendue, ou qui ne se saste dans l'étendue; mais, quoique les Principes qui ensantent le mouvement dans l'orc're sensible, soient immatériels, ce seroit être dans l'en, reur que d'admettre leur action comme nécessaire & comme éternelle, puisque nous avons vu qu'ils, n'étoient que des Etres secondaires, n'ayant qu'une action particuliere & non pas insinie, & qu'ils étoient absolument dans la dépendance d'une Cause active & intelligente, qui leur communique cette action pour un

temps, comme elle la leur retire, selon l'ordre & la Loi de la Cause premiere.

Bien plus, c'est dans cet ordre sensible même, où nous pouvons trouver des preuves d'un mouvement sans étendue; quoique dans cette région sensible, il se sasse toujours dans l'étendue. Pour cet effet, remarquons qu'en raison de cette double Loi universelle qui régit la Nature corporelle, il se trouve deux sortes de mouvemens dans tous les Corps.

Premiérement, celui de leur croissance, où. Faction même qui maniseste & soutient leur Existence sensible.

En second lieu, celui de leur tendance vers la Terre, qui est leur centre commun; tendance Çuj se sait connoktre tant dans la chute des

Corps, tu *Des deux sortes de Mouvement.* Corps que dans la pression que leur propre pesanteur sait sur eux-mêmes, ou sur la sursace terrestre.

Ces deux mouvemens sont directement opposés l'un à l'autre. Aussi le second de ces mouvemens, ou la tendance des Corps vers leur Centre terrestre, quoiqu'il ne puisse se saire que dans l'étendue, ne produit cependant pas d'étendue, comme le premier mouvement, ou celui de la croissance & de l'existence de ces mêmes Corps.

Au contraire, l'un tend à détruire ce que l'autre produit; puisque, fi les Etres corporels pouvoient se réunir à leur *Centre,* ils seroient dèslors sans action, sans manisestation sensible, en un mot sans mouvement, &-par conséquent sans étendue; puisqu'il est certain que tous ces effets, n'ont lieu que parce que les Etres qui les produisent sont séparés de leur *Centre.*

Or fi, de ces deux mouvemens, dont l'un produit l'étendue, comme nous l'avons dit, il y en a un qui la détruit, celui-là au moins ne devra pas se regarder comme apparrenant à l'étendue, quoiqu'il n'ait lieu que dans l'étendue; ce seroit donc là où l'on apprendroit à résoudre cette objection, qu'on ne peut concevoir de mouvement sans étendue, & à ne plus croire généralement que le mouvement soit de l'Es. sence de toutes les classes d'Etres immatériels v.-puisquft. puisque ceux de la classe sensible

n'en sont dépositaires que pour un temps.

Fortifions encore cette *vérité,.* qu'il peut y avoir du mouvement sans étendue. N'avonsnous pas admis qu'il ne sauroit y avoir que des Etres sensibles & des Etres intellectuels; si c'est la classe de ces derniers qui régit l'autre, & qui lui sait donner ce mouvement producteur des choses sensibles, c'est elle qui par Essence doit être la véritable source du mouvement; comme telle, elle est d'un autre ordre que la classe des Principes immatériels corporels qui lui sont subordonnés; il doit donc y avoir dans cette classe, une action & des résultats qui soient comme elle, distincts & indépendans du sensible, c'est-à-dire, dans lesquels le sensible ne soit pour rîen.

Ainsi, puisque le sensible n'est pour rien dans toutes les actions qui appartiennent à la Cause premiere, & dans tous les résultats immatériels qui en proviennent; s'il ne sait qu'en recevoir la vie passive qui le soutient pendant la durée du temps; si ensin tous les effets sensibles, pendant le temps actuel de leur existence même, sont absolument sans aucune influence sur la classe purement intellectuelle, à plus sorte raison cette classe a-t-elle pu agir avant l'existence des choses sensibles, & peut agir après leur disparition, puisque le moment où ees choses sensibles

H4 *D Mouvement immatériel,* bles auront vécu, n'aura pas même dérangé d'tm.

instant Faction de la Cause premiere.

Alors, quoique dans le sensible, le mouvement & rétendue soient nécessairement liés l'un à l'autre, cela n'empêche point que dans la classe supérieure, ils ne doivent y avoir éternellement un mouvement ou une action, quand même rien de sensible ne seroit existant, & dans ce sens on peut dire avec certitude, que quoiqu'on ne puisse concevoir d'étendue sans mouvement il est cependant incontestable qu'on peut conce» voir du mouvement sans étendue, puisque le Principe du mouvement, soit sensible, soit in?, tellectuel, & hors de l'étendue..-'

Réunissant ensuite toutes ces observations,, on doit voir s'il est possible de

Des erreurs et de la vérité, ou, Les hommes rappellés au principe universel de la science (1) • Louis Claude de Saint-Martin

• 83

jamais attribuer avec raison aucun mouvement à l'étendue, comme nécessaire à son essence, & si l'homme ne s'égare pas, lorsqu'il en cherche là le principe & ta connoissancè.

J'ai dit en général que le mouvement n'étoitautre chose que l'effet de l'action, ou plutôt l'action même, puisqu'ils sont inséparables. J'ai reconnu en outre, que dans les choses sensibles, il y avoit deux sortes de mouvemens ou d'actions, opposées, savoir, k croissance & la décroissance, ou la sorce qui éloigne les corps de leur Centre, & leur propre Loi jpi tend à. les en approcher. Mais conjme le dernier de ces.

mouvement î)u *Nombre du Mouvement* ils Inouvemens ne sait que revenir fur les traces de l'autre, dans le même temps, & selon la même Loi dans l'ordre inverse, nous ne craignons point d'errer, ' en les annonçant comme provenant tóus les deux du même *nombre;* & le moindre des Géometres sait que ce nombre est *quatre*

Qui ne sait, en effet, que tous les mouvetnens & toutes les révolutions possibles des corps, se sont en Progression géométrique quaternaire, soit ascendante, soit descendante? Qui ne sait que ce nombre *quatre* est la Loi universelle du conts des Astres, celle de la Méchanique, de la Pyrotechnie, celle, en un mot, de tout ce qui se meut dans la Région corporelle, soit naturellement, soit par la main des hommes?

Et véritablement, si la vie agit, sans interruption, & que son action soit toujours nouvelle; c'est-à-dire, si elle croît ou décroît sans cesse dafis les Êtres corporels sujets á la destruction, quelle autre Loi que celle de la Progression géométrique ascendante ou descendante sauroit Convenir à la Nature?

En effet, la Progression arithmétique en est entièrement bannie, parce qu'elle est stérile *&c* qu'elle ne peut embrasser que des saits bornés ou des résultats toujours égaux & toujours uniformes. Aussi si les hommes ne devroient-i!s jamais l'appliquer qu'à des objets morts, à des divisions fixes, ou à des assemblages immobiles; & quand *fié Du Nombre de l Etendue;* quand ils ont voulu l'employer pour désigner le actions

simples & vivantes de la Nature, commô celles de l'Air, celles qui produisent la chaleur & le sroid, & toutes les autres causes des révolutions de l'Atmosphere, leurs résultats ou leurs divisions ont été très-vicieuses, en ce qu'elles ont donné à la multitude, une idée sausse du Principe de vie bu d'action corporelle, dont la mesure n'étant point sensible, ne peut iàns la plus grossiere méprise se tracer sur la Matiere.

Nous n'induirons donc personne en erreur, en donnant la Progression géométrique quaternaire, comme étant le principe de la vie des Etres, ou en assurant, quelqu'inconnu que soit ce langage, que le *nombre* de toute action est *quatre.*

Mais ce que nous n'avons point encore sait » c'est d'annoncer quel est le *nombre* de l'étendue; il saut donc le dire: c'est ce même nombre *neuf* qui a été appliqué ci-devant à la ligne circulaire. Oui, la ligne circulaire & l'étendue ont un tel rapport, elles sont tellement inséparables, qu'elles portent absolument le même nombre, qui est *neuf. . »*

Si elles ont le même nombre, elles ont nécessairement la même mesure & le même poids *j* car ces trois principes marchant toujours d'accord, l'un ne peut être déterminé, qu'il ne détermine également les deux autres."

Effectivemenr» Effectivement, quelque nouveau que cela doive paraître, je ne puis me dispenser d'avouer que l'étendue & la ligne circulaire ne sont qu'une même chose; c'est-à-dire, qu'il n'y a d'étendue que par la ligne circulaire, & réciproquement qu'il n'y a que la ligne circulaire qui soit corporelle & sensible; c'est-à-dire, ensin, que la Nature matérielle & étendue ne peut être sormée que de lignes qui ne sont pas droites, ou, ce qui est la même chose, qu'il n'y a pas une seule ligne droite dans la Nature, comme on le verra ci-après.

Je n'ai qu'un mot à dire avant d'en venir là, qui est, que si les Observateurs eussent examiné ceci de plus près, ils auroient résolu depuis long-temps une question qui n'est pas encore clairement décidée parmi eux, savoir, si la généra-

tion & la reproduction se sont par des œuss, ou par des vers ou Animaux spermatiques; ils auroient vu que rien n'étant sans enveloppe icibas, & toute enveloppe, ou toute étendae, étant circulaire, tout est ver dans la Nature, parce que tout est œus; & réciproquement tout est œus, parce que tout est ver. Je reviens à mon sujet.

Il ne suffit pas, je le sais, d'avoir exclus de la Nature, la ligne droite, il saut exposer les raisons qui m'y déterminent.

Premiérement, si nous suivons l'origine de toutes i8 *De la Ligne Circulaîfeì* toutes les choses sensibles & matérielles, notìS he pourrons nier que le Principe des Etres corporels ne soit le Feu, mais que leur corporation ne vienne de l'eau & qu'ainsi les Corps he commencent par le fluide.

En second lieu, nous ne pourrons nier aussi jque ce fluide ne soit le principe qui opere la dissolution des Corps, & qu'ensuite le Feu n'en opere la réintégration, puisqu'une des plus belles Loix de la Vérité est que l'ordre direct & l'ordre inverse aient un cours unisorme en sens contraire.

Mais tout fluide n'est qu'un assemblage de particules sphériques; & c'est même la sorme sphérique de ces particules qui donne au fluide la propriété qu'il a de s'étendre & de circuler; Alors, si les Corps prennent là leur naissance il est donc constant qu'ils doivent conserver dans leur état de persection, la même sorme qu'ils ont reçue à leur origine comme ils la représentent enre dans leur dissolution en particules fluides & sphériques; & par cette raison les Corps doivent se considérer comme un assemblage de ces mêmes globules sphériques, mais qui ont pris de la consistance, en proportion de ce que leur Feu a plus ou moins desséché là partie grossiere de leur humide. A quelque degré que l'on porte cet assemblage de globules sphériques, il est donc évident que le résultat ser sera toujours sphérique & circulaire comme sor» Principe.

Veut-on se convaincre matériellement de ce que j'avoue? que l'on fixe avec attention les corps dont les dimensions nous paroi íTent droites, observons les sursaces les plus unies;chacun sait qu'on ny pourra découvrir qu'inégalités, qu'élévations & qu'ensoncemens j chacun sait dis-je, on doit savoir que les sursaces des Corps, vues de près, n'offrent aux yeux qu'une multitude de sillons.

Mais ces sillons eux-mêmes ne sont composés que de ces inégalités, & ceci à l'insini; & tane que nos yeux ou les instrumens dont nous les aidons pourront s'écendre, nous ne verrons jamais, soit dans les sursaces des Corps, soit dans les sillons qu'elles nous présentent, qu'une réunion de plusieurs particules sphériques qui ne sis touchent que par un point de leur surface. Qu'on examine donc alors s'il est possible d'y admettre de ligne droite.

Qu'on ne m'objecte pas cet intervalle qui existe entre deux points donnés, & entre lesquels on peut supposer une ligne droite qui corresponde de l'un à l'autre.

Premiérement, ces deux points, ainsi séparés, ne sont plus censés saire corps ensemble. Ainsi la ligne droite qu'on supposeroit entr'eux, seroit purement dans la pensée, & ne pourroic *II Partie.* (I) pas 13-*De la Ligne Droite.* pas être conçue comme corporelle & sensible.

Secondement, cet intervalle, qui les si'pare, est lui-même rempli de particules mercurielles aériennes, qui étant sphériques, comme celles des autres Corps, ne pourroient jamais se toucher que par leur sursace; ainsi cet intervalle seroit corps, & par cette raison sujet aux mê-nes inégalités que les Corps; ce cui s'accorde entiérement avec ce qui a été dit précédemment sur les principes de la Matiere, qui, malgré leur union, ne sauroient j imais se consondre.

N'y ayant donc aucune continuité dans les corps, tout y étant successis & interrompu, il est impossible dans aucun sens d'y supposer & d'y reconnoitre de lignes droites.

Outre les raisons que nous venons de voir, il en est d'autres qui viennent à l'appui, & qi consirment l'évidence de ce principe. Je me suis décidé à convenir que le nombre *quatre* é'toit le nombre de la ligne droite; j'ai vu de-

puis, de concert avec tous les Observateurs, que le nombre *quatre* étoit aussi celui qui dirigeoit toute espece de mouvement quelconque; il y a donc une grande analogie entre le Prin-i cipe du mouvement & la ligne droite, puisque nous leur voyons porter le même nombre, puisque d'ailleurs nous avons reconnu que dans ce mouvement résidoit la source & l'action des choses corporelles & sensibles, & qu'en même temps temps nous avons vu que la ligne droite étoit l'emblême de l'insinité & de la continuité des productions du point dont elle émane.

Or, j'ai assez démontré que le mouvement, quoique produisant les choses corporelles & sensibles ou l'étendue, ne sauroit cependant jamais appartenir en propre à cette même étendue, ni en dépendre; alors donc, fi îa ligne droite a le même nombre que ce mouvement, elle doit avoir la même Loi & la même propriété; c'est-» à-dire, que quoiqu'elle dirige les choses corporelles & étendues, jamais elle ne pourra se mélanger avec elles, ni s'y consondre & devenir sensible, puisque le principe ne peut se consondre avec sa production.

Ce sont toutes ces raisons réunies qui doivent empêcher de jamais admettre de ligne droite dans la Nature corporelle.

Rappelions donc ici tous nos principes: le nombre *quatre* est celui du mouvement, c'est celui de la ligne droite, en un mot, c'estle nombre de tout ce qui n'est pas corporel & sensible. Le nombre *neuf* est celui de l'étendue & de la ligne circulaire, qui constitue universellement l'étendue, c'est-à-dire, qu'il est le nombre des corps & de toutes les parties des corps; car il faut absolument regarder la ligne circulaire comme la production nécessaire du mouvement qui se sait dans le temps.

(la) Ce 131 *De la Quadrature du Cercle.* Ce sont là les deux seules & uniques Loit que nous puíîlions reconnoître, & avec elles nous pouvons sans doute embrasser tout ce qu; existe; puisqu'il n'y a rien qui ne soit, ou dans l'étendue, ou hors de l'étendue; qui ne soit passis ou actis, résultat ou Principe, passager ou immuable, corporel ou incorporel, périssable ou indestructible. /

Prenant donc ces deux Loix pour guides, nous reviendrons à la maniere dont nous avons vu que les Géometres avoit considéré les deux, sortes de lignes possibles, la droite & la courbe; & nous jugerons s'il est vrai que le cercle soit, comme ils le prétendent, un assemblage de lignes droites, puisqu'au contraire', il n'y a pas de ligne droite, prise dans le corporel, qui ne soit un assemblage de lignes courbes.

C'est pourtant, saute d'avoir discerné les disférens nombres de ces deux différentes lignes, que depuis son exil l'homme cherche à les concilier, ou ce qui est la même chose, tâche de découvrir ce que l'on nomme la quadrature du cercle. Avant sa chute, connoissant la nature des Etres, il ne se seroit pas consumé en efforts inutiles,, & ne se seroit pas livré à la recherche d'une découverte dont il eût évidemment connu l'impossibilité; il n'eût été ni assez aveuole, ni assez imprudent, pour vouloir rapprocher des principes auísi différens que ceux de la ligne droite & de la ligne courbe; en un mot, il ne fût jamais venu à sa pensée de croire pouvoir changer la nature des Etres; & de saire en sorte que *neuf* valût *quatre* , ou que *quatre* valût *neuf,* ce qui est à la lettre l'objet de l'étude & de l'ocupation des Géometres.

Qu'on essaie en effet de concilier ces deux nombres, comment y parviendra-t-o'n; comment adapter *neuf* avec *quatre,* comment diyiser *neuf* par *quatre* , ou, ce qui est la même chose, partager neus en quatre parties sans y admettre de sractions, qui, selon ce qu'on a vu, ne peuvent se trouver dans les Principes naturels des choses, quoiqu'elles puissent s'opérer sur leurs résultats, qui ne sont que des aïlemblages? Car, après avoir trouvé *deux* pour quotient, ne nous resteroit-il pas toujours une Unité, qu'il saudrqit diviser également par ce même nombre *quatre*?

Nous voyons donc que cette quadrature est impraticable en figure, qu dans le corporel & le sensible, & qu'elle ne sauroit jamais avoir lieu qu'en nombre & immatériellement; c'est-àdire, en admettant le Centre qui est corporel & Quaternaire, comme on en sera convaincu dans peu. Je laisse donc à penser à présent fi cette quadrature est admissible, de la maniere dont les hommes s'en occupent; si l'impossibilité n'en est pas évidemment démontrée, & fi alors (I 3) nous

Ï34 5 l longitude. tious devons être étonnés qu'on n'ait encore rien trouvé sur cet objet ; car ea sait de Vérité pane approximation, ou rien, c'est la même chose.

U en saut dire autant de la longitude, qu'un fi «grand nombre d'hommes cherche sur la sursace terrestre avec tant d'émulation; & pour en juger, il sera suffisant d'observer la différence qui existe entre la longitude & la latitude.

La latitude est horisontale & va du Sud au Nord. Or, comme ce Sud' n'est désigné par aucun des points imaginaires, inventés par les Astronomes pour nous expliquer l'Univers, mais très-certainement par le Soleil, dont le Midi vertical varie, en s'élevant ou en s'abaissant chaque jour par rapport au jour précédent, il suit que cette latitude est nécessairement circulaire & véritable; & comme telle, elle porte le nombre *neuf* d'après tous les principes qui viennent d'être établis.

Au contraire, la longitude est perpendiculaire & vient de l'Etat qui est toujours au même point d'élévation, quoique cet Est se montre chaque jour à différens points de l'horizon. Ainsi la longitude étant fixe & toujours la même, est l'image réelle de la ligne droite, & par conséquent porte le nombre *quatre*. Or nous venons de voir l'incompatibilité des deux nombres *quatre & neuf*; comment est-il donc possible de trouver la perpendiculaire dans l'horizon tal, tal comment assimiler le supérieur à l'inférieur, comment ensin découvrir l'Est sur la sursace terrestre , puisqu'il n'est pas dans sa Région?

Quand j'ai dit que l'Est étoit fixe, on a bien vu que je ne parlois pas de celui que donne la lever du Soleil, pufqu'il change tous les jours. D'ailleurs l'espece de longitude, que le Soleil donne de cette maniere, n'est toujours qu'horizontale par rapport à nous, comme la latitude j & par cela seul elle est très-désectueuse.

Mais je parle du véritable Est dont le lever du Soleil n'est que le signe indicatis, & qui se maniseste visiblement & plus juste dans l'à-plomb & la perpendiculaire; de cet Est, qui par son nombre *quatre* , peut seul embrasser tout l'epace, puisqu'en se jjignant au nombre *neuf* qui √ est celui de l'étendue, c'est-à-dire, unissant l'a3is au passis, il sorme le nombre *treize,* qui est le nombre de la Nature.

Il n'est donc pas plus possible de trouver cette» longitude sur la Terre, que de concilier la ligne droite avec la ligne courbe, & que de trouver la mesure de l'étendue &, le mouveme it, dans l'étendue; nouvelle preuve de la vérité des principes que nous avons exposés.

Nous devons appliquer encore cette Loi à une r.utte observation, & dire que c'est par la raibn de cette même différence du nomb.e quatre (Iau *16 Du Calcul Solaire & Lunaires* au nombre *neuf,* qu'on n'a pu jusqu'à présent & qu'on ne pourra jimais saire quadrer juste le calcul Lunaire avec le calcul Solaire. Car la Lune est *neuvaire* , comme étant attachée à la Terre qui n'a que des courbes en latitude; le Soleil, au contraire, quoique désignant la la«—, tude par le Sud , est néanmoins, dans son Est terrestre ou dans le lieu de son lever, l'image du principe de la longitude ou de la ligne droite, & comme tel il est *quaternaire.* D'ailleurs il est clairement distinct de la région de la Terre, à laquelle il communique la réaction nécessaire à sa saculté végétative, nouvel indice de son activité quaternaire; en un mot, son quaternaire se maniseste sur la Lune méme par les quatre phases que nous appercevons sur elle, & qui se déterminent par ses différentes positions, par rapport au Soleil dont elle reçoit la lumiere.

Ainsi appliquant à cet exemple le principe qui nous occupe pour le présent, on verra clairement pourquoi le calcul Solaire & le calcul Lunaire sont incompatibles, & que le vrai moyen de parvenir à la connoissance des choses, est de commencer par ne pas les consondre, mais de les suivre & de les

examiner chacune selon le *nombre* & les Loix qui leur sont propres.

Que ne m'est-il permis de m'étendre plus au long, sur ce nombre *neuf* que j'attribue à la

Lune,

Lune, & par conséquent à la-Terre dont elle est le Satellite? Je montrerois par le nombre de cette Terre, quel est son emploi & sa destination dans l'Univers; cela pourroit même nous donner des indices sur la véritable sorme qu'elle porte, & répandre encore plus de jour sur le fystéme actuel qui ne l'admet pas comme immobile, mais, au contraire, comme parcourant un très-grand orbite.

Car les Astronomes se sont peut-être un peu trop pressés dans leurs jugemens; & avant de donner toute leur consiance à leurs observations, ils auroient dû examiner lequel parmi les Etres corporels doit agir le plus, ou de celui qui donne la réaction, ou de celui qui la reçoit; si le seu n'est pas le plus mobile des Elémens, & le sang plus agile que les corps dans lesquels il circule: ils auroient dû penser que la Terre, quoique n'occupant pas le centre des orbites des Astres, pouvoit cependant leur servir de *Recipient* , & que dès-lors elle devoit recevoir & attendre leurs insluences, sans être sorcée d'ajouter une seconde action corporelle, à l'action végétative qui lui est propre, & dont ces Astres sont privés.

Ensin les plus simples expériences sur le Cône, leur auroient prouvé la vraie sorme de la Terre; & nous pourrions leur offrir, dans la destination de cette même Terre dans le rang qu'elle I

Ij8 *Des Sysiimes Jsironomiquès.* qu'elfe occupe parmi les Etres crées, *Sc* dans les propriétés de la perpendiculaire ou de la ligne droite, des difficultés insurmontables que leurs lystémes ne pourroient rJsoudre.

Il arriveroit peut-être ausfi que ces difficultés ne seroient pas senties, parce que l'Astronomie sest isolée comme toutes les Sciences où l'homme a mis la main, qu'elle a considéré la Terre, ainsi que chacun des ceps célestes, comme des Etres distincts & sans liaison les uns aux autres; en un mot, parce que l'homme a agi là auííí inconsidérément que dans tout le reste, c'est-à-dire, qu'il n'a point porté la vue sur le principe de l'existence de tous ces corps, sur celui de leurs Loix & de leur destination, & que par cette raion il ne connoît pas encore quel est le premier ohjet.

Bien plus, c'est par un motis louable en apparence, qu'il a cherché à ravaler la Terre, «n la comparant à rimmensité & à la grandeur des Astres; il a eu la soibleste de croire que cette Terre n'étant qu'un point dans FUnivers, méritoit peu l'attention de la premiere Cause; qu'il seroit contre la vraisemblance que cette Terre fût au contraire ce qu'il y a de plus précieux dans la création, & que tout ce qui existe autour ou au dessus d'elle, lui vint apporter son tribut; comme si c'étoit sur une mesure sensible, que 1Auteur des choses choses dût évaluer ses Ouvrages, & que leur prix ne fût pas plutôt dans la noblesse de leur emploi & dans leurs propriétés, que dans la grandeur de l'espace & de l'étendue qu'ils occupent.

C'est peut-être cette sausse combinaison qui aura conduit l'homme à cette autre combinaison plus sauííé encore, par laquelle il affecte de ne se pas croire digne lui-même des regards de son Auteur; il a cru n'écouter que l'humilité, en resusant d'admettre que cette Terre même, 8c tout ce que l'Univers contient n'étoient saits que pour lui; il a seint de craindre de trop.écouter son orgueil, en £ë livrant à cette pensée.

Mais il n'a pas craint l'indolence & la lâcheté qui proviennent nécessairement de cette seinte modestie; & si l'homme évite de se regarder aujourd'hui comme devant être le Roi de l'Univers, c'est qu'il n'a pas le courage de travailler à en recouvrer les *Titres* , que 1q6 devoirs lui en paroissent trop satiguans, & qu'il craint moins de renoncer à son état & à tous ses droits, que d'entreprendre de les remettre dans leur valeur. Cependant, s'il vouloit un instant s'observer luimême, il verroit bientôt qu'il devroit mettre son humilité, à avouer qu'il est avec raison au dessous de son ran, mais non à se croire d'une nature à n'avoir jamais pu l'occuper, ni à ne pouvoir jamais y rentrer.

Que 4 *De la Pluralité des Mondes.*

Qne ne puis-je donc, je le répete, me livrer à tout ce que j'aurois à dire sur ces matieres? Que ne puis-je montrer les rapports qui se trouvent entre certe Terre & le corps de l'homme, qui est sormé de la méme substance, puisqu'il en est provenu? Si mon plan me le permettoit, je prendrois dans leur analogie incontestable, le témoignage de l'unisormité de leurs Loix & de leurs proportions, d'où il seroit aisé de voir qu'ils ont l'un & l'autre le même but à remplir.

Ce seroit méme là où l'on apprendroit pourquoi j'ai enseigné au commencement de cet Ouvrage, que l'homme étoit lì sort intéressé à maintenir son corps en bon état; parce que s'il est fait à l'image de la Terre, & que la Terre soit le sondement de la création corporelle, il ne peut conserver sa ressemblance avec elle, qu'en résistant comme elle aux sorces qui la combattent continuellement. On y verroit aussi que cette Terre lui doit être respectable comme sa mere, & qu'étant, après la Cause intelligente & l'homme, le plus puissant des Etres de la Nature temporelle, elle est elle-même la preuve qu'il n'existe pas d'autres Mondes corporels, que celui qui nous est visible.

Car cette opinion de la pluralité des Mondes est encore prise dans la môme source de toutes les erreurs humaines c'est pour vouloir tout séparer, tout démembrer, que l'homme suppose une «ne multitude d'autres Univers, dont les Etoiles sont les Soleils, & qui n'ont pas plus de correspondance entr'eux qu'avec le Monde que nous habitons; comme si cette existence à part, étoit compatible avec l'idée que nous avons de l'Unité, & comme si, dans le cas que ces Mondes supposés existassent, l'homme n'en auroit pas la connoissance en qualité d'Etre intellectuel.'

Alors, s'il peut & doit avoir la connoissance de tout ce qui existe, il saut nécessairement que rien ne soit isolé, & que tout se tienne; puique c'est avec un seul & même principe que l'homme embrasse tout, & qu'il ne le pourroit avec ce seul & même principe, si tous les Etres créés corporellement n'étoient pas semblables entr'eux & de

la même nature.

Oui, sans doute, il y a plusieurs Mondes, puisque le plus petit des Etres en est un, mais tous tiennent à la même chaîne; & comme l'homme a le droit de porter la main jusqu'au premier anneau de cette chaîne, il ne sauroit en approcher, qu'il ne touche à la sois tous les Mondes.

On verroit de plus dans le tableau des propriétés de la Terre, que pour le bien-être de l'homme soit sensible, soit intellectuel, elle est une source féconde & inépuisable; qu'elle rassemble toutes les proportions, tant numériques que de figure; qu'elle est le premier point d'appui 141 *Du Nombre Neuvnire.* d'appui que l'homme a rencontré dans fa chute & qu'en cela il ne sauroit trop en priser l'importance, pulsque sans elle il ferait tombé beaucoup plus bas.

Que feroit-ce donc fi j'osois parler du Principe qui l'anime, & en qui résident toutes les facultés de végétation & autres *vertus* que je pourrois expofer? C'eft bien alors que les hommes apprendroient à avoir de la vénération pour elle, qu'ils s'occuperoient davantage de fa *Culture,* & qu'ils la regarderaient comme l'entrée de la route qu'ils ont à parcourir pour retourner au lieu qui leur a donné la naiffance.

Mais je n'en ai peut-être déja que trop dit fur ces objets, & fi j'allois plus loin,' je craindrais d'ulurper des droits qui ne m'appartiennent pas. Je reviens donc aux nombres *quatre* & *neuf,* que j'ai annoncés comme étant propres, l'un à la ligne droite, & l'autre à la ligne courbe; comme étant auffi, l'un le nombre du mouvement ou de l'action, & l'autre celui de l'étendue; car il fe pourroi t que ces nombres parulfent fuppofés & imaginaires.

Il eft à propos que je fafe voir pour quelle raifon je les emploie, & pourquoi je prétends qu'ils conviennent chacun naturellement aux lignes auxquelles je les ai attribués; commençons par le nombre *neuf* ', ou celui de la ligne circulaire & de t'étendue%

Sans

Sans doute, qu'il ne répugnera à personne de considérer une circonférence comme un zéro; car quelle-figure peut

Des erreurs et de la vérité, ou, Les hommes rappellés au principe universel de la science (1) • Louis Claude de Saint-Martin

• 87

plus que, le zJro ressembler à une circonférence? Il répugnera moins encore d'en regarder le centre comme une Unité, puisqu'il est impossible que pour une circonférence, il y ait plus d'un centre; tout le monde sait aufli qu'une Unité.jointe à un zéro donne *dix* , en cette sorte 10. Ainsi nous pouvons envisager le cercle entier, comme saisant *dix* ou 10, c'est-à-dire le centre avec la circonférence.

Mais nous pouvons également regarder le cercle entier, comme un Etre corporel dont la circonférence est la sorme ou le corps, & dont le centre est le principe immatériel. Or nous avons vu avec assez de détail, qu'on ne devòit jamais consondre ce Principe immatériel avec la sorme corporelle & étendue; que quoique ce soit sur leur union qu'est sondée l'existence de la Matiere, cependant c'étoit une erreur impardonnable de les prendre pour le même Etre, & que l'intelligence de l'homme pouvoit toujours les séparer.

Alors, séparer ce Principe de sa sorme corporelle, n'est-ce pas la même chose que de séparer le centre de sa circonférence, & par conséquent la même chose que d'ôter l'unité 1 du denaire 10. Mais si on ôte une unité du denaire-10,

U 14$ *Du Nombre Neuvairel* il est bien certain qu'il ne restera plus que *neuf* en nombre; cependant il nous restera en figure le zJro, o, ou la ligne circulaire, ou ensin la circonférence. Que l'on voie donc à présent si le nombre *neuf* & la circonférence ne se conviennent pas l'un à l'autre, & si nous avons eu tort de donner ce nombre *neuf* à toute étendue, puisque nous avons prouvé que toute étendue étoit circulaire.

Que l'on voie aussi, d'après le rapport existant entre le zéro, qui est comme nul par luimême, & le nombre *neuf,* ou celui de l'érendue, fi l'on auroit dû blâmer si légérement ceux qui ont prétendu que la Matiere n'étoit qu'apparente.

Je sais que la plupart des Géometres, regardant le nombre des caracteres d'Arithmétique, comme dépendant de la convention de l'homme, prendront peu de consiance à la démonstration présente; je sais même qu'il en est parmi eux qui ont essayé de porter jusqu'à vingt le nombre de ces caracteres, pour saciliter les opérations du calcul.

Mais, premiérement, si plusieurs Nations ont des caracteres d'Arithmétique qui ne proviennent que de leur convention, les caracteres Arabes doivent en être exceptés, parce qu'ils sont sondés sur les Loix & la nature des choies sensibles, qui aufli-bien que les choses intellectuelles, / f

iectuelles, ont des signes numériques qui leut sont propres.

Secondement, comme les Géometres ignorent entiérement les Loix & les propriétés dés *Nombres,* ils n'ont pas vu qu'en les multipliant au-delà de dix, ils dénaturoient tout, & vouloient donner aux Etres un Principe qui n'étoit pas simple, & qui n'offroit point d'Unité; ils n'ont pas vu que l'Unité étant universelle la somme de tous les *Nombres* devoit principalement nous retracer son image, afin que se montrant aussi réelle & & aussi inaltérable dans ses productions que dans son Essence, cette Unité eût à nos hommages des droits invincibles, & que l'homme sut inexcusable s'il venoit à les méconnoître. Ils n'ont pas vu, dis-je, que le nombre *dix* étoit celui qui portoit le plus parsaitement cette empreinte, & qu'ainsi la volonté de l'homme ne pourroit jamais étendre au-delà de dix, les signes des *Nombres* ou des Loix de ì'Unité.

Aussi l'expérience a pleinement consirmé cë principe; & les moyens qu'on avoit pris pour le combattre sont demeurés sans aucun succès: Je puis donc entreprendre sa désense j & attribuant le nombre *un* ou l'Unité, au centre, attribuer le nombre *neuf* à la circonférence ou à ì'étendue.

Je ne rappellerai point ici ce que j'ai dit de *II tartii.* (K) l'union *16 De la Division du Cercle* l'union des trois Elémens sondamentaux , quî se trouvent toujours tous les trois ensemble dans chacune des trois parties des corps; par où l'on trouvera sacilement un rapport certain du Nombre *neuf* à la Matiere, ou à l'étendue circulaire; je ne dirai rien non plus de la sormation du cube, soit algébrique, soit arithmétique, qui,

lorsque les sacteurs n'ont que deux termes, ne peut avoir lieu que par neus opérations, puisque, parmi les dix qu'on y devrok compter à la rigueur, la seconde & la troisieme ne sont qu'une répétition l'une de l'autre, & dès-lors doivent se considérer comme ne saisant qu'un.

Mais j'appuierai le principe que j'ai établi, de quelques observations sur la nature & la division du cercle; car il est saux de dire que ce sont les Géometres qui l'ont divisé en trois cens soixante degrés, corame étant la division la plus commode, & celle qui se prêtoit le plus sacilement à toutes les opérations du calcul.

Cette division du cercle en trois cens soixante degrés, n'est point du tout arbitraire; c'est la Nature même qui nous la donne, puisque le cercle n'est composé que de triangles, & qu'il y a six de ces triangles équilatéraux dans toute retendue de ce même cercle.

Qu'on suive donc attentivement Tordre naturel de ces nombres, qu'on y joigne ensuite le pro duit qui est la circonférence ou le zéro, & qu'on voie si ce sont les hommes qui ont établi ces divisions.

Faut-il exposer moi-même l'ordre naturel de ces nombres? Toute production quelconque est ternaire , *trois.* Il y a six de ces productions parsaites dans urt cercle, ou six triangles équilatéraux, *Jlx.* Ensin la circonférence elle-même complette l'œuvre, & donne *neuf* ou zéro, o. Si l'on veut donc réduire en chiffres tous ces Nombres, nous aurons premiérement 3, secondement *6 i* & ensin © lesquels réunis donneront 36b.

Qu'on sasse ensuite telles multiplications qu'on Voudra, sur les Nombres que nous venons de reconnoître comme constituant le cercle; alors, comme tous les résultats en seront neuvaires, on ne doutera plus de l'universalité du nombre *neuf* dans la Matiere.

On ne doutera pas non plus de l'impuissantí de ce nombre, quand on réfléchira qu'avec quelque nombre quon le joigne, il n'en altere jamais la nature; ce qui, pour ceux qui en auront la cles, sera une preuve srappante de có que nous avons dit, que la sorme ou l'enveloppe pouVoit varier, sans que son Principe immatériel ceïïat d'être immuable & indestructible.

C'est par ces observations simples & naturelles (K 2) que 148 *Du Cercle ArtificìeU* que l'on peut parvenir à appercevoir l'evidehííí du principe que j'expose. C'esl-li en même temps, un des moyens qui peuvent indiquer aux hommes comment on doit procéder pour lire dans la nature des Etres; car toutes leurs Loix sont écrites sur leur enveloppe, dans leur marche, & dans les différentes révolutions auxquelles leur cour les assujettit.

Par exemple, c'est pour n'avoir pas distingué la circonférence naturelle d'avec la circonférence artificielle, qu'est venue l'erreur que j'ai relevée plus haut sur la maniere dont on avoit considéré la circonférence jusqu'à présent, c'està dire, comme un assemblage / d'une insinité de points réunis par des ligues droites. Il est vrai que la circonférence que Thomme décrit à l'aide du compas, ne peut se sormer que successivement; & dans ce sens on peut la regarder comme l'assemblage de plusieurs points, qui n'étant marqués que l'un après l'autre, ne sont pas censés avoir entr'eux d'adhérence ou de continuité; ce qui sait que l'imagination y a supposé des lignes droites pour les rassembler.

Mais, outre que j'ai sait voir en son lieu que même dans ces cas-là, la ligne de réunion que l'on admettroit ne iéroit pas jdroite, puisque sensiblement il n'y en a point qui le soit, il ne saut qu'examiner la sormation du cercle naturel rcl, pour reconnoître la saussété des définitions qu'on nous donne généralement de la ligne circulaire.

Le cercle naturel croît à la sois, & dans tous les sens; il occupe & remplit toutes les parties de sa circonférence; car ce n'est que dans l'ordre sensible & par les yeux de notre Matiere, que nous appercevons des inégalités nécessaires dans les sormes corporelles, parce qu'elles ne sont que des assemblages; au lieu que par les yeux de notre saculté intellectuelle, nous voyons par-tout la même force & la même puissance, & nous n'appercevons plus ces inégalités,

parce que nous sentons que l'action du Principe doit être pleine & unisorme sans cela il feroit luimême exposé: &, soit dit en passant, c'est-là ce qui sait tomber toutes ces disputes scholastiques & puériles sur le vuide; les yeux bornés du corps de l'homme doivent en trouver à tous les pas, parce qu'ils ne peuvent lire que dans l'étendue; la pensée n'en conçoit nulle part, parce qu'elle Ht dans le Principe, qu'elle voit que ce Principa agit par-tout, qu'il remplit nécessairement, puisque h *resistance* doit être universelle comme la. *prejsiçn.*

On ne peut donc comparer en rien le cercla naturel avec le cercle artificiel, puisque le cercle naturel se crée tout ensemble, par la seule explo£on, dc son centre; au lieu que le cercle artificiel (K) Qft If© Du *Nombre Quaternaire,* ne commence que par la fin qui est le triangle j car. tout le monde sait, ou doit savoir, que le compas dont on tient une des pointes immobile, ne peut saire avec l'autre un seul pas, sans présenter un triangle.

Venons actuellement aux raisons pour lesquelles le Nombre *quatre* est celui de la lignedroite.

Je dirai avant tout que je n'emploie pas ici ce mot de *ligne droite* , dans le sens qu'il a selon le langage reçu, par lequel on exprime cette étendue qui paroît avoir à nos yeux le même alignement; & en effet, ayant démontré qu'il n'y avoit point de ligne droite dans la Nature sensible, je ne pourrois adopter l'opinion yulgaire à cet égard, sans tenir une marche contradictoire avec tout ce que j'ai établi. Je regarderai donc seulement la ligne droite comme Principe, & comme telle étant distinguée de rétendue.

N'avons-nous pas vu que le cercle naturel, crois» íbit en même temps dans tous les sens, *Sc* que le centre jetoit à la sois hors de lui-même la multitude innombrable & intarissable de ses rayons *ì* Chacun de ces rayons n'est-il pas regardé comme une ligne droite dans le sens matériel? Et véritablement, par sa rectitude apparente & par la saculté qu'il a de pouvoir se prolonger à l'insini, il est l'image réelle du Principe Générateur qui produit sans cesse hors de lui,

& qui ne s'écarte jamais de sa Loi.

Nous avons vu en outre que le cercle n'étoit lui-même qu'un assemblage de triangles, puisque nous n'avons reconnu par-tout que trois-. principes dans les corps, & que le cercle est corps. Or, si ce rayon, si cette ligne droite en apparence, si ensin faction de ce Principe générateur ne peut se manisester que par une production ternaire, nous n'aurions qu'à réunir le nombre de l'unité du centre, ou de ce Principe générateur, au nombre ternaire de sa production avec laquelle il est lié pendant Pexistence de FEtre corporel, & nous aurions déja un indice du quaternaire que nous cherchons dans la ligne droite, selon l'idée que nous en avons donnée»

Mais pour qu'on ne croie pas que nous consondons actuellement ce que nous avons distingué avec tant de soin, savoir, le centrs qui est immatériel, avec la production ou le triangle qui est matériel & sensible, il saut qu'on se rappelle ce qui a éi.é dit sur les Principes de la Matiere. J'ai sait voir assez clairement que quoiqu'ils produisent la Matiere, ils sont cependant immatériels eux-mêmes; alors, pris comme tels, il est sacile de concevoir une liaison intime du centre, ou du Principe générateur, avec les Principes secondaires; & comme les trois (K 4 cotés *xfì Du Nombre Quaternaire.* çòtés du triangle, ainsi que les trois dimensions des sormes, nous ont indiqué sensiblement que ces Principes secondaires ne sont qu'au nombre. de *trois,* leur union avec le centre nous offre l'idée la plus parsaite de notre *quaternaire* imma-i tériel.

De plus, comme cette manisestation quaternaire n'a lieu que par l'émanation du rayon hors de son centre; que ce rayon qui se prolonge toujours en ligne droite est l'organe & Taction du Principe central; que la ligne courbe, au contraire, ne produit rien, & qu'elle borne toujours l'action & la production de la ligne droite pu du rayon; nous ne pouvons résister à cette évidence, & nous appliquons sàns crainte le nombre *quatre* à la ligne droite ou au rayon qui la représente, puisque c'est la ligne droite & le rayon seul qui peuvent nous donner la connaissance de ce Nombre.

Voilà la, route par laquelle Phomme peut parvenir à distinguer la sorme & Fenvelopp» corporelle des Etres d'avec leurs Principes immatériels, & par-là se saire une idée assez juste de leurs différens *nombres* , pour éviter la consusion & marcher avec assurance dans le sentier des observations; voilà, dis-je, le moyen de trouver cette Quadrature dont nous avons parlé, «Sfc qui ne se pourra jamais découvrir que par le *Vpmbrs* du centre

Il est si vrai, en effet, que cette ligne droite, ou ce Quaternaire, est la source & l'organe de tout ce qui est corporel & sensible, que c'est au; nombre *quatre* & au quarré, que la Géométrie ramene tout ce qu'elle veut mesurer; car elle nç considere tous les triangles qu'elle établit dans cette vue, que comme division & moitié de ce méme quarré; or ce quarré n'est-il pas Formè par quatre lignes, & par quatre lignes qui sont regardées comme droites, ou semblables au, rayon, & par conséquent quaternaires comme, lui?

Faut-il donc quelque chose de plus, pour démontrer que par leur procédé même, les Géometres prouvent ce que je leur avance? C'est-à-dire, que le *Nombre* qui produit les Titres, est le méme qui leur ièrt de mesure; & ainsi, que la vraie mesure des Etres ne peut se. trouver que dans leur principe, & non pas dans leur enveloppe & dans l'étendue; puisqu'au contraire, tout ce qui est enveloppe, tout ce qui est étendue ne peut s'évaluer avec précision qu'en se rapprochant du centre & de ce Nombre Quaternaire que nous nommons le Principe Générateur.

On ne songera pas, je l'espere, à m'objecter que toutes les figures, nommées rectilignes en Géométrie, étant bornées par des lignes censées droites, portent également le quaternaire, & qu'ainsi *Sí4 & Nombre Quaternaire.* qu'ainsi je ne devroîs pas me borner au quatre pour indiquer la mesure quaternaire; ce qui sembleroit contredire la simplicité & l'unité du Principe annoncé.,

Quand le sait ne seroit pas pour moi, quand il seroit saux que les Géometres, ainsi que je viens de le dire, rame-

nassent au quarré touc ce qu'ils veulent mesurer, il suffiroit de ce que nous venons de dire sur ce quaternaire immatériel, pour convenir que toutes les choses sensibles provenant de lui, doivent conserver sensiblement sur elles la marque de cette origine quaternaire; or ce quaternaire étant absolument le seul Principe Générateur des choses sensibles, étant le seul *Nombre* à qui cette propriété de production soit essentielle, il est également indispensable qu'il n'y ait parmi les choses sensibles qu'une seule figure qui nous l'indique, & cette figure on l'a dit, c'est le quarré.

Et comment cette vérité ne se montreroit-elle pas pour nous parmi les choses sensibles, puisque nous la trouvons indiquée clairement & d'une maniere incontestable dans la Loi numérique, c'est-à-dire, dans ce que l'homme possede ici-bas de plus intellectuel & de plus sûr? Comment, dis-je, pourronsnous trouver plus d'une mesure quaternaire, ou, ce qui est la même chose, plusd'un quarré, dans les Figures sensibles & corporelles qui sont l'objet de la Géométrie, puisque dans cette Loi numérique ou de calcul, dont nous venons de parler, il est impossible de trouver plus d'un nombre quarré?

Je sais que ceci doit étonner, & quelqu'ihconteflable que soit cette proposition, elle paroîtra nouvelle sans doute; car il est généralement reçu qu'un quarré numérique est le produit d'un Nombre quelconque, multiplié par luimême, & l'on ne met pas même en question que tous les Nombres n'aient cette propriété.

Mais, puisque l'analogie que nous avons découverte dans toutes les classes, entre les Principes & leurs productions, ne surfit pas encore pour dessiller les yeux sur ce point; puisque, malgré l'unité du quarré parmi toutes les figures sensibles que l'homme peut tracer, les Géometres se sont persuadés qu'il peut y avoir plus d'un quarré numérique; je vais entrer dans d'autres détails qui consirmeront la vérité de ce que je viens d'avancer.

Le quarré en figure est très-certainement le quadruple de sa base; & il n'est que l'image sensible du quarré intellec-

tuel & numérique, d'où il provient, il saut absolument que ce quarré numérique & intellectuel soit le type & le modele de l'autre; c'est-à-dire, que de même que le quarré en figure est le quadruple 4e sa base de même le quarré numérique & intellectuel *l'y6 De la Racine Quarrie'.* intellectuel doit être le quadruple de sa racine.

Or, je puis certifier à tous les hommes, & ils le peuvent connoître comme moi, qu'il n'y a qu'un seul nombre qui soit le quadruple de sa racine. Je me dispenserai même autant que je le pourrai, de le leur indiquer positivement, soit parce qu'il est trop sacile à trouver, soit parce que ce sont des Vérités que je n'expose qu'à regi et.

Mais, me dira-t-on, si je n'admets qu'un seul quarré numérique, comment saudra-t-il donc considérer les produits de tous les autres nombres-multipliés par eux-mêmes? Car enfin, s'il n'y a qu'un seul quarré numérique, il ne peut aussi y avoir qu'une seule racine quarrée parmi tous les nombres; & cependant il n'est pas un seul nombre qui ne puisse se multiplier par lui-même; alors tous les nombres pouvant se multiplier par eux-mêmes, que seront-ils donc, s'ils ne sont pas des racines quarrées ï

Je conviens que tout nombre quelconque peut se multiplier par lui-même, & par conséquent qu'il n'en est point qui ne puisse se regarder comme racine; je sais de plus avec le moindre des Calculateurs qu'il n'est pas de racine qui ne soit moyenne proportionnelle entre son produit & l'unité; mais pour que tous ces nombres sussent des racines quarrées j l il saudroit qu'ils sussent tous en rapport de *quatre* avec l'unité; or parmi cette multitude de differentes racines dont la quantité ne peut jamais être fixée, attendu que les nombres sont sans bornes, il n'y a absolument qu'un seul nombre ou qu'une seule racine, qui soit dans ce rapport de *quatre* avec l'unité; il est donc clair que le nombre qui se trouve avoir ce rapport, est le seul qui mérite essentiellement le nom de racine quarrée; & toutes les autres racines se trouvant avoir des rapports différens avec l'unité, pourront prendre des noms tirés de ces différens rapports, mais elles ne devront jamais prendre le nom de racines quarrées, puisque leur rapport avec l'unité ne sera jamais quaternaire.

Par la même raison, quoique toutes. les racines étant multipliées par elles-mêmes, rendent un produit; cependant puisque toute racine est moyenne proportionnelle entre son produit & l'unité, il saut de toute nécessité que ce produit lui-même soit à sa racine ce que sa racine est à l'unité; alors s'il n'est qu'une seule racine qui soit dans le rapport de *quatre* avec l'unité, ou qui soit quarrée, il est incontestable qu'il ne peut y avoir non plus qu'un seul produit qui soit dans le rapport de quatre avec sa racine, & par conséquent qu'il ne peut y avoir qu'un seul quarré

Tous

ÏÇ4 *De la Racine Quarree* i

Tous les autres produits n'étant point dans *tè* tapport quaternaire avec leur racine, ne devront donc pas se considérer comme des quarrés, mais 3s porteront les noms de leurs différens rapports avec leur racine, comme les racines qui ne sont pas quarrées, portent les noms de leurs différens rapports avec l'unité.

En un mot, s'il étoit vrai que toutes les racines sussent des racines quarrées, toutes les racines en raison double, donneroíent certainement des quarrés qui seroient doubles les uns des autres, & l'on sait qu'en nombre cela est absolument impossible: voilà pourquoi nous n'admettons qu'un seul quarré, & qu'une seule racine quarrée. C'est donc pour n'avoir pas pris une idée assez juste' d'une racine quarrée, que les Géometres en ont attribué les propriétés à tous les nombres, tandis qu'elles ne convenoient exactement qu'à un seul nombre

Il saut remarquer néanmoins que la différence qui se trouve entre cette seule Racine quarrée & toutes les autres racines, de même qu'entre le seul produit quarré admissible & tous les autres produits numériques, ne provient que de la qualité des sacteurs, d'où elle se répand sur les résultats qui en proviennent. Dans le sait, c'est toujours le quaternaire qui dirige toutes ces opérations quelconques *)* Conques; ou, pour parler plus clairement, dans toute espece de multiplication, nous trouverons toujours premiérement l'unité; secondement le premier sacteur; troisiémement le second sacteur, & ensin le résultat, ou le produit qui provient de l'action mutuelle des deux sacteurs.

Et quand je dis, dans toute eípece de multiplication; c'est que ceci se trouve vrai, non seulement dans tous les produits auxquels nous connoissons deux Racines en deux sacteurs comme dans la multiplication de deux différens nombres l'un par l'autre; mais aussi dans tous les produits où nous ne connoissons qu'une seule racine, parce que cette racine se multipliant par el-lemême, nous offre toujours distinctement nos deux sacteurs.

C'est donc là ce qui nous représente avec une nouvelle évidence, le pouvoir réel de ce nombre ' *quatre* , Principe de toute production, & générateur universel, de même que les vertus de cette ligne droite qui en est l'image & l'action.

C'est-là aussi où nous trouvons une nouvelle preuve de la distinction des choses sensibles & des choses intellectuelles, ainsi que de tout ce qui a été dit sur leur différent *nombre* , puisque dans toutes les multiplications numériques, nous connoissons sensiblement trois choses, savoir les deux sacteurs & le produit » ìé'ò ï)es Dc'cimaìtsl duit, au lieu que nous ne connoiflbns qu'inteli ìectuellement l'unité à laquelle elles ont rapport; & que cette unité n'entre jamais dans l'opératiost des choses composées.

Nous voyons donc alors pourquoi nous avons reconnu ce quaternaire comme étant à la sois le Principe & la mesure fixe de tous les Etres, & pourquoi tout produit quelconque, soit l'étendue, soit toutes les différentes propriétés de cette étendue, sont engendrées & dirigées par ce quaternaire.

Les Géometres eux-mêmes nous consirment tous les avantages qui ont été attribués Jusqu'ici au quaternaire, & cela par les divisions qu'ils emploient sur le rayon pour évaluer son rapport avec la circonférence? 11s ont soin de le diviser dans le plus grand nombre de parties qu'il leur est possible, afin de rendre l'approximation moins désectueuse. Mais dans toutes les divisions qu'ils mettent en usage, il est important d'observer qu'ils emploient toujours les décimales. Or, par un calcul que nousn'exposerons pas ici, quoiqu'il soit aflez connu, on ne peut nier qu'une décimale & le quaternaire, n'aient des rapports incontestables, puisqu'ils ont tous deux le privilege de correspondre & d'appartenir à l'unité. En se servant des décimales, les Géometres marchent donc encore; par le quaternaire

Te sais qu'à la rigueur on pourroit divisee ìe rayon par d'autres Nombres que par les décimales; je sais méme que ces décimales ne rendent jamais des résultats justes, comme la division du cercle en trois cens soixante degrés d'où l'on pourroit inférer que ni les décimales *m* le quaternaire avec lequel elles sont unies d'une maniere inséparable, ne sont pas la vraie mesure.

Mais il saut observer que la division du cercle en trois cens soixante degrés, est parsaitement exacte, parce qu'elle tombe sur le vrai *nembre* de toutes les sormes; au lieu que le division décimale exprimant le *nombre* du 'principe imma-' tériel de ces mêmes sormes, ne peut se trouver juste en nature sensible, sur le rayon corporel ni sur aucune espece de Matiere.

Cela n'empêche pas que de toutes les divisions que l'homme pouvoit choisir, les décimales ne soient celles qui l'approchent le plus du point qu'il desire; on peut dire même qu'en cela, comme dans bien d'autres circonstances, il a été conduit sans le savoir, par la loi & le Principe des choses; que son choix est une suite de la lumiere naturelle qui est en lui, & qui tend toujours à ramener au Vrai, & que le moyen qu'il a pris, tout nul & toi t inutile qu'il soit pour lui, en ce qu'il veut le saire qua«drer avec l'étendue & avec la Matiere, est *IL Partie.* (L) néanmoins *îSa Du Quarté ìntelle3ucL* néanmoins le meilleur qu'il avoit à prendre en ee genre.

Ainsi, malgré le peu de succès que l'homme a retiré de ses efforts, on sera toujours obligé de convenir que la division qu'il a saite du rayon en parties

Des erreurs et de la vérité, ou, Les hommes rappellés au principe universel de la science (1) • Louis Claude de Saint-Martin

• 91

décimales, consirme ce que j'ai dit sur l'universalité de la mesure quaternaire.

Quelque réserve que je me sois promis, après tout ce que j'ai dévoilé touchant le nombre *quatre* & touchant la racine quarrée, il n'est aucun de mes lecteurs qui ne jugent que l'un & l'autre ne soient les mêmes; ainsi il ne seroit plus temps de le dissimuler , & méme m'étant avancé jusques-là, je me trouve comme eMgagé à leur avouer qu'en vain chercheroient-ils la source des sciences & des lumieres ailleurs que dans cette Racine quarrée, & dans le quarré unique qui en résulte.

Et véritablement, s'il est possible à ceux qui liront cet Ecrit, de saisir par eux-mêmes la liaison de tout ce que j'expose à leurs yeux, & de prendre une idée convenable du quarré numérique & intellectuel que je leur présente, je suis en quelque sorte obligé de convenir de la vérité, & de ne plus leur resuser un aveu qu'ils m'arrachent.

Je vais donc présenter préalablement, autant que la prudence & la discrétion me le permettront, quelques-unes des propriétés de ce *quaternaire* ,

J *ternaire, ic* pour me rendre plus intelligible, je le considérerai comme le quarré sensible & corporel qui en est la figure & la production, c'està-dire, comme ayant quatre côtés visibles & distincts.

En examinant chacun de ces quatre côtés séparément, on pourra se convaincre que le quarré dont il s'agit, est vraiment la seule route qui puisse mener l'homme à l'intelligence de tout ce qui est contenu dans l'Univers, de même que c'est le seul appui qui doive le soutenir contre toutes les tempêtes qu'il est obligé d'essuyer pendant son voyage dans le temps.

Mais pour mieux sentir les avantages insinis attachés à ce quarré, rappelionsnous ce qui en a été dit en le comparant avec la circonférence; nous y apprendrons que la circonférence est saite pour borner & s'opposer à Paction du centre ou du quarré, & qu'ils réagissent mutuellement l'un fur l'autre, que par, conséquent elle arrête les rayons de la lumiere au lieu que le quarré étant par lui-même le Principe de cette lumiere,

son véritable objet est d'éclairer; en un mot, que la circonférence retient l'homme dans des liens & dans une prison, tandis que le quarré lui est donné pouç, s'en dllivrer.

C'est en effet l'inferiorité de cette circonfétence qui sait tous les malheurs de l'homme, (tz) parc«

'14 *Effets de la circonférence.* parce qu'il ne peut en parcourir tous les points que successivement, ce qui lui sait sentir dans toute son étendue la peine du temps pour laquelle il n'étoit pas sait; au lieu que le *quant* comme correspondant avec l'unité, ne l'assujettit point à cette Loi, puisqu'à l'image de son Principe, son action est entiere est sans interruption.

Il saut cependant avouer que la Justice méme a savorisé l'homme jusques dans les punitions qu'elle lui a infligées, & que cette circonférence qui lui a été donnée pour le borner & lui saire expier ses premiers égaremens, ne le laisse pas sans espoir & sans consolation; car au moyen de cette circonférence, l'homme peut parcourir tout f Univers & revenir au point d'où il est parti, sans être obligé de se retourner, c'est-à-dire, sans perdre de vue le centre. C'est méme là pour lui l'exercice le plus utile & le plus salutaire, comme on voit que lorsqu'on veut aimanter une lame de ser, il saut après chaque srottement, la ramener à l'aimant en lui saisant saire un circuit, sans cela elle perdroit la vertu qu'elle vient de recevoir.

Néanmoins, malgré cette propriété de la circonsérence, il n'y a nulle comparaison à en saira avec le quarré, puisque celui-ci instruit l'homme directement des *vertus* du centre, & que sans quitter sa place, cet homme peut par ce moyen atteindre atteindre & embrasser les mêmes choses, que par le secours de la circonférence il ne sauroit eonnoître sans en parcourir tous les points.

Ensin, celui qui est tombé dans la circonférence, tourne autour du centre, parce qu'il s'est écarté de l'action de ce centre ou du rayon qui est droit, & il tourne toujours, parce que l'action bonne est universelle, & qu'il la trouve par-tout sur son chemin en opposition; au lieu que celui qui tient au *centre* ,

ou au *quarré* qui en est l'image & le *nombre* , est toujours fixe & toujours le même.

Il est inutile, sans doute, de pousser plus loin cette comparaison allégorique, parce que je ne doute pas, que dans ce que je viens de dire, des yeux intelligens ne sassent bien des découvertes.

Ce n'est donc pas sans raison que j'ai pu annoncer ce quarré, comme étant supérieur à tout, puisque n'y ayant absolument que deux sortes de lignes, la droite & la courbe; tout ce qui ne tient pas à la Ligne droite, ou au quarré, est nécessairement circulaire , & dès-lors temporel & périssable.

C'est donc en vertu de cette supériorité universelle, que j'ai dû saire pressentir à l'homme les avantages insinis qu'il pourroit trouver dans ce quarré, ou ce nombre quaternaire, sur lequel je me suis proposé de donner quelques détails préliminaires à mes Lecteurs.

Nous

V£í *Mesure de la Circonférence'.*

Nous les prions de se souvenir que le quarré généralement connu, n'est que l'image & la figure du quarré numérique *Sc* intellectuel; ils Concevront sans doute aussi, que nous ne nous proposons de leur parler que du quarré numérique intellectuel qui agit sur le temps & qui dirige le temps; & que celui-là même est la preuve qu'il existe un autre *quarré* hors du temps, mais dont la connoissance entiere nous est interdite, jusqu'à ce que nous soyions nous-même hors de la prison temporelle: & c'est pour cela que je n'ai pas dû parler des termes de la Progression quaternaire, qui s'élèvent au dessus des Causes agissant dans le temps.

D'après cela, pour saire concevoir comment ce quarré contient tout, & mene à la connoissance de tout, observons qu'en Mathématique ce sont les quatre angles droits qui mesurent toute la circonférence; & comme ces quatre angles désignent chacun une Région particuliere, il est clair que le quarré embrasse l'Est, l'Ouest, le Nord & le Sud, or, si dans tout ce qui existe, soit sensible, soit intellectuel, nous ne saurions jamais trouver que ces quatre Régions, que pourrons-nous donc concevoir au-delà? Et quand nous íes aurons parcourues dans une Classe, ne devrons-nois pas rtous regarder comme certains qu'il ne nous restera plus rien íe cette Classe à connoître?

C'est C'est pourquoi, celui qui auroit observé avec íbin & avec perseverance les quatres points Cardinaux de la Création corporelle, n'auroit plus rien à apprendre en Astronomie, & il pourroic se flatter de posséder à sond le Système de l'Univers, ainsi que le véritable arrangement des Corps Célestes; c'«st-à-dire, qu'il auroit la connoissance de la propriété des Etoiles fixes, de l'Anneau de Saturne, des Temps & des Saisons convenables à l'*Agriculture* , & des deux Causes qui peuvent avoir les Eclipses; car c'est pour n'avoir jamais voulu reconnoître qu'une Loi matérielle & visible dans ces Eclipses, que les Observateurs ont nié celles qui sont provenues d'une autre source, & dans un temps différent du temps indiqué par l'ordre sensible.

Quand à l'ordre des mouvemens des Astres, l'homme pourroit également en avoir unc connoissance certaine, par un examen résléchi des quatre divisions qui complétent leur cours temporel; car le Temps est celle des mesures sensibles qui est la moins sujette à erreur, & c'est pour cette raison que le Temps étant la vraie mesure du corps des Astres, on sent qu'il m'est plus aisé d'estimer juste leurs retours périodiques par le calcul du Temps, que d'évaluer avec précision la longueur de mon bras, par les mesures conventionnelles prises dans l'étendue; puisque celles-ci n'ont point de base fixe, ni (L 4) déterminée, *i6S Des Revolutions de la Nature.* déterminée par la Nature sensible; c'est pour cela qu'une multitude de Nations mesurent l'espace même & les distances itinéraires, par la durée ou par le temps.

Par le secours de ce même quarré, l'homme parviendroit à se délivrer des ténèbres épaisses qui couvrent encore tous les yeux sur l'ancieníieté, l'origine & la sormation des choses; il pourroit même éclaircir toutes les disputes relative à la naissance de notre Globe, & à toutes les révolutions qui sont écrites sur sa sursace, & dont les traces peuvent

aussi-bien représenter les suites & les effets de la premiere explosion, que ceux des révolutions postérieures & successives, que l'Univers éprouve continuellement depuis son origine.

Ec en effet, ces révolutions se sont toujours prod. ites par les sorces Physiques, quoiqu'elles aient été permises, par la Cause premiere, & exécutées sous les yeux de la Cause temporelle supérieure, par la continuelle *contraction* du mauvais Principe, à qui d'immenses pouvoirs ont souvent été accordés sur le sensible pour la purification de l'intellectuel; car, s'il le saut dire, cette purification de l'intellectuel est la seule voie qui mene au vrai *grand Œuvre* , ou au rétablissement de *V Unite;* or, comment cette purification peut-elle avoir lieu, sans son contraire ou sans sa réaction, puisqu'elle doit se faire dans le temps, & que dans le temps aucune action ne peut avoir lieu sans le secours d'une réaction.

Ce qui éclaireroit l'homme là-dessus, c'est qu'en observant les quatre Régions dont nous parlons, il verroit qu'il y en a une qui dirige, une qui reçoit, & deux qui réagissent; de-là il verroit que les désastres dont la Terre offre universellement les vestiges, appartiennent nécessairement à l'action de deux Régions actives opposées, savoir, de celle où regne le Feu, & de celle où regne l'Eau. Alors il n'attribueroit plus les effets dont ses yeux sont témoins tous les jours, à l'Elément seul qui paroît les produire, parce qu'il reconnoîtroit que ces révolutions sont le résultat du combat continuel de ces deux ennemis, dans lequel l'avantage demeure tantôt à l'un & tantôt à l'autre; mais aussi dans lequel l'un des deux ne peut être vainqueur, sans que le lieu de la Terre où s'est passé le combat n'en souffre â proportion, & n'en reçoive des altérations & des changemens.

Voilà pourquoi rien de ce que nous voyons sur la Terre ne doit nous étonner, parce que, quand méme les révolutions journalieres que nous ne pouvons nier, n'auroient pas lieu, ces deux Elémens ont néanmoins commencé d'agir en opposition, dès le moment de l'origine des choses temporelles.

Voilà 170 *Des Revolutions de la Nature'.*

Voilà pourquoi aussi nous devons être sûr que chaque instant produit des révolutions nouvelles, parce que l'action de ces deux Elémens l'un sur l'autre, est, & sera continuelle jusqu'à la dissolution générale. Ainsi tous ces prodiges qui surprennent si sort les Naturalistes, disparaissent; toutes ces irrégularités, toutes ces dévastations qui s'operent sous nos yeux, de même que celles dont les restes & les débris annoncent Tancienneté, ne sont plus difficiles à expliquer, & se concilient parsaitement avec tout ce que Ton a vu sur les Principes innés des Etres, sur leurs actions différentes & opposées les unes aux autres, ensin sur les suites sunestes de la *eontraSion* universelle.

Mais tous ces Phénomènes paroîtront bien moins étonnans encore, quand nous nous rappellerons que ces deux Elémens opposés, ou ces deux agens, ou cette double Loi universelle dans la Matiere, sont toujours dans la dépendance de la Cause active & intelligente qui en sait le centre & le lien, & qui peut à son gré actionner l'un ou l'autre des divers Agens qui lui sont soumis, & même les livrer à une action inférieure & mauvaise.

Nous avons donc un moyen de plus de savoir d'où ont pu provenir, dans les grandes révolutions, ces excès prodigieux de l'Eau sur le Feu, ou du Feu sur l'Eau; car il saut simplement songer

I ger à la Cause active & intelligente, & reconnoître que, lorsque les Principes de ces Elémens ne sont plus dans leurs bornes naturelles, c'est qu'elle abandonne, ou qu'elle actionne l'un plus que l'autre par sa propre *vertu* , pour l'accomplissement des Décrets & de la Justice de la Cause premiere, & pour laisser agir, ou pour arrêter la trop grande *contraction* du Principe mauvais qui lui est opposé.

On voit donc par-là que pour savoir les raisons de la marche que cette Cause tient dans l'Univers, c'est dans sa Nature intelligente & dans tout ce qui lui ressemble qu'il saut les chercher; car, comme elle est à la sois active & intelligente, c'est son activité qui sait produire

Des erreurs et de la vérité, ou, Les hommes rappellés au principe universel de la science (1) • Louis Claude de Saint-Martin

• 93

les effets sensibles, en communiquant ses diverses actions & réactions à tous les Etres temporels; mais c'est sa saculté intelligente seule qui peut en donner l'explication, attendu que c'est à ce seul titre qu'elle est admise au *Confiil;* ainsi il n'y'aura jamais aucun résultat satissaisant pour ceux qui ne chercheront cette explication que dans la Matiere.

Que l'on applique ceci à tout ce qui a été dit sur la maniere de chercher en tout la vérité des choses; & l'on verra si les principes qui nous conduisent ne sont pas universels.

Outre les lumieres que la connoissance du quarrépeut donner, sur la constitution des Etres corporels, 171 *Cours temporel des Etres.* corporels, sur l'harmonie établie entr'eux, de même que sur les causes de leur destruction: il embrasse encore les quatre degrés distincts, auxquels leur cours particulier les assujettit, & qui nous sont clairement désignées par les quatre Saisons; car, qui ne fait les différentes propriétés attachées á chacune de ces Saisons? Qui ne sait qu'aucun Etre corporel ne pouvant recevoir la naissance que par la réunion de deux actions inférieures, il saut premiérement & avant tout, que ces deux actions se conviennent & s'accordent mutuellement; ce que l'on peut appeler *Y Adoption.* 'Or, c'est à l'Automne que cet acte d'adoption est attribué, parce qu'alors les Etres, par la Loi de leur Principe immatériel, jettent hors d'eux les germes qui doivent servir à leur reproduction; & cette Loi ne commence d'agir que quand ces germes se trouvent placés dans leur matrice naturelle. C'est-là le premier degré de leur cours; degré sur lequel la réflexion & l'intelligence découvriront sacilement une insinité de choses que je ne dois pas dire.

Quand les germes sont ainsi adoptés par leur matrice, les deux actions concourant ensemble, sorment ce que nous devons appeler la *conception* qui selon la Loi de.cette même nature corporelle, est indispensable pour 'la génération des Etres de matiere. Ce second degré de leur cours cours se passe pendant l'Hiver, dont l'influence ménageant leur sorce en les tenant dans le re

pos, & ramassant tout leur seu dans le même soyer, opere sur eux une réaction violente qui leur sait saire effort & les rend plus propics à se lier & à se communiquer réciproquement leurs vertus.

Le troisieme degré de leur cours a lieu pendant le Printemps, & nous pouvons regarder cet acte comme celui de la *végétation* ou de la corporation; premiérement parce qu'il est le troisieme, & que nous avons assez montré que le nombre trois étoit consacré à tout résultat, soit corporel, soit incorporel; en second lieu, parce que les influences salines de l'hiver venant à cesser après avoir rempli leur Loi, qui étoit de réactionner no-seulement les Principes des germes générateurs, mais même ceux de leurs productions, les uns & les' autres sont usage de leur saculté & de leur propriété naturelle en manisestant au-dehors tout ce qu'ils ont en eux. Aussi, c'est dans cette saison du Printemps que commencent à paroître les sruits de cette propriété végétative, & que nous les voyons sortir du sein où ils ont la naissance.

Ensin l'Été complete tout l'ouvrage; c'est alors que toutes ces productions, sortant de la matrice où elles avoient été sormées, reçoivent pleinement Paction du Soleil qui les porte à leur maturité, §74 *Cours temporel des Etres.* maturité, & c'est-là le quatrieme degré 3u coure de tous les Erres corporels terrestres.

On sent cependant qu'il saut en excepter la plupart des animaux, qui malgré qu'ils soient assujettis aux quatre degrés que je viens de reconnoître dans le cours particulier de tous les Etres corporels, ne suivent pas néanmoins toujours pour leur génération & leur croissance, la Loi & la durée ordinaire des saisons; & cette exception ne doit pas étonner à leur égard, parce que n'étant pas inhérens à la Terre, quoiqu'ils viennent d'elle, il est certain que leur Loi ne doit pas être semblable à celle des Etres de végétation attachés à cette même Terre.

Il ne saudroit pas non plus rejetter le Principe de l'universalité quaternaire, parce qu'on verroit que même.parmi les Etres de végétation, les uns n'attendent

pas la révolution entiere des qnatre saisons pour compléter leur cours, & que d'autres ne parviennent à ce complément qu'après plusieurs révolutions Solaires annuelles. Cette différence vient de ce que les uns ont besoin d'une moindre réaction, & les autres d'une plus considérable, pour agir& pour opérer leur œuvre particulier. Mais ces quatre degrés ou ces quatre actes que je viens de remarquer, ne leur conviennent pas moins, & s'accomplissent toujours avec une parsaite exactitude dans les Etres les plus précoces, comme dans ceux qui sont les plus tardifs, parce parce que selon ce qu'on a vu sur le nombre *quatre* par rapport à l'étendue, il est celui qui mesure tout, & qui porte son action par-tout, quoiqu'il ne porte pas par-tout son action égale, & qu'il la proportionne universellement à la différente nature des Etres.

Ce que l'on vient de voir sur les propriétéi attachées aux quatre saisons, ne répandroit-il pas quelque lumiere sur l'époque où l'Univers a pu prendre naissance? Il est vrai que ceci ne peut regarder que ceux qui accordent une origine â l'Univers; car pour ceux qui ont été ou assez aveugles ou d'assez mauvaise soi, pour ne pas lui en reconnoître une, cette recherche devient superflue. Cependant, persuadé que ceux-là même auroient prosité de ce que je leur dirois à ce sujet, je vais, autant qu'il me sera permis, lever un coin du voile devant leurs yeux.

Si, dans l'origine du monde, on considere seulement le premier instant de l'apparence de sa cor-r porisation, il est certain qu'en se guidant selon l'ordre des saisons, on seroit tenté de l'attribuer au Printemps, parce qu'effectivement c'est le moment de la végétation.

Mais si l'on portoit la vue un peu plus haut, & qu'on examinât tous les actes qui ont dû précéder cette corporisation visible, il sàudroit nécessairement placer l'origine du germe du monde à une autre saison que celle du Printemps. Car Car 176 *Epoque de P Univers: Ton* seroît obligé de convenir que la marche actuelle de la Nature universelle étant la même qu'au moment de sa naissance, l'adoption de ses Principes constitutiss a dû se saire alors pour elle, dans les mêmes circonstances & dans le même temps où nous voyons que se sait aujourd'hui l'adoption des principes particuliers qui perpétuent son cours & son existence; c'est-à-dire, que cette adoption primitive a dû commencer dans l'Automne.

C'est en effet, lorsque les Etres perdent la chaleur du *Soleil* , c'est lorsque cet Astre se retire d'eux, qu'ils se rapprochent & se recherchent, pour suppléer à son absence en se communiquant leur propre chaleur; & c'est-là, comme on l'a vu, le premier acte de ce qui doit se passer corporellement parmi les Etres particuliers de la Nature. Il doit donc en être de même pour l'universel; c'est lorsque le *Soleil* a cessé d'être sensible à ceux qu'il avoit échauffés jusques-là, que les choses corporelles ont sait le premier pas vers l'existence, & que la Nature a commencé.

Par la même analogie, on pourroit présumer dans quelle saison cette Nature doit se décomposer & cesser d'exister; c'est-à-dire, qu'en suivant la Loi de son cours actuel, on devroit croire que c'est dans l'Eté, que cet Univers acquerra le complément des quatre actes de son cours cours universel, que ce complément étant arrivé, il terminera là sa carriere, & que se détachant de la branche, à l'image des sruits, il cessera d'ccre, & disparaîtra totalement pendant que l'arbre auquel il étoit attaché, demeurera stable à jamais.

Ce que je viens de dire a pour base une Loï généralement reconnue, qui est que les choses finissent toujours par où elles ont commencé. Cependant je le répete, quoique les quatre actes du cours temporel s'accomplissent dans chacun des Etres, il n'en est pas cependant en qui cette Loi ne s'opere dans des temps différens.

Alors, fi ce cours varie du végc'tal à l'animal si même dans chacune de ces deux classes, il s'opere si diversement, tant sur les différentes especes que sur les différens individus, à plus sorte raison doit-il être plus difficile d'en fixer les Loïx & la durée en jugeant du particulier à l'Universcl. Ainsi , rien n'est plus loin de ma pensée que de vouloir déterminer une saison temporelle pour ces grandes époques. Et dans le vrai, ces questions sont entiérement superflues pour l'homme, d'autanc que par le flambeau qu'il porte en lui-même, il peut acquérir sur ces objets des lumieres plus utiles, plus sûres & plus importantes que celles qui ne tombent que sur les périodes des Etres passagers.

Je prie également qu'on ne me taxe pas de *11. sertie,* (M) contradiction *ìyt Des Cotés du Quarré.* contradiction ou d'inadvertance, si l'on m'a entendu parler du Soleil avant l'existence des choses corporelles; je n'oublie pas que le Soleil visible a pris naissance comme tous les corps, & avec tous les corps; mais je sais auísi qu'il y a un autre Soleil très-physique dont celui-ci n'est que la figure, & sous les yeux duquel tous les actes de la naissance & de la sormation de la Nature se sont opérés, comme la révolution journaliere & annuelle des Etres particuliers s'opere à l'aspect & par les Loix de notre Soleil corporel & sensible.

Ainsi, pour l'intérêt de ceux qui liront ceci, je les exhorte à être assez réservés pour ne pas me juger avant de m'avoir compris; & s'ils veulent me comprendre, il saut qu'ils portent souvent leur vue plus loin que ce que je dis; car, íbit par devoir, soit par prudence, j'ai laissé beaucoup à desirer.

Après avoir montré en général plusieurs des propriétés du quarré, que j'annonce toujours comme seul & unique, j'exposerai briévement quelques-unes de celles qui sont attachées à chacun de ses côtés, me réservant de traiter de cet emblême universel d'une maniere un peu plus étendue, dans la division qui suivra celle-ci.

Le premier de ces côtés, comme base, sondement, ou racine des trois autres côtés, est *Vh* mage de l'Etre premier unique, universel, qui s'est #est manisesté dans le temps, & dans toutes les productions sensibles, mais qui étant sa cause à luimême & la source de tout Principe, a sa demeure à part du sensible & du temps; & pour reconnoître ce que j'ai deja dit plusieurs sois; savoir, combien les productions sensibles, quoique venant de lui íbnt peu nécessaires à son existence, il ne saut qu'observer quel est le *nombre* qui lui convient, il n'y a personne qui ne sache que c'est l'Unité.

Quelqu'opération que l'on saste sur ce nombre pris en lui-même, c'est -*k*-dire, qu'on la multiplie, qu'on l'éleve à telle puissance que l'imagination pourra concevoir; que l'on cherche successivement la racine de toutes ces puissances, ce sera toujours ce même nombre d'unitét qui demeurera par-tout pour résultat, de frçon que ce nombre *un* étant à la sois sa racine, son quarré & toutes ses puissances, existe nécessairement par lui & indépendamment de tout autre Etre.

Je ne parle point de la division, parce que cette opération de calcul ne peut avoir lieu que sur des assemblages, & jamais sur un nombre simple comme l'unité, ce qui consirme ce que j'ai die sur la nullité des sractions.

Je ne parle point non plus de l'opération de l'addition, parce qu'il est clair qu'elle ne peut également avoir lieu que dans les choses compo (Mij fées, *1 So Des Côtes du Quarrt.* fées, & qu'un Etre qui a tout en soi ne peu» recevoir la jonction d'aucun autre Etre, ce qui ìert de preuve à tout ce qui a été dit ci-devant sur la Matiere, où rien de ce qui est employé à la croissance & à la nutrition des Etres corporels, ne se mêle avec leur Principes.

Mais je parle de la multiplication, ou élévation de puissances, ainsi que de 'extraction des racines, parce que l'une est l'image de la propriété productrice, innée dans tout Etre simple, & l'autre celle de la correspondance de tout Etre simple avec ses productions, puisque c'est par cette correspondance que s'òpere la réintégration.

C'est-là ce qui doit nous aider à nous confir» mer que ce premier côté du quarré, ce nombre Un, ou la Cause premiere de laquelle il est le caractéristique, produit tout par elle, ne reçoit rien que d'elle ou qui ne soit à elle.

Le second côté est celui qui appartient à cette Cause active & intelligente que j'ai présentée dans le cours de cet Ouvrage, comme tenant le premier rang

Des erreurs et de la vérité, ou, Les hommes rappellés au principe universel de la science (1) • Louis Claude de Saint-Martin

• 95

parmi les causes temporelles, & qui, par sa saculté active, dirige le cours de la Nature & des Etres corporels, de même que par sa saculté intelligente, elle dirige tous les pas de l'homme qui lui est semblable en qualité d'Etre intellectuel.

Nous attribuons à cette Cause le second *côté* du chi quarré, parce que de même que ce second côté est le plus voisin de la racine; de même la Cause active & intelligente paroîc immédiatement après l'Etre premier qui existe hors des choses temporelles. Alors, si nous la mettons en parallele avec le second côté du quarré, nous devons donc auísi lui donner un double nombre & nous voyons que nous ne saurions appliquer ce double nombre à aucun Etre avec plus de justesse qu'à cette Cause, puisqu'elle nous l'indique elle-même, tant par son rang secondaire, que par la double propriété dont elle est en possession.

Et dans le sait, il est si vrai que cette Cause active & intelligente est le premier Agent de tout ce qui est temporel & sensible, qu'ici rien n'auroit jamais existé sans son secours, & pour ainsi dire, sans avoir commencé par elle.

Le quarré lui-même ne nous offre-t-il pas la preuve? Le second de ses côtés, que nous examinons pour le moment, n'est-il pas le premier degré & le premier pas vers la manisestation des puissances de sa racine? En un mot, n'est-il pas l'image de cette ligne droite qui est la première production du poinc, & sans laquelle il n'y auroit jamais eu ni sursace ni solide?

Nous trouvons donc déja dans le quarré, deux points des plus importans pour l'homme, (M 3) savoir, *xtí Des CètSs da Quarré"*. savoir, la connaissance de la Cause première universelle, & celle de la Cause seconde qui la représente dans les choses sensibles, & qui est son premier Agent temporel.

Je me suis assez étendu, en son lieu, sur les attributs immenses qui appartiennent à cette Cause seconde, active & intelligente, pour pouvoir me dispenser de les rappeler ici; & si l'on veut avoir d'elle l'idée qui lui convient, il suffira de ne jamais oublier qu'elle est l'image de la Cause première, & char-

gée de tous ses pouvoirs pour tout ce qui se passe dans le Temps; c'est ce qu'on pourra concevoir de plus vrai à son sujet; c'est en même temps ce qui apprendra à l'homme, s'il est aucun Etre dans le Temps, en qui il puisse mieux placer sa consiance.

Le troisieme côté du quarré est celui qui désigne tous les résultats quelconques, c'est-àdire, tant ceux qui sont corporels & sensibles, que ceux qui sont immatériels & hors du Temps; car, de même qu'il y a un Quarré affecté au Temps, & un Quarré indépendant du Temps, de même i! y a des résultats attachés à l'un & à l'autre de ces deux Quarrés, parce que chacun d'eux a le pouvoir de manisester des productions; & comme les productions qui se manisestent dans l'une & l'autre Classe, sont toujours au nombre de *trois* , c'est pour cela que que nous les appliquons au troisieme côté du quarré.

Ceci s'accorde parsaitement avec ce que l'on a vu sur les productions corporelles, qui toutes sont l'assemblage de trois Elémens; tout ce qu'il y a à observer, c'est la distinction considérable qui, malgré la similitude du *Nombre* , se trouve entre les productions temporelles & celles qui ne le sont pas; celles-ci provenant directement de la Cause premiere, sont des Etres simples comme elle, & ont par conséquent une existence absolue que rien ne peut anéantir; les autres n'étant ensantés que par une Cause secondaire, ne peuvent avoir les mêmes privileges que les premieres, mais doivent nécessairement se ressentir de l'infériorité de leur Principe; aussi leur existence n'est-elle que passagere, & elles ne subsistent pas par elles-mêmes, comme-les Etres qui ont de la réalité.

C'est là ce que le troisieme côté du quarré nous sait connoître évidemment; car, si le second nous a donné la ligne, le troisieme nous donnera la sursace; & puisque le nombre *trois* est en même temps le nombre de la sursace & le nombre des Corps, il est donc clair que les Corps ne sont composés que de sursaces c'est-à-dire, de substances qui ne sont que l'enveloppe ou l'apparence extérieure de l'Etre, mais (M 4) aux-

quelles 184 *Des Cotés du Quarté*. auxquelles n'appartiennent, ni la solidité, ní la vie.

Et en effet, la derniere opération, indiquée par la GJométrie humaine, pour composer le solide, n'est que la répétition de celles qui ont précédé, c'est-à-dire, de celles qui ont sormé la ligne & la sursace; car la prosondeur que cecte troisieme & derniere opération engendre, n'est autre chose que la direction verticale de plusieurs lignes réunies, & toute la différence qui s'y trouve, c'est que dans les opérations précédentes la direction des lignes n'étoit qu'hoxizóntale; ainsi cette prosondeur est toujours le produit de la ligne, & comme telle, elle ne peut être autre chose qu'un assemblage de sursaces.

Veut-on, puisque l'occasion s'en présente, apprendre encore à évaluer plus juste ce que sont les Corps? Pour cet effet, on n'a qu'à suivre l'ordre inverse de celui de leur sormation. Les solides se trouveront composés de sursaces, les sursaces de lignes, les lignes de points, c'està-dire de Principes qui n'ont ni longueur, ni largeur, ni prosondeur; en un mot, qui n'ont aucune des dimensions de la Matiere, ainsi que je l'ai amplement exposé lorsque j'ai eu lieu d'en parler.

Qu'on ramene donc ainsi les Corps à leur source & à leur Essence primitive & qu'on voies par-là l'idée que l'on doit avoir de la Matiere.

Ensin, le quatrieme côté du quarré, comme repétant le Nombre quaternaire, par lequel tout a pris son origine, nous offre le *Nombre* de tout ce qui est centre ou Principe, dans quelque classe que ce soit;mais, comme nous avons assez parlé du Principe universel qui est hors du Temps, & que ce quarré dont nous traitons actuellement, a simplement le temporel pour objet, on ne doit entendre par son quatrieme côté, que les différens Principes agissans dans la classe temporelle, c'est-à-dire, tant ceux qui jouissent des sacultés intellectuelles, que ceux qui sont bornés aux sacultés sensibles & corporelles; & même, quant aux Principes immatériels des Etres corporels, sur lesquels nous nous sommes étendus auííî longuement qu'il nous a été permis de le saire, nous ne rappellerons ici ni leurs différentes propriétés, ni leur action innée, ni la nécessité d'une seconde action pour saire opérer la premiere, ni en un mot , toutes ces observations qui ont été faites sur les Loix & le cours de la Nature matérielle.

Nous nous contenterons de saire remarquer, que le rapport qui peut se trouver entre ces Principes corporels & le quatrieme côté du quarré, est une nouvelle preuve qu'en qualité de %6 *Des Côtés du Quarré.* de quaternaires ou de centres, ils sont des EtreJ simples, distincts de la Matiere, & dès-lors indestructibles, quoique leurs productions sensibles, qui ne sont que des assemblages, soient sujettes par leur nature à se décomposer.

C'est donc seulement sur les Principes immatériels intellectuels, que nous devons actuellement fixer notre attention, & parmi ces Principes, il n'en est aucun sur qui nous puissions attacher notre vue plus à propos que sur l'homme en ce moment; puisque c'est lui qui a été le principal objet de cet écrit; puisque c'est en lui que devroient résider essentiellement toutes les vertus rensermées dans cet important Quarré dont nous nous occupons; puisqu'ensin, ce Quarré n'a jamais été tracé que pour l'homme, & qu'il est la véritable source des sciences & des lumieres dont cet homme a été malheureusement dépouillé.

Ce seroit donc en contemplant avec soin le quatrieme côté de ce quarré, que l'homme apprendrait véritablement à en évaluer le prix & les avantages. Ce seroit-là en même temps où il verroit à découvert les Erreurs par les quelles les hommes ont obscurci le sondement & l'objet même des Mathématiques; combien ils se trompent, quand ils substituent aux Loix simples de cette sublime Science, leurs décisions fautives & incertaines, & combien ils se nuisent sent à eux-mêmes, quand ils la bornent à l'examen des Faits matériels de la Nature, tandis qu'en en saisant un autre usage, ils en pourroient retirer des sruits si précieux.

Mais on sait que l'homme ne peut plus aujourd'hui observer ce quarré sous le même point de vue qu'il le saisoit autresois, & que parmi les quatre différentes classes qui y sont contenues, il n'occupe plus que la plus médiocre & la plus obscure, au lieu que dans son origine il occupoit la premiere & la plas lumineuse.

C'étoit alors que puisant les connoissances dans leur source même, & se rapprochant, sans satigue & sans travail du Principe qui lui avoit donné l'être, il jouisToit d'une paix & d'une félicité sans bornes, parce qu'il étoit dans son Elément. C'est par ce même moyen qu'il pouvoit avec avantage & avec sûreté diriger sa marche dans toute la Nature, parce qu'ayant empire sur les trois classes inférieures du quarré temporel, il pouvoit les diriger, à son gré, sans être épouvanté ni arrêté par aucun obstacle; c'est, dis-je, par les propriétés attachées à cette plaoe éminente, qu'il avoit une notion certaine de tous les Etres qui composent cette Nature corporelle, & pour lors il n'étoit pas exposé au danger de consondre sa propre Essence avec la leur.

Au i88 *Du Qu.arri temporel.*
Au contraire, relégué aujourd'hui à la derniere des classes du Quarré temporel, il se trouve à l'extrémité de cette même Nature corporelle qui lui étoit soumise autresois & dont il n'auroit jamais dû éprouver ni la résistance, ni la rigueur. Il n'a plus cet avantage inappréciable, dont il jouisfbit dans toute son étendue, lorsque placé entre le Quarré temporel & celui qui est hors du Temps, ît pouvoit à la sois lire dans l'un & dans l'autre. Au lieu de cette lumiere dont il auroit pu ne jamais se séparer, il n'apperçoit plus autour de lui qu'une affreuse obscurité, qui l'expose à toutes les souffrances auxquelles il est sujet dans son corps, & à toutes les méprises auxquelles il est entraîné dans sa pensée , par le saux usage de sa volonté & par l'abns de toutes ses sacultés intellectuelles.

Il n'est donc que trop vrai qu'il est impossible à l'homme d'atteindre aujourd'hui sans secours, les connoissances rensermées dans le Quarré dont nous traitons, puisqu'il ne se présente plus à lui sous la sace qui peut seule le lui rendre intelligible.

Mais, je l'aî promis, je ne veux pas décourager l'homme; je voudrois, au contraire, allumer en lui une espérance qui ne s'éteignît jamais; je voudrois verser des consolations sur a misere, en l'engageant à la comparer avec les moyens qu'il a près de lui pour s'en délivrer

Je Je vais donc actuellement fixer sa vue sur un attribut incorruptible qu'il possédoit pleinement dans son origine, dont la jouissance non seulement ne lui est pas tout-à-sait interdite aujourd'hui, mais est même un droit auquel il peut prétendre, & qui lui offre la seule voie & le seul moyen de recouvrer cette place importante dont nous venons de parler.

Rien ne paroîtra moins imaginaire que ce que j'avance, quand on réfléchira que même dans sa privation, l'homme possede encore les sacultés du desir & de la volonté; qu'ainsi ayant des sacultés, il lui saut des attributs pour les manisester, puisque la Cause premiere elle-même est soumise, ainsi que tout ce qui tient à son Essence, à la néceflîté de ne pouvoir rien manisester sans le secours de ses attributs.

Il est vrai que les sacultés de ce Principe premier étant aussi insinies que les Nombres, les attributs qui leur répondent doivent être également sans limites; car non seulement ce Principe premier maniseste des productions hors du temps, pour lesquelles il emploie des attributs nhérens en lui, & ne sont distincts entr'eux que par leurs différentes propriétés; mais il maniseste encore des productions dans le temps, & pour lesquelles, outre le secours de ces attributs inséparables d'avec lui-même, il lui a sallu de plus des attributs hors de lui, venant de lui, agissant pa iço *Ressources de VHomme.* par lui, & qui ne sussent pas lui;ce qui constitue la Loi des Etres temporels, & explique la double action de l'Univers.

Mais, quoique les manisestations que l'homme a à faire ne soient nullement comparables à celles de la Cause premiere, on ne peut néanmoins lui contester les facultés que nous venons de te-

Des erreurs et de la vérité, ou, Les hommes rappellés au principe universel de la science (1) • Louis Claude de Saint-Martin

• 97

connoître en lui, ainsi que le besoin indispensable d'attributs analogues à ces sacultés, pour pouvoir les mettre en valeur; & puisque ces attributs sont les mêmes que ceux par lesquels il a prouvé autresois sa grandeur, nous verrons qu'il en devroit attendre aujourd'hui les mêmes secours, s'il avoit une volonté constante d'en saire usage, & qu'il leur donnât toute sa constance.

7

C attributs au dessus de tout prix, & dans lesquels se trouve la seule ressource de l'homme, sont rensermés dans la connoissance des langues, c'est-à-dire, dans cette sacultè commune à toute l'espece humaine de communiquer ses pensées j sacultè que toutes les Nations ont en effet cultivée j mais d'une maniere peu prositable pour elles, parce qu'elles ne l'ont pas appliquée à son vé«ritable objet.

Nous voyons évidemment que les avantages attachés à la sacultè de parler, sont les droits réels de l'homme, puisque par leur moyen il commerce avec ses semblables, & qu'il leur rend sensibles toutes ses pensées & toutes ses affections. C'est même là ce qui peut vraiment répondre à ses droits sur cet objet; car tous les signes qu'on a employés pour suppléer à la parole dans ceux qui en sont privés, soit par nature, loit par accident, ne remplissent ce but que très-imparsaitement.

Cela se borne chez eux ordinairement à des négations & à des affirmations, toutes choses quî ne sont que la suite d'une question; & si l'on ne les interroge, jils ne peuvent d'eux-mêmes nous faire *Iqx Des Langues fadicesl* faire concevoir une penïèe, à moins, ce qui revient au même, que l'objet ne soit sous leurs yeux, & que par le tact ou quelqu'autre signe démonstratis, ils ne nous sassent comprendre l'application qu'ils en veulent saire.

Ceux qui ont poussé l'industrie plus loin, ne peuvent être entendus que des Maîtres qui les ont enseignés, ou de toute autre personne qui seroit instruite de la convention; mais alors, quoique ce soit bien là une espece de langage, cependant nous ne pouvons jamais dire que ce soit une véritable Langue,

puisque premiérement elle n'est pas commune à tous les hommes, & en second lieu, qu'elle peche sortement par l'expression, en ce qu'elle est privée des avantages inappréciables qui se trouvent dans la prononciation.

Ce ne sera donc jamais là, ni dans aucune des Langues sactices, qui se trouveront les vrais attributs de l'homme, parce que tout y étant conventionnel & arbitraire, &. variant sans cesse, n'annonce pas une véritable propriété.

D'après cet exposé, nous pouvons déja concevoir quelle doit être la nature des Langues: car j'ai dit qu'elles doivent être communes à tous les hommes; or, comment peuvent-elles être communes à tons les hommes , fi elles n'ont pas toutes les mêmes signes; ce qui est dire proprement qu'il ne doit y avoir qu'une Langue.

Te ne donnerai point pour preuve de ce que j'avance ici, cette avidité avec laquelle les hommes cherchent à acquérir la pluralité des Langues, & cette sorte d'admiration que nous avons pour ceux qui en connoissent un grand nombre, quoiqne cette avidité & cette admiration, toutes sausses qu'elles soient, offrent, uti indice de notre tendance vers l'universalité ou vers l'Unité.

Je ne dirai pas non plus avec quelle prédilection les Nations différentes regardent leur Langue particuliere, & combien chaque Peuple est jaloux de la sienne.

Bien moins encore parlerai-je de l'usage établï entre quelques Souverains de ne s'écrire que dans une Langue morte *&c* commune entr'eux pour, les correspondances d'apparat, parce que non seulement cet usage n'est pas général, mais encore qu'il tient à un motis trop srivole, pour pouvoir être de quelque poids dans la matiere que je traite.

C'est donc dans l'homme même qu'il saut trouver la raison & la preuve qu'il est sait pour n'avoir qu'une Langue, & dès-lors on pourra reconnoitre par quelle Erreur on est venu à nien cette Vérité, & à dire que les Langues n'étanc que l'effet de l'habitude & de la convention il est inévitable qu'elles ne varient comme toutes les choses de la

Terre; ce qui a sait croire aux *II Partie.* (N) Observateurs *J* la 4 & *l Langue ìnt-tlk&udle.* Observateurs qu'il peut y en avoir à la sois plusieurs, egalement vraies, quoique différentes les unes des autres.

Pour marcher avec quelque certitude dans cette carriere, je les engagerai à considérer s'ils ne reconnoissent pas en eux deux sortes de Langues; l'une sensible, démonstrative, & par le meyen de laquelle ils communiquent avec leurs semblables; l'autre, intérieure, muette, & qui cependant précede toujours celle qu'ils manisestent au dehors, & en est vraiment comme la mere.

Je leur demanderai ensuite d'examiner la nature de cette langue intérieure & secrete; de voir si elle est autre chose que la voix 6e l'expreflìon d'un Principe extérieur à eux, mais qui grave en eux sa pensée, & qui réalise ce qui se passe en lui.

Or, d'après la connoissance que nous avons prise de ce Principe, on peut savoir que tous les hommes devant être dirigés par lui, il ne de vroit se trouver dans tous qu'une marche uniforme, que le même but & la même Loi, malgré la variété innombrable des pensées bonnes qui peuvent leur être communiquées par cette voie.

Mais, puisque cette marche devroit être fi unisorme, puisque cette expression secrete devroit être la même partout, il est certain v , que que les hommes, qui n'auroient pas laissé dénaturer en eux les traces de cette Langue intérieure, l'entendroient tous très-parsaitement; car' ils y trouveroient partout une conformité: avec ce qu'ils sentent en eux, ils y verroienc la simulitude & la représentation de leurs idées mêmes, ils y apprendraient que hors celles qui leur viennent du Principe du mal, il n'y en a point qui leur soient étrangeres; ensin, ils se convaincraient d'une maniere srappante de la: parité universelle de l'Etre intellectuel qui les constitue.

C'est là où ils reconnoîtroient clairement que la vraie Langue intellectuelle de l'homme étant par-tout la même, est essentiellement.une;, qu'elle ne pourra jamais varier, & qu'il ne peur, en exister deux, sans que l'une ne soit combattue *8s.* détruite par l'autre.

Alors, ainsi que nous l'avons vu, dès que la langue extérieure & sensible n'est que le produit de la langue intérieure & secrete; si cette langue secrete étoit toujours consorme au Principe qui doit la diriger , qu'elle fût toujours une & toujours la même, elle produirait universellement la même expression sensible & extérieure; par conséquent, quoique nous soyions obligés d'employer aujourd'hui des organes matériels, nous aurions encore une langue commune, & qui seroit intelligible à tous les hommes.

(N z) Quand jç6 *De la Langue sensible.* Quand est-ce donc que les langues sensibles ont pu varier parmi eux? Quand est-ce qu'ils ont apperçu de la disparité dans la maniere dont ils se communiquoient leurs idées? N'est-ce par lorsque cette expression secrete & intérieure a commencé à varier elle-même, n'est-ce pas lorsque le langage intellectuel de l'homme s'est obscurci, & n'a plus été l'ouvrage d'une main pure? alors n'ayant plus sa lumiere près de lui, il a reçu sans examen la premiere idée qui s'est osferte à son Etre intellectuel, & n'a plus senti la liaison, ni la correspondance de ce qu'il recevoit, avec le Principe vrai dont il devoit tout obtenir. Alors enfin, remis à lui-même, sa volonté & son imagination ont été ses seules ressources; & il a suivi par besoin comme par ignorance, toutes Jes productions que ces saux guides lui ont présentées.

C'est par-là que l'expression sensible a été totalement altérée, parce que l'homme ne voyant plus les choses dans leur nature, leur a donné des noms qui venoient de lui; & qui n'étant point analogues à ces mêmes choses, ne pouvoient pas les désigner, comme leurs noms naturels le saisoient sans équivoque»

Que quelques hommes seulement aient suivi cette route erronée,, & si peu susceptible d'unisormité, alors chacun aura sûrement donné aux mêmes choses des noms dijîerens ; ce qui répécé;. par par un grand nombre, & perpétué de plus en plus dans la succession des

temps, doit, à la vérité, nous offrir le spectacle le plus variable & le plus bisarre. Ne doutons pas que ce ne soit-là l'origine de la différence & de la division des langues, & d'après tout ce que j'en ai dit, quand je n'en aurois pas d'autres preuves, ceci seroit plus que suffisant pour nous convaincre que les hommes sont prodigieusement éloignés de leur Principe. Cir, je le répete, s'ils étoient tous guidés par ce Principe, leur langue intellectuelle seroit la même; & par conséquent, leurs langues sensibles & extérieures n'auroient que les mêmes signes & les mêmes idiomes.

On ne me contestera pas, je l'espere, ce que je viens de dire, sur les noms naturels & significatiss des Etres: quoique dans les différentes langues en usage sur la terre, les noms ne nous offrent rien d'unisorme, cependant nous sommes obligés de croire qu'elles devvroient n'employer que des noms qui indiquassent universellement *Sc* clairement les choses; par cette raison ces langues si différentes les unes des autres ne sauroient raisonnablement passer pour de véritables langues; & d'ailleurs chacune de ces langues considérée en elle-même, toute sausse qu'elle soit, nous offrira clairement la preuve de ce que j'avance.

Les mots que chacune de ces langues em« (N 3) ploie/ ¸Î¸S *De l& Longue senfibk.* ploie, quoiqu'étant conventionnels, ne seront-îîs pas pour tons ceux qui seront instruits de cette convention, un signe certain des Etres qu'ils représentent? Ne voyons-nous pas même le penchant naturel que nous avons tous pour exprimer les choses par les signes ou les mots qui nous paroissent le plus analogues? Et ne goûtons-nous pas tin plaisir secret mêlé d'admiration, quand on nous offre des signes, des expressions & des figures qui nous rapprochent le plus de la Nature des objets qu'on veut nous présenter, & qui nous les sont le mieux concevoir?

Que saisons-nous donc en ceci que répéter la marche de la Vérité même, qui a établi une langue commune entre toutes ses productions, & qui leur ayant donné à chacune un nom propre & lié à leur essence, les a mis à couvert de

toute équivoque entre elles J N'en préserveroit-elle pas par le même moyen les hommes, qui ayant tous pour tâche de rétablir leur liaison avec ses ouvrages, auroient su travailler & parvenir à en connoître les véritables noms?

Nous ne pouvons donc nier que dans notre difformité même & dans notre privation, nous lie nous tracions des emblêmes expressiss de la Loi des Erres, & que Fusage saux que nous saisons du langage, ne nous annonce remploi plus juste & plus satissaisant que nous en pourrions faire, sans sorcir pour cela de la Nature,;. & & seulement en n'oubliant pas la source où ce langage devroit prendre son origine.

Il est donc vrai que si les Observateurs eussent remonté jusqu'à cette expression secrete & intérieure que le Principe intellectuel opere en nous,' avant de se manisester au dehors, c'eût été lì qu'ils auroient trouvé l'origine de la langue sensible, comme eh étant le vrai Principe, & noit pas dans les causes sragiles & impuissantes quï se bornent à opérer leur Loi particuliere, & qut ne peuvent rien produire de plus. Ils n'eussenc pas cherché à expliquer par de simples Loix de Matiere, des saits d'un ordre supérieur, qui ont subsisté avant le temps, qui subsisteront après le temps & sans interruption, indépendamment de la Matiere. Ce n'est plus l'organisation, ce n'est plus une découverte des premiers hommes, quî passant d'âge en âge, s'est perpétuée jusqu'à nos jours parmi l'espece humaine, par le moyen de l'exemple & de l'instruction; mais, ainsi que nous le verrons, c'est le véritable attribut de l'homme, & quoiqu'il en ait été dépouillé depuis qu'il s'est élevé contre sa Loi, il lui en est resté des vestiges qui pourroient le ramener jusqu'à sa source, s'il avoit le courage de les suivre pas à pas, & de s'y attacher sortement.

Je sais que parmi mes semblables ce point est un des plus contestés; que non seulement ils sont incercains quelle a pu être la premiere (N 4) langue *zoo Expériences fur des Enfans.* langue des hommes, mais même qu'à sorce *âo* varier là-dessus, ils onr pu venir à croire que J'homme n'en avoit point la source

Des erreurs et de la vérité, ou, Les hommes rappellés au principe universel de la science (1) • Louis Claude de Saint-Martin

• 99

en lui, &, cela, parce qu'ils ne le voient pas parler naturellement, quand il est abandonné à lui-même dès son ensance.

Mais ne verront-ils jamais en quoi peche leur observation? Ne savent-ils pas que dans l'état de privation où l'homme se trouve aujourd'hui., il est condamné à ne rien opérer, même par ses sacultés intellectuelles, sans le secours d'une réaction extérieure, qui les mette en jeu & en action: é qu'ainsi, priver l'homme de cette Loi, c'est absolument lui ôter toutes les ressources que la Justice lui avoit accordées, & le mettre dans le cas de laisser étouffer ses sacultés, sans qu'elles produisent le moindre sruit.

Cependant on ne peut nier que ce ne soit-là la marehe des Observateurs par ces expériences réitérées qu'ils ont saites sur des ensans, pour découvrir, en s'abstenant de parler devant eux, quelle seroit leur langue naturelle. Quand ils ont vu ensuite que ces ensans ne sailòient aucun usage de la parole, ou qu'ils ne rendoient que des sons consus, ils ont interprété le tout à leur gré, & ont bâti des opinions sur des saits qu'ils avoient arrangés eux-mêmes. Mais n'est-il pas évident que la Nature sensible & la Loi intellectuelle appellent également l'homme à vivre en société? Or, pourquoi l'homme se trouve-t-il ainsi placé au milieu de ses semblables qui sont censés avoir sait leur réhabilitation, si n'est pour y recevoir tous les secours dont il a besoin, pour ranimer à son tour ses sacultés ensevelies, & pouvoir les exercer à son prosit?

C'est donc agir directement contre ces deux Loix & contre l'homme, que de le priver des secours qu'il devoit en attendre; c'est être peu sensé que de le juger, après lui avoir ôté tous les moyens d'acquérir l'usage des sacultés qu'on lui conteste, & dont on cherche à le croire incapable. Il vaudroit autant placer un germe sur une pierre, & nier ensuite que ce germe dût porter des sruits., ,

Mais, sans.aller plus loin, s'il est évident que quand l'homme est privé des secours qui lui sont indispensablement nécessaires, il ne peut produire aucune langue fixe, & que cependant il

y a des langues parmi les hommes; où pourrat-on donc trouver l'origine de ce langage universel, 8e ne saudra-t-il pas convenir que celui qui a pu l'enseigner le premier, a dû le recevoir d'ailleurs que de la main des hommes?

U y a, je le sais, une espece de langage naturel & unisorme, que les Oservateurs s'accordent assez généralement à reconnoître dans l'homme, c'est celui par lequel il désigne ses affections ioz *Du Langage des Etres senfibks.* affections de plaisir & de douleur; ce qui annonce en lui une sorte de sons appropriés à cet usage.

Mais il est bien clair que ce langage, ii c'en est un, n'a que les sensations corporelles pour guide & pour objet; & la preuve la plus convaincante que rous en ayions, c'est qu'il sé trouve egalement dans les bêtes, dont la plupart manifestent au dehors leurs sensations par des mouvemens & méme par des sons caractérises.

Toutesois cette espece de langage doit peu nous étonner dans ranimai, fi nous nous rappelions les principes établis ci-dessus. Le Principe corporel de l'animal n'est-il pas immatériel, puisqu'il ne peut y avoir aucun Principe qui ne le soit? Comme tel, ne doit-il pas avoir des facultés, & s'il a des facultés, ne doit-il pas avoir des moyens de les manisester? Mais aussi, les moyens dont chaque Etre en particulier peut avoir l'usage, doivent toujours être en raison de ses sacultés; car, s'il n'y avoit pas là une mesure comme dans tout le reste, ce seroit une irrégularité, & dans les Loix des Etres nous ne saurions jamais en admettre.

i C'est donc par cette mesure que l'on doit évaluer l'espece de langage par lequel les bêtes démontrent leurs sacultés; puisque étant bornées à sentir, il ne leur a sallu que les moyens de faire connoître qu'elles sentoient, & elles les ont.

Les

I

Dm *Langage des Etres sensibles.* 203 Les Etres qui n'ont d'autres sacultés que celles de la végétation, démontrent aulTi clairement cette saculté de végétation par le sait même, mais ils ne démontrent

que cela.

Ainsi, quoique la bête ait des sensations, & qu'elle les exprime; quoique dans l'état actuel des choses ces sensations soient de deux sortes, l'une bonne & l'autre mauvaise, & que la bête les désigne toutes deux, en montrant quand elle a de la joie ou quand elle souffre, on ne peut se dispenser de borner à ce seul objet son langage & tous signes démonstratiss qui en sont partie; *te* jamais on pourra regarder cette maniere de s'exprimer comme une vraie langue, puisqu'une langue a pour but d'exprimer les pensées, que les pensées sont le propre des principes intellectuels, & que j'ai assez clairement démontré que le Principe de la bête n'est point intellectuel, quoiqu'il soit immatériel.

. Si nous sommes sondés à ne ' point regarder comme une langue réelle les démonstrations par lesquelles la bête sait connoître ses sensations; alors, quoique l'homme comme animal, ait aussi ces sensations & les moyens de les manisester, nous n'admettrons jamais la moindre comparaison, entre ce langage borné & obscur, & celui dons la Nature intellectuelle des hommes les rend susceptibles.

Ce ieroit sans doute une étude intéressante & instructive, 204 *Rapport du Langage aux Facultes.* instructive, que d'observer dans toute la Na ture, cette mesure qui se trouve entre les sacultés des Etres & les moyens qui leur ont été accordes pour les exprimer. Nous y verrions, qu'à proportion qu'ils sont éloignes par l«ur nature du premier anneau de la chaîne, leurs facultés sont moins étendues. Nous verrions en même temps que les moyens qu'ils ont de les saire connoître, suivent avec exactitude cette progression, & dans ce sens nous pourrions accorder une sorte de langage jusqu'aux moindres des Etres créés, puisque ce langage ne seroit autre chose que l'expression de leurs facultés, & cette unisormité sans laquelle il ne pourroit y avoir ni.commerce, ni correspondance, ni affinité entres les Etres.de la même classe.

Il saudroit néanmoins dans cet examen avoir la plus grande attention de prendre tous les Etres chacun dans leur classe, & de ne pas attribuer à l'une ce qui n'appartient qu'à l'autre: il ne saudroit pas attribuer au minéral toutes les sacultés des plantes, ni la même maniere de maniseter celles qui leur sont communes, non plus qu'attribuer à la plante ce que l'on auroit observé dans l'animal; bien moins encore saudroit-il attribuer à ces Etres inférieurs, & qui n'ont qu'une action passagere, tout ce que nous venons de découvrir dans l'homme. Car ce seroit retomber retomber dans cette horrible consusion des langues, le principe de toutes nos Erreurs & la vraie cause de notre ignorance, en ce que dès-lors la nature de tous les Etres seroit défigurée pour nous.

Mais, comme ce point seroit peut-être d'une trop grande étendue pour mon Ouvrage, je /ne contente de l'indiquer, & je le laisse à traiter à ceux qui auront la modestie de se borner à des sujets isolés, & moins vastes que celui qui m'occupe.

Je reviens donc à cette langue véritable & originelle, la ressource la plus précieuse de l'homme. J'annonce de nouveau, que comme Etre immatériel & intellectuel, il a dû recevoir avec là premiere existence, des sacultés d'un ordre supérieur, &. par conséquent les attributs nécessaires pour les maniseter; que ces attributs ne sont autre chose que la connoissance d'une Jangue commune à tous les Etres pensans; que cette langue universelle devoit leur être dictée par un seul & même principe, dont elle est le véritable signe; que l'homme n'ayant plus en entier ces premieres sacultés, puisque nous avons vu qu'il n'avoit pas même la pensée à lui, les attributs qui les accompagnoit, lui ont aussi été enlevés, & que c'est pour cela que nous ne lui voyons plus cette langue fixe & invariable.

Mais *206 De la Langue universelles*
Mais nous devons répéter aussi qu'il n'a pas perdu l'espérance de la retrouver, & qu'avec du courage & des efforts, i! peut toujours prétendre à rentrer dans ses premiers droits.

S'il m'étoit permis d'en citer des preuves, je serois voir que la terre en est remplie, & que depuis que le monde existe, il y a une langue qui ne s'est jamais perdue, & qui ne se perdra pas même après le monde,. quoiqu'alors elle doive être simplifiée; je serois voir que des hommes de toutes. Nations en ont eu connoissance; ue quelques-uns séparés par des fiecles, de même que des contemporains, quoiqu'â des distances considérables, se sont entendus par le moyen de cette langue universelle & impérissable.

On apprendroit par cette langue.comment les rais Législateurs se sont instruits des Loix & des principes, par lesquels se sont conduits dans tous les temps les hommes qui ont possédé la *Justice* & comment en réglant leur marche sur ces modeles, ils ont eu la certitude que leurs pas étoient réguliers. On y verroit aussi les vrais principes militaires dont les grands Généraux ont acquis la connoiflance, & qu'ils ont employés avec tant de succès dans les *combats*.

Elle donneroit la cles de tous les *calculs* , la connoiflance de la construction & de la décomposition des Etres de même que de leur réintégration, *I* tégration. Elle seroit connoître les *vertus* du Nord, la cause de la déviation de la bouïïble, la *terre-vierge*, objet du desir des aspirans â la Philosophie occulte. Ensin, sans entrer ici dans un plus grand détail de ses avantages, je ne crains point d'assurer que ceux qu'elle peut procurer sont sans nombre, & qu'il n'est pas un Etre sur lequel son pouvoir & soi) flambeau ne s'étendent.

Mais, outre que je ne pourrois m'ouvrir davantage sur cet objet, sans manquer à ma promesse & à mes devoirs, il seroit très-inutile que j'en parlasse plus clairement, parce que mes paroles seroient perdues pour ceux qui n'ont pas tourné leur vue de ce côté, & le nombre en est comme infini.

Quant à ceux qui sont dans le chemin de la Science, ce que j'ai dit leur suffira, lans qu'il soit nécessaire de lever pour eux un autre coin du voile.

Tout ce que je puis donc saire pour montrec la correspondance universelle des principes que j'ai établis, c'est de prier mes Lecteurs de se ressouvenir de ce livre de *dix feuilles* , donné à l'homme dans sa premiere origine, & qu'il a gardé même depuis sa seconde naissance, mais dons on lui a ôté l'intelligence & la véritable *Clef;* je les prie encore d'examiner les rapports qu'ils pourront appercevoir entre les propriétés de ce livre & toS *De VEcriture & de la parole.* celles de la langue fixe & unique; de voir s'il n'y a pas entr'elles une très-grande affinité, & de tâcher de les expliquer les unes par les autres; car c'est effectivement là où se trouveroit la *clef* de la science, & fi le livre en question renserme toutes les connoissances, ainsi qu'on l'a vu dans son lieu, la langue dont nous parlons en est le véritable *Alphabet.*

C'est avec la même précaution que je dois parler d'un autre point qui tient essentiellement à celui que je viens de traiter, savoir, des moyens par lesquels cette langue se manifeste. Ce n'est sans doute que de deux manieres, , comme toutes les langues, savoir, par l'expresfion verbale & par les caracteres ou l'écriture; l'une venant à notre connoissance par le sens de l'ouie, & l'autre par le sens de la vue, les seuls de nos sens qui soient attaches à des actes intellectuels: mais dans l'homme seulement; car, quoique la bête ait auffi ces deux sens, ils ne peuvent avoir dans elle qu'une destination & une fin matérielle & sensible, puisqu'elle n'a point d'intelligence;.auffi, l'ouie & la vue dans l'animal n'ont pour objet, comme tous ses autres sens.., que la conservation de l'iflr dividu corporel; ce qui sait que les bêtes n'ont ni parole, ni écriture.

Il est donc vrai que c'est par ces deux moyens que l'homme parvient à la connoissance de *ée* tant de choses élevées, & cette langue emploie réellement le secours des sens de l'homme pour lui saire concevoir sa précision, sa sorce & fa justesse.

Et comment cela pourroit-il être autrement *J* puisqu'il ne peut rien recevoir que par ses sens , puisque même dans son premier état, l'homme avoit des sens par où tout s'opéroit comme aujourd'hui, avec cette différence qu'ils n'étoient pas susceptibles de varier dans leurs effets, comme les sens corporels de sa Matiere, qui ne lui offrent qu'incertitude, & sont les principaux instrumens de ses erreurs?

D'ailleurs, comment pourroit-il parvenir à entendre les hommes qui l'auroient précédés, ou qui vivroient éloignés de lui, si ce n'est par le secourt de l'Ecriture? U saut convenir cependant que ces mêmes hommes, ou passés, ou éloignés, peuvent avoir des Interpretes ou des Commentateurs, qut instruits comme eux des vrais principes de la langue dont nous parlons, en sassent usage dans la conversation, & rapprochent par-là, & les temps & les distances.

C'est même là une des plus grandes satissactions que la langue vraie poisse procurer, parce que cette voix est insiniment plus instructive; mais c'est aussi la plus rare, & parmi les hommes le talent de récriture est beaucoup plus commun que celui de la parole.

II, Partie, O La aio De T Ecriture & ie la Parole:

La raison de ceci, c'est que dans la condition actuelle, nous ne pouvons monter que par gradation; & en effet, par rapport à toutes les langues , le sens de la vue est au-dessous de celui de l'ouie, parce que c'est par l'ouie que l'homme reçoit en nature, au moyen de la parole, Implication vivante, ou l'intellectuel d'une langue., au lieu que l'Ecriture ne sait que l'indiquer, en n'offrant aux yeux qu'une expression morte & des objets matériels.

Quoi qu'il en soit, par le moyen'de la parole de l'Ecriture, qui sont propres à la vraie langue, l'homme peut s'instruire de tout ce qui a rapport aux choses les plus anciennes; car personne n'a parlé ni écrit autant que les premiers hommes, quoiqu'aujourd'hui il se sasse insiniment plus de Livres qu'autresois. 11 est vrai que parmi les Anciens & les Modernes, il y en a pluïieurs qui ont défiguré cette Ecriture & ce lan- gage, mais l'homme peut connoître ceux quï ont sait ces sunestes méprises, & par-là il verroit clairement l'origine de toutes les langues de la Terre, comment elles se sont écartées de la langue premiere, & la liaison que ces écarts ont eu avec les ténebres & l'ignorance des Nations,

ce qui les a précipités dans des abymes de miseres dont elles ont murmuré,, au lieu de se les attribuer.

Il apprendroit auflï comment la main qui frappoit frappoit ainsi ces Nations, n'avoit en vue que de les punir & non de les livrer à jamais, au désespoir; puisque sa justice étant satissaite, elle leur a rendu leur premiere langue, & mêmeavec plus d'étendue qu'auparavant, afin que non-seulemenc.elles puisent réparer leurs désordres, mais qu'elles eussent même les moyens de s'en préserver *à* l'avenir.

Je ne tarirois point, s'il m'étoit permis d'étendre plus loin le tableau des avantages insinis rensermés dans les différens moyens que cette langue emploie, soit pour l'oreille soit pour les yeuxJ Néanmoins, fi l'on conçoit qu'elle demande poun prix le sacrifice entier de la volonté de l'homme jj fi elle n'est intelligible qu'à ceux qui se sont oubliés eux-mêmes pour laisser agir pleinement sur eux la Loi de la Cause active & intelligente quï doit gouverner l'homtne comme tout l'Univers on doit voir fi elle peut être connue d'un grand nombre. Cependant, cette langue n'est pas un instant sans agir, soit par le discours, soit par récriture; mais l'homme ne s'occupe qu'à se sermer l'oreille, & il cherche de l'écriture dans les Livres. Comment la vraie langue seroit-elle donp intelligible pour lui?

Un attribut tel que celui dont je viens de donner le tableau, ne peut fàhs doute souffrir de comparaison avec aucun autre. C'est pour cela que je me suis cru sondé à l'ànnoncer comme (O 2) unique, lix *De r uniformité des Langues.* unique, & indépendant de toutes les variation!» auxquelles les hommes peuvent s'abandonner sur cet objet.

Mais il ne suffit pas d'avoir prouvé la nécessité d'un pareil langage dans les Etres intellectuels pour l'expression de leurs sacultés: il ne suffit pas même d'en avoir assuré 1 existence, en annonçant que c'étoit-là où tous les vrais Législateurs & autres hommes célebres avoient puisé leurs principes, leurs Loix & les ressorts de toutes leurs grandes actions; il saut encore en prouver la réalité dans l'homme même, afin qu'il n'ait

plus aucun doute sur ce point; il saut lui montrer que la multitude des langues qui sont en usage parmi ses semblables, n'ont varié que sur l'expreflion sensible, tant dans le langage que dans récriture, mais que quant au Principe, il n'y en a pas une qui s'en soit écartée, qu'elles suivent toutes la même marche, qu'il leur est absolument impossible d'en tenir une autre; en un mot, que toutes les Nations de la Terre n'ont qu'une même langue, quoiqu'il y en ait à peine deux qui s'entendent.

On ne peut nier, en effet, qu'une langue, quelqu'imparsaite qu'elle puisse être, ne soit dirigée par une Grammaire. Or, dette Grammaire n'étant autre chose qu'un résultat de l'ordre inhérent à nos sacultés intellectuelles, tient de si près à leur langue intérieure, tîevife , qu'on peut les regarder comme inséparables.

C'est donc cette Grammaire qui est la regle invariable du langage parmi toutes les Nations. C'est-là cette Loi à laquelle elles sont nécessairement soumises, lors même qu'elles sont le plus mauvais usage de leurs sacultés intellectuelles, ou de leur langue intérieure & secrete car cette Grammaire ne servant qu'à dirîgec l'expression de nos idées, ne juge point fi elles font ou non consormes au seul Principe qui doit les vivifier; sa sonction n'est que de rendre cette expression régulière; & c'est ce qui ne peut jamais manquer d'arriver, puisque, lorsque la Grammaire agit, elle est toujours juste, ou elle ne dit rien.

Je n'emploierai pour preuve, que ce qui entre dans la composition du discours, ou ce qui est connu vulgairement sous le nom de *parties d'oraifon.* Parmi ces parties du discours, les unes sont fixes, sondamentales & indispensables pour compléter l'expression d'une pensée, & elles sont au nombre de trois. Les autres ne sont que des accessoires; aussi le nombre n'en est—il pas généralement déterminé.

Les trois parties sondamentales du discours, sans lesquelles il est de toute impossibilité de rendre une pensée, sont le nom ou le pronom actiss, le verbe qui exprime la maniere d'exister,

O 3) ainsi

ît *De la Grammaire»* ainsi que les actions des Etres, ensin le nom ou le pronom parfis qui est le sujet ou le produit de Faction. Que tout homme examine cette proposition avec la rigueur qu'il jugera à propos d'y employer, il verra toujours qu'un discours quelconque ne peut avoir lieu sans représenter une action, qu'une action ne peut se concevoir si elle n'est conduite par un agent qui l'opere, & suivie de l'effet qui en est, en doit, ou en peut être le résultat; que si l'on supprime l'une ou l'autre de ces trois parties, nous ne pouvons prendre de la pensée une notion complete, & qu'alors nous sentons qu'il manque quelque chose à l'ordre qu'exige notre intelligence.

En effet, un nom ou un substantis seul, ne dit absolument rien, s'rl n'est accompagné d'un agent qui opere sur lui, & d'un verbe qui désigne de quelle maniere cet agent opere sur ce nom & en dispose. Retranchez l'un ou l'autre de ces trois.signes, le discours n'offrira plus qu'une idée tronquée & dont notre intelligence attendra toujours le complément, au lieu qu'avec ces trois signes seuls, nous pouvons compléter une pensée, parce que nous pouvons y représenter l'agent, l'action, & le produit ou le sujet.

Il est donc certain que cette Loi de la Grammaire est invariable, & que dans quelque langue que l'on choisisse un exemple, on le trouvera consorme au principe que je viens de porter, puisque puisque c'est celui de la Nature même, & des Loix établies par essence dans les sacultés intellectuelles de l'homme.

Qu'on réfléchisse à présent sur tout ce que j'ai dit du poids, du nombre & de la mesure; qu'on voie si ces Loix ne comprennent pas l'homme dans leur empire, avec tout ce qui esi en lui, & tout ce qui provient de lui; qu'on so rappelle encore ce que j'ai dit de ce sameux *Ter" naire* dont j'ai annoncé l'universalité; qu'on examine s'il y a quelque objet qu'il n'embrasse pas & qu'on apprenne alors à prendre une idée plus noble qu'on ne l'a sait jusqu'à présent, de l'Etre qui, malgré sa dégradation, peut porter sa vue jusques-là j qui peut rapprocher de lui de pareilles

connoissances, & saisir un ensemble auíli étendu.

On pourroit cependant m'opposer "qu'il est des cas où les trois parties que je reconnois comme sondamentales dans le discours, ne sont pas toutes exprimées; que souvent il n'y en a que deux, quelquesois qu'une, & même quelquesois point du tout, comme dans une négation ou une affirmation. Mais cette objection tombera d'ellemême, quand on observera que dans tous ceï cas, le nombre des trois parties sondamentales conserve toujours son pouvoir, & que sa Loi y subsiste toujours, parce que celles des parties du discours qui ne seront pas exprimées, ne seront (O 4) que *u 6 De la Grammaire.* que sous-entendues, qu'elles tiendront toujours leur rang, & que méme ce ne sera que par leur liaison tacite avec elles, que les autres produiront leur effet.

Et véritablement, quand je ne répondrois à une question que par un monosyllabe, ce monosyllabe offriroit toujours l'image du Principe ternaire, car elle annonceroit toujours de ma part une action quelconque relative à l'objet qu'on m'a présenté, & c'est dans la question même que se trouveroient exprimées les parties du discours qui seroient sous-entendues dans ma réponse. Je n'en donnerai point d'exemple, chacun pouvant s'en sormer aisément.

Ainsi, je vois donc par-tout avec la plus grande évidence, les rois signes de l'agent, de J'action & du produit; & cet ordre étant commun à tous les Etres pensons, je ne crains point de dire que truand ils le voudroient , ils ne pourroient s'en écarter.

Je ne parle point de l'ordre dans lequel ces trois signes devroient être arrangés pour être en consor'mité avec l'ordre des sacultés qu'ils représentent; cet ordre a été sans doute interverti, en passant-par la main des hommes, & presque toutes les langues des Nations varient là-dessus. Mais la vraie langue étant unique, l'arrangement de ces signes n'eût pas été sujet à tous ces contrastes, fi lTiomme eût su la conserver.

D

H ne saut pas croire cependant que

méme dans la vraie langue, ces trois signes eussent toujours été disposes dans le même ordre où ils le sont dans nos sacultés intellectuelles; car ces signes n'en sont que l'expreffion sensible, & je suis convenu que le sensible ne pouvoit jamais avoir la même marche que l'intellectuel, c'est-à-dire, que la production ne pouvoit jamais être susceptible des mêmes loix que son Principe générateur.

Mais la supériorité qu'elle eût eu sur toutes le autres langues, c'est que son expression sensible n'auroit jamais varié, & que cette expression eût suivi, sans la moindre altération, l'ordre & les Loix qui sont propres & particulieres à son essence. Cette langue eût eu de plus, ainsi qu'on l'a déja vu, l'avantage d'être â couvert de toute équivoque, & d'âvoir toujours la même signification, parce qu'elle tient à la nature des choses, & que la nature des choses est invariable.

Parmi les trois signes sondamentaux auxquels toute expression de nos pensées est assujettie, il en est un qui mérite par présérence notre attention, & sur lequel nous allons jetter un moment les yeux; c'est celui qui lie les deux autres, qui est l'image de l'action parmi nos sacultés intellectuelles, & l'image de Mercure parmi les principes corporels; en un mot, c'est celui qu'on nomme le *Verbe* parmi les Grammairiens.

Il *%i& Du Verbe.*

Il ne feut donc pas oublier que s'il est Hírttag de l'action, c'est sur lui que tout l'œuvre sensible est appuyé; & que puisque la propriété de l'action est de tout saire, celle de son signe ou de son image est de représenter & d'indiquer tout ce qui se sait.

Aussi, qu'on réfléchisse sur les propriétés de ce ligne dans la composition du discours, qu'on reconnoisse que plus il est sort & expressis, plus les résultats qui en proviennent sont sensibles & marqués; qu'on voie par une expérience sacile à saire, que même dans toutes les choses soumises au pouvoir ou aux conventions de l'homme, l'effet en est réglé, déterminé, animé principalement par le Verbe. Ensin, que les Observateurs examinent si ce n'est pas par ce signe appelle *Verbe*, que se maniseste tout ce que nous connoissons de plus intellectuel & de plus actis en nous; s'il n'est pas le seul des trois signes qui soit susceptible de sortifier ou d'affoiblir l'expression, tandis que les noms de l'agent & du sujet une sois fixés, demeurent toujours les mêmes j c'est parlà qu'on jugera si nous avons été sondés à lui attribuer l'action, puisqu'il en est vraiment dépositaire, & qu'il saut absolument son secours pour que quelque chose se sasse, ou s'exprime même tacitement.

C'est ici le lieu de remarquer, pourquoi les Observateurs oisifs & les Kabbalistes spécu latiss ne trouvent rien, c'est qu'ils parlent toujours, & qu'ils ne VERBENT jamais.

Je ne m'étendrai pas davantage sur les propriétés du *Verbe;* des yeux intelligens pourront, d'après ce que j'ai dit, saire les plus importantes découvertes, & se convaincre eux-mêmes qu'à tous les instans de sa vie, l'homme représente l'image sensible des moyens par lesquels tout a pris naissance, tout agit, & tont est gouverné.

Voilà donc encore une des Loix auxquelles tous les Etres qui ont le privilège de la parole, sont obligés de se soumettre, ôc voilà pourquoi j'ai dit que toutes les Nations de la Terre n'avoient qu'une langue, quoique la maniere dont elles s'expriment fût universellement différente.

Je n'ai point parlé des autres parties qui entrent dans la composition du discours; je les ai annoncées simplement comme accessoires, ne servant qu'à aider à l'expression, à suppléer à la, soiblesse des mots, & à détailler quelques rapports de l'action; ou si l'on veut, comme des images & des répétitions des trois parties que nous avons reconnues comme seules essentielles pour compléter le tableau d'une pensée quelconque.

En effet, on doit savoir que les Articles, ainsi que les terminaisons des noms dans les langues qui tflO *Des Parties acceffoiteS du 'Discours:* qui n'ont point d'articles, servent à exprimer *é* nombre & le genre des noms, & à déterminer les rapports efièntxls qui sont entre l'agent, l'action & le sujet; que les Adjectiss expriment les qualité des noms, que les Adverbes sont les adjectiss du verbe ou de faction; ensin, que les autres parties de l'oraison sorment la liaison du discours, & en rendent le sens plus ou moins expressis, ou les périodes plus harmonieuses; mais comme l'u age de ces difFérens signes n'est pas unisormément commun à toutes les langues qu'il tient beaucoup aux mœurs & aux habitudes des Nations, toutes choses qui étant liées au sensible doivent en suivre les variations, on ne peut les admettre au rang des parties fixes & immuables du discours; ainsi nous les emploierons point dans les preuves que nous apportons de l'unité de la langue de l'homme.

J'engage néanmoins les Grammairiens de considérer leur Science avec un peu plus d'attention qu'ils ne l'ont sait sans doute jusqu'à présent. 11$ avouent bien que les langues viennent d'une source supérieure à l'homme, & que toutes les Loix en sont dictées par la Nature; mais ce sentiment obscur a produit chez eux peu d'effet, & ils sont bien éloignés de soupçonner dans les langues tout ce qu'ils y pourroient trouver.

Veut-on savoir la raison, c'est qu'ils sont sur la Grammaire ce que les Observateurs sonc sut lùr toutes les sciences c'est-à-dire, qu'ils jettent en passant un coup d'oeil sur le Principe, mais que n'ayant pas le ccurage de s'y fixer longtemps, ils se rabaissent sur les détails d'ordre sensible & méchanique, qui absorbent toutes leurs sacultés, & laissent obscurcir en eux la plus essentielle, celle de l'intelligence.

Que les Grammairiens se persuadent donc que les Loix de leur Science tenant au Principe comme toutes les autres, ils y peuvent découvrit une source inépuisable de lumieres & de Vérités, dont à peine ont-ils la moindre idée.

Le petit nombre qui leur en a été offert,' doit leur paroître suffisant pour les mettre sur la voie; s'ils ont vu clairement les signes représentatiss des sacultés des Etres intellectuels, ils y pourront voir la même chose par rapport aux Etres qui ne le sont pas. Ils y pourront prendre une idée nette des Principes qui ont été établis sur la Matiere, en considérant simplement la différence qu'il y a entre le substantis & l'adjectis: l'un est l'Etre ou le Principe inné, l'autre exprime les sacultés de tous genres qui peuvent être supposées dans son Principe; mais ce qu'il saut observer avec soin, c'est que l'adjectis ne peut de lui-même se joindre au substantis , de même que le substantis seul est dans l'impuistance de produire l'adjectis j *Z2Z Rapports universels de la Grammaire'.* l'adjectis; tous les deux sont dans l'attente d'une action supérieure qui les rapproche & les lie selon son gré; & ce n'est qu'en vertu de cette action qu'ils peuvent recevoir leur union & manisester des propriétés.

Remarquons aussi que c'est l'ouvrage de la pensée même & de l'intelligence, d'employer à propos les adjectiss; que c'est elle qui les apperçoit, ou qui les crée & les communique en quelque sorte, aux sujets qu'elle veut en revêtir; reconnoissons dès-lors la propriété immense de cette action universelle-que nous avons sait observer ci-devant, puisqu'il est certain que nous la trouvons par-tout.

Bien plus, cette mème action après avoir ainsi communiqué des sacultés ou des adjectifs aux Principes innés ou aux substantifs peut à son gré les étendre, les diminuer, & même les retirer tout-à-fait, & saire ainsi rentrer l'Etre dans son premier état d'inaction, image assez sensible de ce qu'elle opere en réalité sur la Nature.

Mais dáns cette dissolution, les Grammairiens pourront voir aussi, sans crâihte de se tromper, que l'àdjectis qui n'est que la qualité de l'Etre, ne peut pas subsister sans un Principe, un iûjet où substantis, au lieu que le substantis peut très-bien être indiqué dans le discours, sans ses qualités ou ses adjectiss; d'où d'où ils pourront voir un rapport avec ce qui a *été* exposé sur l'existence des Etres immatériels corporels, indépendante de leurs sacultés sensibles; d'où ils pourront comprendre auflì ce qui a été dit de l'éternité du Principe de la Matiere, quoique la Matiere même ne puisse pas être éternelle, attendu que n'étant que l'effet d'une réunion, elle n'est rien de plus qu'un adjectis.

C'est par-là ensuite qu'ils pourront concevois comment il est possible que l'homme soit privé de ses premiers attributs, puilque c'est par une main supérieure qu'il en avoit été revêtu; mais en même temps reconnoissant avec encore plus de certitude sa propre insuffisance, ils avoueront que pour être rétabli dans ces mêmes droits, il lui saut absolument le secours de cette même main qui l'en a dépouillé, & qui ne lui demande, comme je l'ai dit plus haut, que le sacrifice de sa volonté pour les lui rendre.

Ils pourront encore trouver dáns les six Cas les six principales modifications de la Matiere, de même que le détail des actes de sa sormation & de toutes les révolutions qu'elle subit. Les genres seront pour eux l'image des Principes opposés & qui sont irréconciliables; en un mot, ils pourront saire une multitude d'observations de cette espece qui sans êtrë le sruit dé l'imagination, 224 IV /a vraie *Langue.* l'imagination, ni des Systêmes, les convaincront de l'universalité du Principe, & que c'est la même main qui conduit tout.

Mais après avoir établi, comme je l'ai sait, cette langue unique, universelle, offerte à l'homme, même dans l'état de privation auquel il est rJduit, je dois m'attendre à la curiosité de mes Lecteurs sur le nom & l'espece de cette même langue.

Quant au nom, je ne pourrai les satissaire, m'étant promis de ne rien nommer; mais quant à l'espece, je leur avouerai que c'est cette langue dont je leur ai dJja dit que chaque mot portoit avec soi-même la vraie signification des choses, & les désignoit fi bien, qu'ils saisoit clairement appercevoir. J'ajouterai que c'est celle qui sait l'objet des vœux de toutes les Nations de la Terre, qui dirige secrétement les hommes dans touteà, leurs institutions, que chacun d'eu cultive en particulier & avec soin sans le savoir, & qu'ils tâchent tous d'exprimer dans tous les ouvrages qu'ils ensantent; car elle est si bien gravée en eux, qu'ils ne peuvent rien produire qui n'en porte le caractere.

Je ne peux donc rien saire de mieux pour en indiquer la connoissance à mes

semblables, que de les assurer qu'elle tient à leur Essence même, & que c'est en vertu de cette langue seule qu'ils sont des hommes. Alors donc, qu'ils voient si j'ái eù tort de leur dire qu'elle ētoit universelle, & si malgré les saux usages qu'il en sont, Íl leur.sera jamais possible de l'oublier entiérement, puisque pour y parvenir, il saudroît qu'ils puissent se donner une autre Nature. C'est-là tout ce que je puis répondre à la question présente; poursuivons.

J'ai dit que cette langue se manisestoit de deux manieres, comme toutes les autres langues, savoir par l'expression verbale & par l'écriture J &c comme je viens de dire il n'y a qu'un instant que tous les ouvrages des hommes portoient son empreinte, il est nécessaire que nous en parcourions quelques-uns, afin de mieux voir tout saux qu'ils sont, le rapport qu'ils ont avec leur source.

Considérons d'abord ceux de leurs ouvrages qui, comme image de l'expression verbale de la langueí dont il s'agit, doivent nous en offrir l'idée la plus juste & la plus élevée; nous considérerons ensuite ceux qui ont du rapport avec les Garacteres ou l'écriture de cette langue.

La premiere espece de ces ouvrages comprend généralement tout ce qui est regardé parmi les hommes comme le sruit du génie, de l'imagination, du raisonnement & de l'intelligence, ou en général ce qui sait l'objet de tous les genres possibles de la Littérature & des Beaux-Arts.

Dans cette espece de productions de l'homme, *IL Partie.* (P) qui íi6 *Des Productions intelìtêtucîlèìi* qui toutes semblent saire classe à part, noífS voyons cependant régner le même dessein, nous les voyons toutes animées du même motis, qui est celui de peindre, de prouver leur objet, & d'en persuader la réalité, ou au moins de lui en donner les apparences.

Si les partisans de l'un ou de l'autre de ces genres de productions se laissent quelquesois surprendre par la jalousie, & s'ils tâchent d'établir leur crédit, en répandant du mépris sur les autres branches qu'ils n'ont pas cultivées, c'est un tort évident qu'ils sont à la

science, & l'on ne peut douter que parmi les sruits des sacultés intellectuelles de l'homme ', ceux-là n'aient la préférence qui sans rien enlever aux autres, s'étayeront au contraire de leur secours, & offriront par-là un goût plus solide & des beautés moins équivoques.

Cette idée est certainement celle de tous les hommes judicieux & doués d'un goût sûr & vrai; ils savent que ce ne sera jamais que dans une union intime & universelle, que leurs productions pourront trouver plus de sorce & plus de consistance, *6c* depuis longtemps il est reçu que toutes les parties de la Science sont liées & se communiquent réciproquement dcs secours.

Et en effet, c'est un sentiment si naturel à l'homme, qu'il le porte par-tout avec lui, lors même qu'il tient une marche que ce Principe . désavoue. désavoue. Si un Orateur vouloir condamner/les Sciences, il saudroit qu'il se montrât savant; si un Artiste vouloir déprimer l'éloquence, il 11e seroit pas écouté, s'il n'en employoit le langage.

Cependant cette utile observation, toute juste qu'elle soit, ayant été saite vaguement, n'a presque produit aucun sruit; & les hommes se sont accoutumés en cela, comme dans tout le reste, à saire des distinctions absolues, & à considérer chacune de ces différentes parties comme autant d'objets étrangers les uns aux autres.

Ce n'est pas que dans ces productions des sacultés intellectuelles de l'homme, nous ne devions discerner différens genres, & que tout doive n'y représenter que le même sujet. Au contraire, puisque ces sacultés sont elles-mêmes différentes entr'elles, & que nous y pouvons remarquer des distinctions srappantes, il est naturel de penser que leurs sruits doivent indiquer cette différence, & qu'ils ne peuvent pas se ressembler; mais en même temps, comme ces sacultés sont essentiellement liées, & qu'il est de toute impossibilité que l'une agisse fans le secours des autres, nous voyons parlà qu'il est nécessaire que la même liaison regne entre leurs différentes sortes de productions, & qu'elles annoncent toutes la même origine (P 2

) Mai

Î2 *Des troiuâions ìnîelteËuettèá*

Mais j'en ai déja trop dit sur un objet qùi n'est qu'accessoire à mon plan; je reviens à l'examen que j'ai commencé sur les rapports qui se trouvent entre la langue unique & univer'selle, & les différentes productions intellectuelles de l'homme.

De quelque espece que soient ces produc-rions, nous pouvons les réduire à deux classes auxquelles toutes les autres ressortiront, parce que dans tout ce qui existe, ne pouvant y avoir que de l'intellectuel & du sensible, tout ce que l'homme sauroit produire, n'aura jamais que l'une ou l'autre de ces deux parties pour objet» Et en effet, tout ce que les hommes imaginent & produisent journellement en ce genre, se borne à instruire ou à émouvoir, á raisonner ou à toucher il leur est absolument impossible de dire & de maniester quelque chose hors d'euxmêmes qui n'ait pour but l'un ou l'autre de ces deux points; & quelques divisions que l'on sasse des productions intellectuelles des hommes, l'on verra toujours qu'ils se proposent ou d'éclairer, & d'amener à la cónnoissance de Vérités quelconques, ou de subjuger l'homme intellectuel par le sensible, & de lui saire éprouver des situations, dans lesquelles n'étant plus le maître de lui-même, il soit au pouvoir de la voix-qui lui parle, & suive aveuglément le charme bon ou mauvais qui l'entraîne.

Nouì

Nous attribuerons à la premiere Classe tous le« ouvrages de raisonnement, ou en général tout.e qui ne devroit procéder que par axiome, & touc ce qui se borne à établir des saits.

Nous attribuerons à la seconde tout, ce qui a pour but dc saire sur le cœur *d* e l'homme des impressions de quelquc genre que ce soit, & de l'agiter n'importe dans quel sens.

Or, dans l'une ou l'autre de ces classes, quel est l'objet du desir des Compositeurs? N'est-ce pas de montrer leur sujet sous des saces si lumineuses ou si séduisantes, que celui qui les contemple ne puisse en contester la vérité, ni résister à la sorce & aux attraits des moyens dont on sait usage pouc le charmer? Quelles ressources emploienN-ils pour cela? Ne mettent-ils pas tous leurs soins à se rapprocher de la nature même de l'objet qui les occupe? Ne tâchent-ils pas de remonter jusqu'à sa source, de pénétrer jusques dans son essence? En un mot, tous leurs efforts ne tendent-ils pas à si bien saire accorder l'expression avec ce qu'ils conçoivent, & à la rendre si naturelle & si vraie » qu'ils soient assurés de saire effet sur leurs sem-« biables, comme si l'objet même étoit en leuc présence?

Ne sentons-nous pas nous-mêmes plus ou moins cet effet sor nous, selon que le Compositeur approche plus ou moins de son but î Çet effejc n'esta y pas général, & n'y a-t41.pas 130 *Des Vroduclions intellectuelles '.* en ce genre des beautés qui sont telles par toute la Terre?

C'est donc là pour nous, l'image des sacultés de cette véritable langue dont nous traitons, & c'est dans les œuvres mêmes des hommes & dans leurs efforts, que nous trouvons les traces de tout ce qui a été dit sur la justesse & la force de son expression, ainsi que sur son universalité.

U ne saut point s'arrêter à cette inégalité d'impressions qui résulte de la différence des idiomes & des langues conventionnelles établies parmi les différens Peuples; comme cette différence de langage n'est qu'une désectuosité accidentelle, & non pas de nature; que d'ailleurs l'homme peut parvenir à l'effacer en se samiliarisant avec les idiomes qui lui sont étrangers, elle ne pourroit rien saire contre le principe, & je ne crains point de dire que toutes les langues de la Terre sont autant de témoignages qui le consirment.

Quoique j'aie réduit à deux classes les productions verbales des sacultés intellectuelles de l'homme, je ne perds pas de vue néanmoins la multitude de branches & de subdivisions dont elles sont susceptibles, tant par le nombre des objets différens qui sont du ressort de notre raisonnement, que par l'insinité de nuances que nos affections sensibles peuvent recevoir.

Saris en saire l'énumération. ni les examiner chacune chacune en particulier, on peut seulement dans chaque classe en considerer une principale & qui tienne le premier rang, telles que la Mathématique parmi les objets de raisonnement, & la Poésie parmi ceux qui sont relatiss à la saculte sensible de l'homme. Mais ayant traité précédemment de la partie Mathématique, j'y renverrai le Lecteur, afin qu'il s'y consirme da nouveau la réalité & l'universalité des principes que je lui expose.

Ce sera donc sur la Poésie que j'arrêterai en., ce moment ma vue, la regardant comme la plus sublime des productions des sacultés de l'homme, celle qui le rapproche le plus de son Principe, & qui par les transports qu'elle lui sait sentir, lui prouve le mieux la dignité de son origine. Mais autant ce langage sacré s'ennoblit encore, en s'élevant vers son véritable objet, autant il perd de4 sa dignité en se rabaissant à des sujets, sactices ou méprisables, auxquels il ne peut toucher sans se souiller comme par une prostitution,

Ceux-mêmes qui s'y sont consacrés, nous l'onC toujours annoncé comme le langage des Héros & des Etres biensaisans qu'ils ont peint veillant à la sûreté & à la conservation des hom-, mes. Ils en ont tellement senti la noblesse, qu'ils, n'ont pas craint de l'attribuer même à celui, qu'ils regardent comme l'Auteur de tout & c'est; (P 4J *hi De la saisie.* le langage qu'ils ont choisi par préférence lorsqu'ils en ont annoncé les oracles, ou qu'ils ont voulu lui adresser des hommages.

Ce langage, toutefois, dois-je avertir qu'il est indépendant de cette forme triviale dans laquelle les hommes sont convenus chez les différentes Nations, de rensermer leurs pensées? Ne sait-on pas que c'est une suite de leur aveuglement d'avoir cru par-U multiplier les beautés, pendant qu'ils n'ont sait que surcharger leur travail, & que cette attention superflue à laquelle ils nous asservissent, ayant pour but d'affecter notre saculté sensible corporelle, ne peut manquer de prendre d'autant sur notre vraie sensibilité.

Mais ce langage est l'expression & la voix de ces hommes privilégiés, qui nourris par la présence continuelle de la Vérité l'ont peinte avec le méme seu qui lui sert de substance, seu vivant par soi, & dès-lors ennemi d'une sroide unisormité, paree qu'il se commande dans tous ses actes, qu'il se crée lui-même sans cesse, & qu'il est par conséquent toujoujours neus.

C'est dans une telle Poésie que nous pouvons voir l'image la plus parsaite de cette langue universelle que nous essayons de saire connoître, puisque quand elle atteint vraiment son objet, U n'est rien qui ne doive plier devant elle; puisqu'elle a j comme son Principe un seu dévorant) qui l'accompagne à tous ses pas, qui doit tout amollir, tout dissoudre, tout embraser, & que même c'est la premiere Loi des Poètes de ne pas chanter quand ils n'en sentent pas la chaleur.

Ce n'est pas que ce seu doive produire partout les mêmes effets: comme tous les genres sont de son ressort, il se plie à leur différente nature, mais il ne doit jamais paroître sans remplir son but, qui est d'entraîner tout après lui.

Que l'on voie à présent fi une telle Poésie auroit jamais pu prendre naissance dans une source srivole ou corrompue; fi la pensée qui l'ensante ne doit pas être au plus haut degré d'élévation, & s'il ne seroit pas vrai de dire que le premier des hommes a dû être le premier des Poetes?

Que l'on voie auffi, fi la Poésie humaine peut elle-même ctre cette langue vraie & unique que nous savons appartenir à notre espece? Non, sans doute; elle n'en est qu'une soible imitation; mais comme parmi les sruits des travaux de l'homme, c'est celui qui tient de plus près à son Principe, je l'ai choisi pour en donner l'idée qui lui convient le mieux.

Aufll, peut-on dire que ces mesures conventionnelles que les hommes emploient dans la Poésie qu'ils ont inventée, tout imparsaites qu'elles paroissent ne doivent pas moins nous ossrh-la preuve i4 *De la Poésie*. preuve de la précision & de la justesse de la vraie langue dont le poids, le nombre & la meíute sont invariables.

Nous pourrions egalement reconnoître que cette Poésie s'appliquant à tous les objets, la vraie langue âont elle n'est que l'image, doit à plus sorte raison être universelle & pouvoir embrasser tout ce qui existe. Ensin, ce seroit par un examert plus détaillé des propriétés attachées à ce langage sublime, que nous pourrions nous rapprocher de plus prds de son modele, & lire jusques dans sa source.

C'est-là ou nous verrions pourquoi la Poésie a eu tant d'empire fur les hommes de tous les temps, pourquoi elle a opéré tant de prodiges, & d'où vient cette admiration générale que toutes les Nations de la Terre conservent pour ceux qui s'y sont distingués; ce qui étendroit encore ros idées sur le Principe qui lui a donné la naissance.

Nous y verrions aussi que l'usage que ' hommes en sont souvent, l'avilit & la défigure au point de la rendre méconnoissable; ce qu« nous prouveroit que chez eux, elle n'est pas toujours le sruit de cette langue vraie qui nous occupe; que c'est une prosanation de l'employer à la louange des hommes, une idolâtrie de la consacrer à la passion & qu'elle ne devroit jamais avoir d'autre objet que de montrer aux.

hontinfii hommes l'afyle d'où elle est descendue avec eux, pour leur saire naître le vertueux desir de suivre ses traces, & d'y retourner.

Mais il me suffit d'avoir mis sur la voie, pour que ceux qui auront quelque desir, puissent pénétrer beaucoup plus loin dans la carriere. Passons à la seconde maniere dont nous avons vu que la vraie langue devoit se manisester, c'est-à-dire, aux caracteres de l'écriture.

Je ne crains point d'assurer que ces caracteres sont aussi variés & auîlî multipliés que tout ce qui est rensermé dans la Nature, qu'il n'y a pas un seul Etre qui ne puisse y trouver sa place & y servir de signe, & que tous y trouvent leur image & leur représentation véritable; ce qui perte ces caracteres à un nombre si immense, qu'il est impossible à un homme de les conserver tous dans sa mémoire, non-seulement par leur multitude inconcevable, mais aussi par leur différence & leuc bisarrerie.

Quand on supposeroit en outre qu'un homme pût retenir tous ceux dont il auroit eu connoissance, il ne pourroit pas se flatter de n'avoir plus rien à apprendre là dessus; car tous les jours la Nature produit de nouveaux objets, ce qui, tout en nous montrant l'insinité des choses, nous montre aussi la borne & la privation de notre espece qui ne peut jamais parvenir à les embrasser toutes, puisqu'ici-bas elle ne peut' 13 6 *Des Caracteres de l'Ecriture.* pas seulement parvenir à conhoître toutes les lettres de son Alphabet.

La variété de ces objets rensermés dans la Nature, s'étend non-seulement sur leur sorme, ainsi qu'on peut aisément s'en convaincre, mais encore sur leur couleur & sur la place qu'ils occupent dans l'ordre des choses; ce qui sait que l'Ecriture de la langue vraie varie autant que la multitude des nuances qu'on peut voir sur les corps matériels, car chacune de ces nuances porte autant de différentes significations.

Ensin, les caracteres qu'elle emploie sont auffi nombreux que les points de l'horizon; & comme chacun de ces points occupe une place qui n'est qu'à lui, chacune des lettres de la vraie langue a aussi un sens & une explication qui lui sont propres.

Mais je m'arrête, ó Vérité sainte, ce seroit usurper tes droits que de publier même obscurément tes secrets, c'est à toi seule à les découvrir à qui il te plaît, & comme il te plaît. Je dois me borner à les respecter en silence, à rassembler tous mes desirs pour que mes semblables puissent ouvrir les yeux à ta lumiere, & afin que désabusés des illusions qui les séduisent, ils soient assez sages & assez heureux pour se prosterner tous à tes pieds.

Prenant donc toujours la prudence pour guide j je dirai que c'est cettç multitude insinie de caractères caracteres de la langue vraie, & leur énorme variété qui a introduit dans les langues humaines une diversité si grande, que peu d'entr'elles se servent des mêmes signes, & que celles qui s'accordent sur ce point varient encore sur leur quantité, en admettant ou en rejettant quelques signes, chacune selon son idiome & son

Des erreurs et de la vérité, ou, Les hommes rappellés au principe universel de la science (1) • Louis Claude de Saint-Martin

• 107

génie particulier.

Mais, de même que les caracteres de la vraie langue sont aussi multipliés que les Etres rensermés dans la Nature, de même il est aussi certain que nul de ces caracteres ne peutí prendre son origine que dans cette même Nature, & que c'est dans elle où ils puisent tout ce qui sert à les distinguer, puisque hors d'elle il n'y a rien de sensible. C'est ce qui sait aussi que malgré la variété des caracteres que les langues humaines emploient, elles ne peuvent jamais sortir de Ces mêmes bornes, & que c'est toujours dans des lignes & dans des figures, qu'elles sont obligées de prendre tous les signes de leur convention; ce qui prouve d'une maniere évidente que les hommes ne peuvent rien inventer.

Nous nous convaincrons de tout ceci par quelques observations sur l'art de la Peinture, que l'on peut regarder comme ayant pris naissance dans les caracteres de la langue en question, ainsi que la Poésie humaine l'avoit prise dans son expression verbale.

S'il *i% De la Peinture.*

S'il est certain que cette langue est unique, & auíli ancienne que le temps, on ne peut douter que les caracteres qu'elle emploie, n'aient été les premiers modeles. Les hommes qui se sont attachés à l'ctudier, ont eu souvent besoin de soulager leur mémoire par des notes & par des copies. Or, c'est dans ces copies qu'il salloit la plus grande précision, puisque dans cette multitude de caracteres qui ne sont distingués quelquesois que par la plus légere différence, il est constant que la moindre altération pouvoit les dénaturer & les consondre.

Oa doit sentir que fi les hommes eussent été íâges, ils n'auroient pas sait d'autre usage de la Peinture, & même pour l'intérêt de cet Art, ils eussent été heureux de s'en tenir à limitation & à la copie de ces premiers caracteres; car s'ils sont avec raison si délicats sur le choix des modeles, où pouvoient-ils en trouver de plus vrais & de plus réguliers que ceux qui exprimoient la natute même des choses? S'ils sont si recherchés sur la qualité & l'emploi des couleurs, où pouvoient-ils mieux s'adresser

qu'à des sormes qui portoient chacun leur couleur propre? Ensin, s'ils desirent des tableaux durables, comment pouvoient-ils y mieux réussir qu'en les copiant d'après des objets toujours neuss, & dont ils' peuvóájg à tout momeîit saire comparaison avec leurs pr$T ductions? y ''

Mais la même imprudence qui avoit éloigné l'homme de son «Principel, l'a encore éloigné des moyens qui lui sont accordés pour y retourner; il a perdu sa consiance dans ces guides vrais & lumineux, qui secondant son intention pure, l'aufoient sûrement ramené à son but. H n'a plus cherché ses modeles dans des objets utiles & salutaires, dont il eût pu continuellement recevoir les secours, mais dans des sormes passageres & trompeuses, qui ne lui ofsrant que des traits incertains & des couleurs changeantes, l'exposent tous les jours à varier sur ses propres principes & à mépriser ses ouvrages.

C'est ce qui lui arrive journellement, en se proposânt, comme il sait, d'imiter des quadrupedes, des reptiles & autres animaux, de même que tous les autres Etres dont il est environné; parce que cette occupation, tout innocent & tout agréable qu'elle soit en elle-même, accoutume l'homme à fixer les yeux sur ce qui lui est étranger, & lui sait perdre nonseulement la vue, mais, l'idée même de ce qui lui est propre; c'est-à-dire, que les objets que l'homme s'occupe à représenter aujourd'hui, ne sont que l'apparence de ceux qu'il devroit étudier tous les jours; & la copie qu'il en sait devant, selon tous les Principes établis, être eníore inférieure à ses modele» il en résulte que *h ìa De la Peinture.* la Peinture actuellement en usage, n'est autré chose que l'apparence de l'apparence.

Néanmoins c'est même par cette peinture grossiere que nous pourrons nous convaincre parsaitement de cette vérité incontestable, annoncée plus haut, savoir, que les hommes n'inventent rien. N'est-ce pas toujours en effet d'après les Etres corporels qu'ils composent leurs tableaux? Peuvent-ils prendre leurs sujets ailleurs, puisque la peinture n'étant que la

science des yeux, elle ne peut s'occuper que du sensible, & par conséquent ne se trouver que dans le sensible?

Dira-t-on que le Peintre peut nonseulement se passer de voir des objets sensibles, mais même que s'élevant audessus d'eux, il ne prendra des sujets que dans son imagination? Cette objection seroit sacile à détruire; car laissons à l'imagination la carriere la plus 'ibre, permettons-lui tous les écarts auxquels elle ' pourra se porter, je demande si elle ensantera jamais rien qui soit hors de la Nature, & n jamais on sera dans le cas de dire qu'elle n'a rien créé. Sans doute qu'elle aura la saculté de se représenter des Etres bizarres & des assemblages monstrueux, dont cette Nature, à la vérité, n'offrira pas d'exemples; mais ces Etres chimériques eux-mêmes ne seront-ils pas le produit des pieces rapportées? Et de toutes ces Côs piecës, y en aura-t-il jamais Une qui fie se trouve pas parmi les. choses sensibles de la Nature?

U est don« certain que dans la peinture ainsi que dans tout autre Art, les inventions & les ouvrages de l'homme ne sont rien de plus que des transpositions, & que loin de rien produire de lui-même, toutes ses œuvres se bornent á donner aux choses une autre place.

Alors l'homme peut apprendre à évaluer le prix de ses productions dans la Peinture comme dans les autres Arts, & tout en se livrant à cette charmante occupation, il cessera de croire à la réalité de ses ouvrages, puisque cette réalité ne se trouve pas même dans les modeles qu'il so choisit.

Il est inutile, je pense, de dire que cette Peinture grossiere ne porte pas moins avec elle des signes srappans qu'elle descend d'un Art plus parsait, & que dans ce sens elle est pour nous une nouvelle preuve de cette écriture supérieure, appartenant à la langue unique & universelle, dont nous avons montré les propriétés.

En effet, elle exige la ressemblance de la Nature sensible dans tout ce qu'elle représente; elle ne veut rien qui choque ni les yeux, ni le jugement; elle embrasse tous les Etres de l'Univers, elle a même porté sa main hardie jusques sur des Etres supérieurs *II, Partie,* (g) Maí» Ì4-*t te Peinture'*.

Mais c'est alors qu'elle est vraiment répréhensible, parce que premiérement ne pouvant les saire connoître que par des traits sensibles & corporels, dès-lors elle a ravalé ces Etres aux yeux de l'homme, qui ne peut îes connoître que par la saculté sensible de son intelligence & jamais par le sensible matériel, puisque ces Etres ne sont pas dans la Région des corps.

En second lieu, lorsque la Peinture a pris ftr elle de vouloir les représenter, où a-t-elle trouvé le modele des corps qu'ils n'avoient point, & qu'elle vouloit cependant leur donner? Ce n'a pu être sans doute que parmi les objets matériels de la Nature, ou ce qui est la même chose, dans une imagination peu réglée, mais qui dans son désordre même, ne pouvoit jamais employer que les Etres corporels qui environnent l'homme d'aujourd'hui.

Quel rapport pouvoit-il donc exister alors entre le modele & l'image qui y avoit été substituée, & quelle idée ces sortes d'images ont-elles dû saire naître? N'est-il pas clair que c'est-là une des plus sunestes suites de l'ignorance de l'homme, celle qui l'a le plus exposé à l'idolâtrie, & qui contribue sans cesse à l'ensevelir dans les ténebres.

Et vraiment, que peut produire une Matiere morte & des traits figurés selon l'imagination du Iu Peíntie, sinon l'oubli de la simplicité des Etres, dont la connoissance est si nécessaire à l'homme, & sans laquelle toute son espece est livrée à la plus effrayante superstition? Et n'estce pas ainsi que les pas de l'homme, tout indiséréns qu'ils sont en apparence, l'égarent insensiblement, & le jettent dans des précipices dont il ii'apperçoit bientôt plus les bords?

L'homme ne s'est donc pas contenté de consondre la Peinture grossiere & l'ouvrage de ses mains avec les caracteres vrais copiés suc la Nature même, il a encore méconnu le Principe d'où ces caracteres vrais tirent leur origine; voyant, dis-je, qu'il étoit le maître d'employer à son gré tous les différens traits de cette Nature corporelle pour en

composer lès tableaux, il a eu la soiblesse de se reposer avec complaisance sur son ouvrage, & d'oublier à la sois la supériorité des modeles qu'il auroit du choisir & la source qui pouvoit les produire; ou plutôt les ayant perdu de vue, il n'a plus même soupçonné leur existence.

On en doit dire autant du Blason, qui tire également son origine des caracteres de la vraie langue. L'homme vulgaire s'énorgueillit de la noblesse de ses Armes, comme si les signes en étoient réels, & portoient vraiment avec eux-mêmes les droits que le préjugé leur attribue. Se laissant aveugler par les puériles dis tinctioní 244 *Erreurs fur la vraie Lanpif.* tinctions qu'il attache lui-même à ces signes, il í oublié qu'ils n'étoient que les tristes images des *armes naturelles* accordées physiquement à chaque homme pour lui servir de désense, & être en même temps le sceau de ses *vertus ,* de sa sorce & de sa grandeur.

Ensin il a sait la même chose sur l'exprefsion verbale de cette langue sublime dont on a vu qu'étoit provenue la Poésie. Les mots arbitraires & les langues de sa convention ont pris dans *ù.* pensée la place de la vraie langue c'est-à-dire, que ces langues conventionnelles n'ayant aucune unisormité, ni aucune marche fixe à ses yeux, quand à l'expreffion, aux signes, & généralement à tout ce qui est sensible en elles, il n'a pas vu leurs rapports universels avec la langue des sacultés intellectuelles dont elles étoient une imitation défigurée. Dès-lors l'idée du Principe de cette langue unique & universelle qui seule pourroit l'éclairer, s'étant effacée en lui, il n'a plus distingué cette langue d'avec celles qu'il avoit établies.

Or, si l'homme est assez borné pour placer ses ouvrages à côté de ceux des Principes vrais & invariables *y* si sa main audacieuse croit pouvoir être égale à celle de la Nature; fi même il a presque toujours consondu les ouvrages de cette Nature avec le Principe soit général soit particulier qui les manieste, il ne saut plus être surpris que toutes toutes ses notions soient fi consuses & si ténébreuses, & qu'il ait non seule-

ment perdu la connoissance & l'intelligence de la vraie langue, mais même qu'il ne soit plus persuadé qu'il en existe une.

.. En même temps, fi cette vraie langue est la seule qui puisse le remettre dans ses droits, lui rendre la jouissance de ses attributs, lui saire connoître les principes de la Justice, & le conduire dans l'intelligence de tout ce qui existe, ií est aisé de voir combien il perd en s'en éloignant, & s'il a d'autres ressources que d'employer tous les momens de sa vie aux soins d'en recouvrer la connoissance.

Mais, quelque immense, quelque effrayante que soit cette carriere, il n?est aucun homme qui doive se livrer au désespoir & au découragement, puisque j'ai toujours annoncé que cette langue même étoit le véritable domaine de l'homme; qu'il n'en a été privé que pour un temps; que loin d'en être à jamais dépouillé, on lui tend au contraire sans cesse lamain pour l'y ramener: & vraiment le prix attaché à cette grace est fi modique & si naturel, qu'il est une nouvelle preuve de la bonté du Principe qui l'exige, puisque cela se borneà. demander à l'homme de ne pas assimiler les. deux Etres distincts qui le composent: de re-çonaoître la différence des Principes de la Na-, *íSLlì x/±6 De la Musique.* ture entr'eux, & celle qu'ils ont avec la Cause temporelle supérieure à certe même Nature: c'est-à-dire, de croire que l'homme n'est point matiere, & que la Nature ne va pas toute seule.

Nous avons encore à examiner une des productions de cette-langue vraie dont je tâche de rappeler l'idée aux hommes, c'est celle qui se joint à son expression verbale, qui en regle la sorce & en mesure la prononciation, c'est ensin cet Art que nous nommons *la Mufique,* mais qui parmi les hommes n'est encore que la figure de la véritable harmonie.

Cette expression verbale ne peut employer des mots sans saire entendre des sons; or, c'est l'intime rapport des uns aux autres qui sorme les Loix sondamentales de la vraie Mufique; c'est ce que nous imitons, autant qu'il est en nous, dans notre Mufique artificielle,

Des erreurs et de la vérité, ou, Les hommes rappellés au principe universel de la science (1) • Louis Claude de Saint-Martin
• 109

par les soins que nous nous donnons de peindre avec des sons le sens de nos paroles conventionnelles; mais avant de montrer les principales désectuosités de cette Musique artificielle, nous allons parcourir une partie des vrais principes qu'elle nous offre; par-là on pourra découvrir des rapports assez srappans avec tout ce qui a *été* établi, pour se convaincre qu'elle tient toujours à la même source, & que dès-lors elle est du ressort de l'homme; c'est aussi dans cet examen où l'on pourra voir que quelque admirables que soient nos talens dans l'imita tion *t.* tîon musicale, nous restons toujours insiniment au-dessous de notre modele J ce qui sera comprendre à l'homme, fi cet instrument puissant ne lui sut donné que pour contribuer à des amusemens puériles, & fi dans son origine il n'étoie pas destiné à un plus noble emploi.

Premiérement, ce que nous connoissons dans la Musique sous le nom d'accord parsait, est: pour nous l'image de cette Unité premiere qui renserme tout en elle & de qui tout provient, en ce que cet accord est seul *Sc* unique, qu'il est entiérement rempli de lui-même, sans avoir beíbin du secours d'aucun autre son que des siens propres; en un mot en.ce qu'il est inaltérable dans sa valeur intrinseque, comme l'Unité; car il ne saut point compter pour une altération, la transposition de quelques-uns de ses sons, d'où résultent des accords de différentes dénominations, attendu que cette transposition n'introduit aucun nouveau son dans l'accord, & par conséquent ne peut en changer la véritable Essence.

Secondement, cet accord parsait est le plus harmonieux de tous, celui qui convient seul à l'oreille de l'homme, & qui ne lui laisse rien à desirer. Les trois premiers sons qui le composent sont séparés par deux intervalles de tierce qui sont distincts, mais qui sont liés l'un avec 'autre. C'est-là la répétition de tout ce qui se (Q 4) pafis 148 *De F Accord parfait.* passe dans les choses sensibles, où nul êtrè corporel ne peut recevoir ni conserver l'existence sans le secours & l'appui d'un autre Etre corporel cofnt me lui, qui ranime ses forces & qui l'entretienne.

Ensin, ces deux tierces se trouvent surmontées d'un intervalle de quarte, dont le son qui 1s termine se nomme *Octave*. Quoique cet octave ne soit que la répétition du son fondamental, c'est elle néanmoins qui désigne complétement l'accord parsait; car jelle y tient essentiellement, en ce qu'elle est comprise dens les sons primitiss que le corps sonore sait entendre au dessus du fien propre.

Ainsi, cet intervalle quaternaire est alors l'a-r gent principal de l'accord; il se trouve placé au- dessus de deux intervalles ternaires pour y présider & en diriger toute l'action, comme cette Cause active & intelligente que nous avons vu dominer & présider à la double Loi de tous les Etres corportsés. H ne peut, ainsi qu'elle, souffrir aucun mélange, & quand il agit seul, comme cette cause universelle du temps, il est siîr que tous ses résultats sont réguliers.

Je sais cependant que cette octave n'étant à ra vérité, qu'une répétition du son fondamental, peut à la rigueur se supprimer, & ne point çntrer dans l'énumération des sons qui composent l'accord parsait. Mais, premirefflent, c'est. elle qui termine essentiellement la gamme; en outre il est indispensable d'admettre cette octave, fi nous voulons savoir ce que c'est que *Valpha & Xoméga* , & ' avoir une preuve évidente de l'unité de notre accord, le tout par une raison de calcul, que je ne puis exposer autrement qu'en disant que l'octave est le premier agent, ou le premier organe par lequel *dix* a pu venir à notre connoissance.

Il ne saut pas non plus exiger, dans le tableau sensible que je présente, une unisormité entiere avec le Principe dont il n'est que l'image, parce qu'alors la copie seroit égale au modele. Mais auîî, quoique ce tableau sensible soit inférieur, & qu'en outre il puisse être sujet à varier, il n'en existe pas moins d'une maniere complete, il n'en représente pas moins le Principe, parce que J'instinct des sens supplée au reste.

C'est par cette raison qu'ayant présenté les deux tierces comme liées l'une à l'autre, nqus ne disons point qu'il soit indispensable de les faire entendre toutes les deux; on sait que chacune d'elles peut être annoncée séparément, sans que l'oreille souffre, mais la Loi n'en sera pa$ moins vraie pour cela, parce que cet intervalle ainsi annoncé conserve toujours sa correspondance secrete avec les autres sons de l'accord auquel il appartient; ainsi c'est toujours le même tabjeu mais dont on ne voit plus qifune partie. *tf9 De l'Accord parfait*

On en peut dire autant, lorfqu'on veut fop primer l'octave, ou même tous les autres fons de l'accord, & n'en conferver qu'un, quel qu'il *toit*; parce qu'un fon entendu feul n'eft point à charge à l'oreille, & que d'ailleurs il pourroie lui-même fe confidérer comme le fon générateur d'un nouvel accord parfait.

Nous avons vu que la quarte dominoit fur les deux tierces inférieures, & que ces deux tierces inférieures étoient l'image de la double Loi qui dirigeoit les Etres élémentaires. N'eft-ce pas 1S alors que la Nature elle-même nous indique la différence qu'il y a entre un corps & fon Principe en nous faifant voir l'un dans la fujétion & la dépendance, tandis que l'autre en eft le chef & le foutien?

Ces deux tierces nous repréfentent en effet par leur différence l'état des chofes périffables de la Nature corporelle, qui ne fubfifte que par des réunions d'actions diverfes; & le dernier fon, formé par un feul intervalle quaternaire, eft une nouvelle image du premier Principe; car il nous en rappelle la fimplicité, la grandeur & l'immutabilité, tant par fon rang que par fon *nombre*.

Ce n'eft pas que cette quarte harmonique foit plus permanente que toutes les autres chofes créées; dès qu'elle eft fenfible, elle doit parler; mais cela n'empêche pas que même dans fon --action action passagere, elle ne peigne à l'intelligence l'essence & la stabilité de sa source.

On trouve donc dans l'assemblage des intervalles de l'accord parsait, tout ce qui est passis & tout ce qui est actis, c'est-à-dire, tout ce qui existe & tout ce que l'homme peut concevoir.

Mais ce n'est pas assez que nous

ayions vu dans l'áccord parsait la représentation de toutes choses en général & en particulier, nous y pouvons voir encore par de nouvelles observations la source de ces mêmes choses, & l'origine de cette distinction qui s'est saite avant le temps entre les deux Principes, & qui se manifeste tous les jours dans le temps.

Pour cet effet, ne perdons pas de vue fa beauté & la persection de cet accord parsait qui tire de lui seul tous ses avantages j nous jugerons aisément que s'il sût toujours demeuré dans ía nature, l'ordre & une juste harmonie auroientí subsisté perpétuellement, & le mal seroit in-' connu, parce qu'il ne seroit pas né, c'est-à-dire, qu'il n'y auroit jamais eu que l'action des sacultés du Principe bon qui se fût manifestée, parce qu'il est le seul réel & le seul véritable.

Comment est-ce donc que le second Principe' a pu devenir mauvais? Comment se peut-il que le mal ait pris naissance & qu'il ait paru? N'esta ce pas lorsque le son supérieur & dominant de í'accord parsait, l'octave ensin, a été supprimée,

&

I51 *De r Accord de Septieme.*

& qu'un autre son a été introduit à sa place? Or, quel est ce son qui a *été* introduit à la place de l'octave? C'est celui qui la précede immédiatement, & l'on sait que le nouvel accord qui est résulté de ce changement, se nomme *accord de septieme?* L'on sait auflî que cet accord de septieme satigue l'oreille, la tient en suspens & demande à être sauvé, en terme de l'Art.

C'est donc par l'opposition de cet accord dissonant & de tous ceux qui en dérivent, à l'accord parsait, que naissent toutes les productions musicales, lesquelles ne sont autre chose qu'un j0u continuel, pour ne pas dire un combat entre l'accord parsait ou consonant & l'accord de septieme, ou généralement tous les accords dislbnans.

Pourquoi cette Loi', ainsi indiquée par la Nature, ne seroit-elle pas pour nous l'image. de la production universelle des choses? Pourquoi n'en trouverions-nous pas ici le Principe comme nous en avons trouvé plus haut l'a/Tem-

i blage & la constitution dans l'ordre des intervalles de l'accord parsait? Pourquoi, dis-je ne toucherions-nous pas au doigt & à l'oril U cause, la naissance & les suites de la consusion universelle temporelle, puisque nous savons quedans cette Nature corporelle il y a de,ux Prin-i cipes qui sont sans cefle opposés, & qu'elfe pe peut se soutenir que par le. secours de deux; action».

s actions contraires, d'où proviennent le combat & la violence que nous y appercevons? Mélange de régularité & de désordre que l'harmonie nous représente fidellement par l'assemblage des consonnances & des dissonances qui constitue toutes les productions musicales.

Je me flatte néanmoins que mes Lecteurs seront assez intelligens pour ne voir ici que des images des saits élevés que je leur indique. Us sentiront sans doute l'allégorie, lorsque je leur annoncerai que si l'accord parsait étoit demeuré dans sa vraie nature, le mal' seroit encore à naître; car, selon le principe établi, il est impossible que Tordre musical dans sa Loi particuliere soit égal à l'ordre supérieur qu'il représente.

Aussi, l'ordre musical étant sondé sur le sensible, & le sensible n'étant que le produit du plusieurs actions, si l'on n'offroit à l'oreillë qu'une continuité d'accords parsaits, elle ne seroit pas choquée, à la vérité; mais outre la monotonie ennuyeuse qui en résulteroit, nous ne trouverionslà aucune expression, aucune idée enfin, ce ne seroit point pour nous une Musique, parce que la Musique, & généralement tout ce qui est sensible, est incompatible avec l'unité d'action, comme avec l'unité d'agens.

En admettant donc toutes les loix nécessaires pour la constitution des ouvrages de Musique «54-Z« /sl *Seconde.* que, nous pouvons néanmoins saire Papplicatîon de ces mêmes loix à des vérités d'un autre rang. C'est pour cela que je vais continuer mes observations sur l'accord de septieme.

En mettant cette septieme à la place de l'octave, nous avons vu que c'étoit placer un principe à côté d'un autre principe, d'où, selon toutes les lumieres

de la plus saine raison, il ne peut résulter que du désordre. Nous avons vu ceei encore plus évidemment, en remarquant que cette septieme qui produit la dissonance, étoit en même temps le son qui précede immédiatement Poctave.

Mais cette septieme qui est telle par rapport au son sondamental, peut donc se regarder aussi comme une seconde, par rapport à Poctave qui en est la répétition; alors nous reconnoîtrons que la septieme n'est point du tout la seule dissonnance, mais que la seconde a aussi cette propriété; qu'ainsi toute liaison diatonique est condamnée par la nature de notre oreille, & que par-tout où elle sentira deux notes voisines sonner ensemble, elle sera blessée.

Alors, comme il n'y a absolument dans toute la gamme, que la seconde *8c* la septieme qui puissent se trouver dans ce rapport avec le son grave ou avec son octave, cela nous sait voir clairement que tout résultat & tout produit, en sait de de Musique, est sondé sur deux dissonances, d'oà provient toute réaction musicale.

Portant ensuite cette observation sur les chc ses sensibles, nous verrons avec la même évidence, qu'elles n'ont jamais pu & qu'elles ne peuvent jamais naître que par deux dissonances, & quelques efforts que nous saisions, noui ne trouverons jamais d'autre source au désoi dre que le nombre attaché à ces deux sortes de dissonances.

Bien plus, si l'on observe que ce qu'on appelle communément septieme est en effet une neuvieme, attendu que c'est l'assemblage de trois tierces trèsdistinctes; on verra fi j'ai abusé mes Lecteurs, en leur disant précédemment que le nombre *neuf* étoit le vrai nombre de l'étendue & de la Matiere.

Veut-on, au contraire, jeter la vue sur le nombre des consonances ou des sons qui s'accordent avec le son sondamental, nous verrons qu'elles sont au nombre de quatre, savoir, la tierce, la quarte, la quinte juste & la sixte car ici il ne saut point parler de l'octave comme octave, parce qu'il s'agit des divisions particur lieres de la gamme, dans lesquelles cette octave n'a pas d'autre caractere que le son sondamental même dont elle est l'image, si ce n'est qu'on veuille la regarder comme la quarte du second Tétracorde; ce qui ne change rien au nombre des fcfé *Des WJJonances à des Çonfbnflanttts*'. des quatre confonnances que nous établirions;

Je ne pourrai jamais m'ctendre, autant qud je le voudrois, fur les propriétés infinies de ces quatre confonnances, & j'en fuis vraiment affligé parce qu'il me feroit aifé de faire voir avec une clarté frappante leur rapport direct avec *Y Unité,* de montrer comment l'harmonie univerfelle eft attachée à cette confonance quaternaire, & pourquoi fans elle il eft impoffible qu'aucun Etre fubfifte en bon état.

Mais à tous les pas, la prudence & le devoir m'arrêtent, parce que dans ces matieres uni feul point mene à tous les autres, & que mémff je n'eufle jamais entrepris d'en traiter aucun, fi les Erreurs dont les Sciences humaines empoifonnent mon efpece, ne m'euffent entraîné à prendre fa défenfe.

Je me fuis engagé néanmoins à ne pas terminer ce traité, fans donner quelques explications plus détaillées fur les propriétés univerfelles du quaternaire; je n'oublie point ma promefle, & je me propofe de la remplir autant qu'il me fera permis de le faire; mais, pour le préfent, revenons encore à la feptiexne, & remarquons que fi c'eft elle qui fi diverfion avec l'accord parfait, c'eft au® par elle que fe fait la crife & la révolution, d'où doit fortir l'ordre & renaître la tranquillité de l'oreille, puifqu'à la fuite de cette feptieme frn est indispensablemenc obligé de rentrer dans î'accord parfait. Je ne regarde point comme contraire à ce principe, ce qu'on nomme en Musique une suite de septiemes, qui n'est autre chose qu'une continuité de dissonances, & qu'on ne peut absolument se dispenser de terminer toujours par l'accord parfait ou ses dérivés.

Ce sera donc encore cette mëme dissonance qui nous répétera ce qui íe passe dans la Nature Corporelle, dont le cours n'est qu'une suite de dérangemens & de réhabilitations; Or, fi cette même observation nous a indiqué précédemment lá véritable origine des choses corporelles si elle nous sait voir aujourd'hui que tous les Etres de la Náture sont assujettis à cette loi violente qui préside à leur origine, à leur existence & à leur fin, pourquoi ne pourrions-nòus pas appliquer là même loi à î'univers entier, & reconhoître que si c'est la violence qui l'a sait naître 6c qui í'entretient, ce doit être aUísi la violence qui en opere la destruction 3

C'est ainsi que nous voyons qu'au moment de terminer un morceau de Musique, il se sait ordinairement un battement consus, un trill entre une des notes de l'accord parsait & la seconde ou la septieme de l'accord dissonant lequel accord dissonant est indiqué par la basse qui en tient communément la note sondais. Par// (.R) piegtale 258 *Des Dissonances & des ConfonnanCtsï* damentale pour ramener ensuite lc total à l'accoiá parsait ou â l'unité. On doit voir encore, que puisqu'après cette cadence musicale, on rentre nécessairement dans l'accord parsait qui remet tout en paix & en ordre, il est certain qu'après la crise des Elémens, les Principes qui en sont combattus doivent aufîi retrouver leur tranquillité, d'où saisant la mëme application à l'homme, l'on doit apprendre combien la vraie connoissance de la Musique pourroit le préserver de la crainte de la mort, puisque cette mort n'est que le trill qui termine son état de consusion, & le ramene à ses *quatre confonnances.*

J'en dis assez pour l'intelligence de mes Lecteurs, c'est à eux à étendre les bornes que je me suis prescrites. Je peux présumer par conséquent qu'ils ne considéreront pas les dissonances comme des vices par rapport à la Musique, puisque c'est de-là qu'elle tire ses plus grandes beautés, mais seulement comme l'indice de l'opposition qui regne en toute choses.

Ils concevront mëme que dans l'harmonie, dont la Musique des sens n'est que la figure, îl doit se trouver la même opposition de dissonances aux consonnances; mais que loin d'y causer le moindre désaut, elles en sont l'aliment & la vie, & que l'intelligence n'y voit que l'action de plusieurs sacultés différen... .-s , tes, tes, qui se sou-

tiennent mutuellement, plutôt qu'elles île se combattent, & qui par leur reunion sont naître une multitude de résultats toujours neuss 8c toujours srappans.

Ce n'est donc là qu'un extrait trèsabrégé dô toutes les observations que je pourrois saire ert ce genre sur la Musique, & des rapports qvïï se trouvent entr'elle & des Vérités importantes; mais ce que j'en ai dit est suffisant pour saire appercevoir la raison des choses, & pour apprendre aux hommes à ne pas isoler leurs différentes connoislances, puisque nous leurs montrons qu'elles ne sont toutes que les différens rameaux du même arbre, que la même empreinte est par-tout.

Faut-il parler à présent de l'obscurité où est encore la science de là Musique? Nous pourrions Commencer par demander aux Musiciens quelle est leur regle pour prendre le ton; c'està-dire, quel est leur *a-mula* ou leur *Diapason* ; & si n'en àyant point, étant obligés de s'en saire un, ils peuvent croire avoir quelque chose dô fixe en ce genre Alors s'ils n'ont point de Diapazon fixe, il en résulte que les rapports numériques que l'on peut tiref de leur Diapazon sactices, avec les sons qui lui doivent être corrélatiss, ne sont pas non plus les véritables, & que les principes que les Musiciens nous donnent pour vrais sous les nombres qu'ils ont admis, (R i y peuvent ±$o principes de VHatmonïe) peuvent également l'être sous d'autres nombres selon que *Ya-mi-la* sera plus ou moins bas; ctí qui rend absolument incertaines la plupart de leurs opinions sur les valeurs numériques qu'ils attribuent aux différens sons.

Je ne parle ici toutesois que de ceux qui onf voulu évaluer ces différens sons par le nombre des vibrations des cordes ou autres corps sonores; car c'est alors qu'il saut nécessairement un Diapazon fixe pour que l'experience soit juste; it saudroit par conséquent des corps sonores qui sussent essentiellement Jes mêmes, pour qu'on pût sta tuer sur leurs résultats; mais Ces deux moyens n'étant point accordés à l'homme, vu que la Matiere n'est que relative il est évident que tout ce qu'il établiroit sur une pareille base, seroit suseep cible de beaucoup d'erreurs.

Ce ne seroit donc point dans la Matiere qu'on auroit dû chercher les principes de l'harmonie, puisque, selon tout ce qu'on a vn, la Matiere n'étant jamais fixée, ne peut offrir le principe de rien. Mais c'étoit même dans la Nature deá choses où tout étant stable & toujours le même, il ne saut que des yeux pour y lire la vérité. Ensin l'homme eût vu qu'il n'avoit pas d'autre regle à suivre que celle qui se trouve dans le rapport double de l'octave, ou dans cette fameuse raison double qui est écrite sur tous le» Etres, & d'où la raison triple est descendue; ce qui lui eût retracé de nouveau la double action de la Nature, & cette troisieme Cause temporelle établie universellement sur les deux autres.

Je bornerai là mes observations sur la désectuosité des Loix que l'imagination de l'homme a pu introduire dans la Musique; car tout ce que j'y pourrois ajouter tiendroit toujours à cette premiere erreur, & elle est assez sensible pour que je ne m'y attache pas davantage. J'avertirai seulement les Inventeurs, de bien réfléchir sur la tiature de nos sens & d'observer que celui de l'ouie, est, comme tous les autres, susceptible d'habitude; qu'ainsi ils ont pu y être trompés debonne soi, & se saire des regles de choses hasardées, & de suppositions que le temps seul leur aura sait paroître vraies & régulieres.

Il me reste néanmoins à examiner l'emploi que fhomme a sait de cette Musique à laquelle il s'occupe presque universellement, & à observer s'il en a jamais soupçonné la véritable application.

1

Indépendamment des beautés innombrables dont» elle est susceptible, on lui connoît une Loi stricte, c'est cette mesure rigoureuse dont elle ne peut absolument s'écarter. Cela seul n'annonce-t-il pas qu'elle a un Principe vrai, & que la main qui la dirige est au dessus du pouvoir des sens, puisque ceux-ci n'ont rien de fixe?

Mais si ejle tient à de principes de cette na *6t De la Musique artificielle.* ture il est donc certain qu'elle ne devoit jamais avoir d'autre guide, & qu'elle

étoit saite pour être toujours unie à sa source. Or, sa source étant, comme nous l'avons vu cette langue premiere & universelle qui indique ôç représente les choses, au naturel, on ne peut douter que la Musique n'eût été la vraie mesure des choses, Comme l'Ecriture & la parole en, exprimoient la signification.

C'était donc uniquement en s'attachant à cft Principe fécond & invariable, que la Musique pouvoit conserver les droits de son origine, & remplir son veritable emploi j c'est-là qu'elle eût pu peindre des tableaux ressemblans, & que toutes les sacultés de cçux à qui elle se sût sait entendre, eussent été pleinement satissaites. En un motc'est par-là-que la Musique auroit opéré ses prodiges dont elle est capable, 8c qui lui ont été attribuas dans tous les temps.

Par conséquent, en la séparant de sa source, en ne lui cherchant des sujets que dans des sentimens sactices, ou dans des idées vagues, on l'a privée de sop premier appui, & on lui a ôté les moyens de se montrer dans tout son éclat.

Aussi, quelles impressions, quels effets produit-elle entre les mains des hommes?. Quelles idées, quels sens nous, offre-t-elle? Excepté celui qui compose, est—il beaucoup d'oreilles qui puisr %ijt voir rintelligence de ce qu'elles entendent V exprimer exprimer par la Musique reçue? Et encore le compositeur lui-même, après s'être livré à son imagination, ne perd-il jamais le sens de ce qu'il 2 peint, & de ce qu'il a voulu rendre?

Rien n'est donc plus insorme, ni plus désectueux que l'usage que les hommes ont sait de cet Art, & cela uniquement parce que s'étant peu occupés de son Principe, ils n'ont pas cherché à les étayer l'un par l'autre, & qu'ils ont cru pouvoir saire des copies sans avoir leur modele devant lesf' yeux.

Ce n'est point que je blâme mes semblables de rechercher dans les ressources insinies de la Musique sactice, les agrémens & les délassemens qu'elle peut offrir, ni que je veuille les priver des secours que malgré sa désectuosité cet Art peut leur procurer tous les jours.

Il peut je le sais, aider quelquesois à saire revivre et» eux, plusieurs de ces idées obscurcies, qui étant mieux épurées, devroient être leur unique aliment, & qui peuvent seules leur saire trouver un point d'appui. Mais pour cet effet, je les engagerai toujours à porter leur intelligence audessus de ce que leurs sens entendent, parce que Télément de l'homme n'est point dans les sens; je les engagerai à croire que quelque parsaites' que soient leurs productions musicales, il enest *d'un autre or ire Ù de plus régulieres* ;que cer'est même qu'en raison du plus ou moins de 4) fOja &rnûil *& l Mesure.* consormité avec elles ', que Ja Musique artificielle nous attache & nous cause plus ou moins, d'émotion.

Lorsque j'ai appuyé sur la précision de la mesure à laquelle la Musique est assujettie, je n'ai pas perdu de vue l'universalité de cette Loi*;* je me suis proposé au contraire d'y revenir pour montrer qu'en même temps qu'elle embrasse tout, elle a par-tout des caracteres distincts. Et il n'y a rien ici qui ne soit consorme à tout ce qui a été établi; on a vu la mesure tenir sa place parmi les sacultés intellectuelles de l'homme, & entrer au nombre des Loix qui le dirigent; on a pu juger par-là que ces facultés intellectuelles fant elles-mêmes la ressemblance des sacultés du Principe supérieur d'où l'homme tient tout, ce Principe doit avoir aussi sa mesure & ses Loix particulieres.

Dès-lors, si les choses supérieures ont leur mesure, nous ne devons plus trouver étonnant que, les choses inférieures & sensibles qu'elles ont créées y soient soumises & par conséquent, que nous trouvions dans cette mesure, un guide sévere de la Musique.

Mais pour peu que nous réfléchissions sur la nature de cette mesure sensible, nous en verrons bientôt la différence d'avec la mesure qui regle les çhpses d'un autre ordre.

Da aMusique, nous voyons que la mesure est fcst toujours égale; que le mouvement une sois donné, se perpétue 8ç se répete sous la même sorme, & dans le même nombre de temps; touc ensin, nous y paroît si réglé & si exact, qu'il est impossible de n'en pas sentir la Loi, & de ne pas en avouer la nécessité. Aussi cette mesure égale est-elle si bien affectée aux choses sensibles, que nous voyons les hommes l'appliquer à toutes celles de leurs productions qui n'ont lieu que dans une continuité d'action; nous voyons que cette Loi est pour eux comme un point d'appui sur lequel ils se reposent avec plaisir; nous les voyons même s'en servir dans leurs travaux; les plus rudes, & c'est alors que nous pouvons jug«r quel est l'avantage & l'utilité de ce puissant secours, puisqu'avec lui le manœuvre semble adoucir des satigues qui sans cela, lui paroîttroient insupportables.

Mais aussi c'est-là ce qui peut aider encore a nous instruire sur la nature des choses sensibles; car, nous offrir une telle égalité dans Faction, &. je puis le dire, une telle servitude, c'est nous annoncer clairement que le Principe qui est en elles, n'est pas le maître de cette même action, mais que dans lui tout est contraint & sorcé, ce qui revient à ce qu'on a pu voir dans les différentes parties de cet Ouvrage, sur l'insériorité de la Matiere. C'est par conséquent ne nous o£srii: qu'une dépendance marquée, & tous les iéo *De la Mesure sensible.* signes d'une vie que nous ne pouvons reconnoîtr» que comme passive; c'est-à-dire, qui n'ayant pas fbn action à elle, est obligée de l'attendre & de la recevoir d'une Loi supérieure qui en dispose & qui lui commande.

Nous pouvons remarquer en second lieu, que cette Loi qui regle la marche de la Musique, se manifeste de deux manieres, ou par deux sortes de mesures connues sous le nom de mesure à deux temps & de mesure à crois temps. Nous ne comptons point la mesure à quatre temps, ni toutes les autres subdivisions qu'on a pu faire,, & qui ne sont que des multiples des deux premieres mesures. Bien moins encore pouvonsnous admettre de mesure à un temps, par cette raison que les choses sensibles ne font pas le résultat, ni l'effet d'une seule action, mais qu'elles n'ont pris naissance & qu'elles ne subsistent que par le moyen de plusieurs actions réunies.

Or, c'est le nombre & la qualité' de ces actions que nous trouvons á découvert dans les deux différentes sortes de mesures affectées à la Musique, ainsi que dans le nombre de temps que ces deux sortes de mesures renserment. Et certes, rien ne seroit plus instructis que d'observer cette combinaison de deux & de trois temps par rapport à tout ce qui existe corporellement; ce seroit-là de nouveau où nous, verrions clairement la raison double, & la raison triple diriger le cours universel des choses.

Mais ces points n'ont été que trop détailles je dois seulement engager les hommes à évaluee ce qui les environne, & nullement leur commu 'niquer des connaissances qui ne peuvent être que le prix de leurs desirs & de leurs efforts. Daas cette vue, je terminerai promptement ce que j'ai à dire sur les deux mesures sensibles de la Musique.

Pour savoir laquelle de ces deux mesures est employée dans un morceau de musique quelconque, il saut attendre nécessairement que la premiere mesure soit remplie; ou ce qui est la même chose, que la seconde mesure soit commencée; ce n'est qu'alors que l'oreille est fixée, & qu'elle sent sur quel nombre elle peut s'appuyer. Car» tant qu'une mesure n'est pas complétée de cette maniere, on ne peut jamais savoir quel sera son nombre, puisqu'il est possible de toujours ajoutcc des temps à ceux qui ont précédés

N'est-ce pas alors nous montrer dans la Nature même, cette vérité si rebattue, que les propriétés des choses sensibles, ne sont pas fixes, mais seulement relatives, &: qu'elles ne se soutiennent que les unes par les autres. Car sans cela, une seule de leurs actions, en se manisestant, porteroit son vrai caractere avec elle, & n'attendroit oas pour se saire coruioître qu'on la. comparât.

ii8 *De la Mesure intellectuelle.*
Telle est donc l'insériorité de la Musique artificielle & de toutes les choies sensibles, qu'elles ne renserment que des actions passives, & que leur mesure, quoique déterminée en elle-même, ne peut nous être connue que relativement aux autres mesures avec lesquelles on en sait la comparaison.

Parmi les choses d'un ordre plus élevé & absolument hors du sensible, cette mesure s'annonce sous des traits plus nobles; là, chaque Etre ayant son action á lui, possede aussi dans ses Loix une mesure proportionnée à cette action, mais en même temps comme chacune de ces actions est toujours nouvelle, & tonjsurs différente de celle qui la précede & de celle qui la suit, il est aisé de voir que la mesure qui les accompagne ne peut jamais être la même, & qu'ainsi ce n'est pas dans cette classé qu'il saut chercher cette unisormité de mesure qui regne dans la Musique & dans les choses sensibles.

Dans la Nature périssable, tout est dans *h* dépendance, & n'annonce qu'une exécution aveugle, qui n'est autre chose que l'assemblage forcé de plusieurs agens soumis à la même loi, lesquels concotiratit toujours au même but & de la même manière, ne peuvent produire qu'un résultat uniforme, quand ils n'éprouvent point de dérangement ni d'obstacles à l'accornplissement de Jeur aQion

Pans la Nature impériflable, au contraire tout eft vivant, tout eft fimple, & dès-lors chaque action porte toutes fes Loix avec elle C'eft-à-dire, que l'action fupérieure regle ellemême fa mefure, au lieu que c'eft la mefure qui regle l'action inférieure, ou celle de la Matiere & de toute la Nature paflîve.

Il ne faut rien de plus pour fentir la différence" infime qu'il doit y avoir entre la Mufique artificielle, & l'expreffion vivante de cette Langue vraie que nous annonçons aux hommes comme le plus puiflant des moyens deftinés à les rétabli dans leurs droits.

Qu'ils apprennent donc ici à diftinguer cette Langue unique & invariable, de toutes les pro ductions factices qu'ils mettent continuellement à fa place: l'une portant fes Loix avec elle-même, n'en a jamais que de juftes & de conformes au Principe qui les emploie; les autres font enfantées par l'homme pendant qu'il eft dans les ténebres, & qu'il ne fait fi ce qu'il fait convient ou non à ce Principe fupérieur dont il eft féparé & qu'il ne connoît plus.

Ain G quand il verra varier les ouvrages de fes mains, & fe multiplier à l'infini les abus qu'il fait des Langues, tant dans l'ufage de la Parole que dans celui de l'Ecriture & de la Mufique; quand il verra naître & périr fucceffiveoient toutes les Langues humaines j quand il verra 17 ï« *GÈuvres de THomtnei* verra qu'ici-bas nous ne connoislons que le *nombrt* des choses, & que nous mourons presque tous sans en avoir jamais su les *noms* , il ne croira pas pour cela que le Principe, d'après lequel il donne le jour à ses productions, soit sujet à la méme vicissitude & à la méme obscurité.

Au contraire, il avouera que ne pouvant rien saire aujourd'hui que par imitation ses ouvrages n'auront jamais la même solidité que des ouvrages réels. Observant encore s'il est possible que chacun envisage le modele de la même place, il reconnoîtra pourquoi les copies en sont toutes différentes; mais il n'en sentira pas moins que ce modele étant au centre, demeure toujours le même, comme le Principe dont il exprime les Loix & la volonté, & que si les hommes étoient assez courageux pour s'en rapprocher davantage, ils verroient évanouir toutes ces différences qui n'ont lieu que parce qu'ils en sont éloignés.

Il n'attribuera donc plus les propriétés uú germe inappréciable qui est en lui-même, à des habitudes & à l'exemple; mais il conviendra au contraire que ce sont les habitudes & l'exemple qui dégradent & obscurcissent les propriétés de ce germe vrai, simple & indestructible; en un mot, que si l'homme avoit su prévenir tous ces obstacles ou qu'il eût eu assez de sorce pour les surmonter, il auroit une Langue commune a tous tous ses semblables, comme sessence qui les cont titue & qui établit entr'eux une ressemblance universelle.

C'est, en effet, l'uhité du Principe & de l'essence des hommes qui sait le mieux sentir la possibilité de l'unité de leur langage, puisque 11 par les droits de leur nature, ils peuvent avoir tous les mêmes notions sur les Loix des Etres, sur les véritables regles de la justice, lùr leus Religion & sur leur Culte; s'ils peuvent, dis-je, espérer de recouvrer l'usage de toutes leurs sacultés intellec-

tuelles; enfin s'ils tendent tous au même but, s'ils ont tous le même œuvre á saire, & que cependant ils ne puissent y parvenir sans le secours des Langues, il saut que cet attribut puisse agir par une Loi unisorme, analogue à l'univeríalité & à l'intime unité de toutes leurs connoissances.

Auífi, sans rappeller tout ce que nous avons dit de la supériorité de cette Langue vraie, nous croirons saire concevoir assez clairement combien elle doit être une & puissante, en répétant que c'est la seule voie qui puisse conduire l'homme à l'Unité, & à la source de toutes les Puissances; c'est-à-dire, à la *racine* de ce quarré dont l'homme a pour tâche de parcourir tous les côtés, & dont je vais ici, selon ma promesse, exposer les propriétés & les *vertus*.

On a vu précédemment des détails assez amples *%fl Propriétés du Chiffre univerfit.* pies sur les rapports de ce quarre, ou de ce n'oin» bre quaternaire, avec les causes extérieures à l'homme & avec les Loix qui reglent le cours de tous les Etres de la Nature; mais on est assez instruit par tout ce qui a précédé, pour ne pouvoir plus douter que cet emblème universel doit avoir des ïapports encore plus intéressans pour l'homme en ce qu'ils sont plus directs avec; lui-même, & qu'ils le concernent personnellement;

Il n'y a donc personne qui n'y puisse reconîioître une très-grande affinité avec la quatrieme des dix seuilles de ce Livre, qui avant la réprobation de l'homme, étoit toujours ouvert & intelligible pour lui, mais qu'il ne peut plus aujourd'hui ni lire, ni comprendre que par la succession du temps. On y verra même avec autant de sacilité, une similitude srappante avec cette arme puissante dont l'homme avoit *ètê* mis en possession lors de sa premiere naissance & dont la recherche pénible est le seul objet *de* son cours temporel, & la prerniere loi de sa Condamnation

Bien plus encore y trouvera-t-on de l'analogie avec ce centre fécond que l'homme occupoit pendant sa gloire, & qu'il ne connoîtra jamais pleinement sans y rentrer.

Et vraiment, qui peut mieux que ce quarré rious rappeller le rang éminènt où l'homme sut placé dans son origine? Ce quarré est seul 6t unique, panique, ainfi que la racine dont il eft le produit & l'image: le lieu que l'homme a habité eft tel qu'on ïie pourra jamais lui en comparer aucurt autre. Ce quarré melùre toute la circonférence: l'homme au fein de fon empire embraflbit toutes les réglons de l'Univers. Ce quarré eft formé de quatre lignes: le pofte de l'homme étoit marqué par quatre lignes de communication qui s'étendoient jufqu'aux quatre points cardinaux de l'horifon. Ce quarré provient du centre & nous eft clairement indiqué par les quatre confonnances muficales qui occupent précifément le milieu de la gamme, & font les principaux agens de toutes les beautés de l'harmonie: le trône de l'homme étoit au centre même des Pays de fa domination , & de-là il gouvernoic les fept inftrumens de fa gloire, que j'ai défignés précédemment fous lé nom de fept arbres, & qu'un grand nombre fera tenté de prendre pour les fept planetes , mais qui cependant ne font ni des arbres, ni des planetes;

On ne peut donc plus douter que le quarré en queftion ne foit le vrai figne dé ce lieu de délices, connu dans nos Régions fous le nom de *Paradis terreftre,* c'eft-à-dire, de ce lieu dont toutes les Nations ont eu l'idée, qu'elles ont repréfenté chacune fou» des fables,& fous des allégories différentes , felon leur fageffe, leurs lumieres OU leur aveuglement; *IL Partia* (S) & 274 *Propriétés du Chiffre univtrfet.*

& que les ingénus Géographes ont cherché bonnement fur la Terre.

Il ne faut donc plus être étonne de l'immenfité des privileges que nous lui ayons attribués dans les différens endroits de cet Ouvrage où nous en avons parlé; & fi c'eft d'un feu! Principe que defcendent toutes les Vérités & toutes les lumieres, fi l'emblème quaternaire en eft la plus parfaite image, il ne faut plus être étonné, dis— je, que cet emblème puilTe éclairer l'homme fur la fcience de toutes les Natures, c'eft-à-dire, fur les Lobe de l'ordre immatériel, de l'ordre temporel, de l'ordre corporel

& de l'ordre mixte , qui font les quatre colonnes de l'édifice; en un mot, il faut convenir que celui qui pourra pofféder la clef de ce Chiffre univerfel, ne trouvera plus rien de caché pour lui dans tout ee qui exifte, puifque ce chiffre eft celui-même de *VEtre* qui produit tout, qui opere tout & qui embrafle tout.

Mais quelqu'innombrables que foient les avantages qui y font attachés, & quelque puiffante que foit cette langue vraie & unique qui y conduit, tel eft, on le fait, l'état malheureux de l'homme actuel, qu'il ne peut, non feulement arriver au terme, mais même faire un feul *?* dans cette voie, fans qu'une autre main que la fienne lui en ouvre l'entrée, & le foutienne dans toute l'étendue de la carriere.

Q»

On fait auffi que cette main puiffante eft cette même Caufe phyfique, à la fois intelligente & active, dont l'œil voit tout, & dont Je pouvoir foutient tout dans le temps; or, fi les droits font excluffs, comment l'homme dans fa foiblefle & dans la privation la plus abfolue, pourroit-il, dans la Nature, fe paffer feul d'un' parei 1 appui?

Il faut donc qu'il reconnoiffe ici de nouveau & l'exiftence de cette Caufe, & le befoin indifpenfable qu'il a de. fon fecours pour le rétablir dans fes droits. Il fera également obligé d'avouer que fi elle peut feule fatisfaire pleinement fes defirs fur les difficultés qui l'inquiétent, le premier & le plus utile de fes devoks eft d'abjurer fa fragile volonté, ainfi que les fauffes lueurs dont il cherche à en colorer les abus, *Se* de ne fe repofer abfolument que fur cette Caufe puiffante, qui aujourd'hui eft l'unique guide qu'il ait à prendre.

Et vraiment ceft celle qui eft prépofée pouc réparer non feulement les maux que l'homme a. laifie faire, mais encore ceux qu'il s'eft fait à lui-même; c'eft celle qui a continuellement IeSv yeux ouverts fur lui, comme fur tous les autres. Etres de f Univers, mais pour laquelle cet homme eft infiniment plus précieux, puifqu'il eft de la même Effence qu'elle, & également in4eftruttiWe J guifqu'en un mot, de tous les.

CS) Etres,

Z76 Clef du Chiffre universel.

Etres qui sont en correspondance avec íe quar-i ré, ils sont seuls revêtus du privilege de la pensJe, pendant que cette Nature périssable est

à leurs yeux, comme ua néant & comme un songe.

Combien sa consiance n'augmenterat-elle pasdans cette Cause, en qui résident tous les pouvoirs, quand il apprendra qu'elle possede émine-. ment cette langue vraie & unique qu'il a oublié, & qu'il est obligé aujourd'hui de rappeller péniblement à sa mémoire? quand il saura qu'il ne peut sans cette Cause en connoître le premier élément, & sur-tout quand il verra qu'elle habite & gouverne souverainement ce quarré fécond, hors duquel Miomme ne trouvera jamais ni le repos ni la Vérité.

Alors il ne doutera plus qu'en s'approchantcVclle, H ne s'approche de la seule & vraie lu-, miere qu'il ait à attendre, & qu'il ne trouve avec elle non seulement toutes les connoissances dont nous avons traité, mais bien plus encore, la science de hii-même; puisque cette Cause, quoique tenant *à la source de tous les nombres* , s'annonce néanmoins par-tout spécialement par le nombre de ce quarré, qui est en même temps le *nombre de Vhomme.*

Que ne puis-je déposer ici le voile dont je me couvre, & prononcer le *Nom* de cette Cause biensaisante, la sorce & l'excellence même, surlaquelle je voudrois pouvoir fixer les yeux de tout l'Univers! mais, quoique cet Etre ineffable; la clef de la Nature, l'amour & la joie des fimples, le flambeau des Sages, & même le fecret appui des, aveugles, ne celfe de foutenir l'homme dans tous les p, comme il foutient & dirige tous les actes de univers, cependant le *Nom* qui le feroit le mieux connoître, luffiroit » fi je le proférois, pour que le plus grand nombre dédaignât d'ajouter foi à les *vertus* & fe défiât de toute ma doctrine; ainfi le défigner plus clairement, ce feroit éloigner le but que j'aurois de le faire honorer.

Je préfere donc de m'en repofer fur la pénétration de mes Lecteurs. Très-perfuadé que malgré les enveloppes dont j'ai couvert la Vérité, les hommes *intel-*

ligent pourront la comprendre, que les hommes vrais pourront la goûter, & même que les hommes corrompus ne pourront au moins s'empêcher de la fentir; parce que tous les hommes font des C-H-R.

o /

TEE eft le précis des réflexions que je me fui propofé de préfenter aux hommes. Si mes enga-. gemens ne m'euîTent retenu, j'aurois pu fans doute parcourir un champ bien plns étendu. Néanmoins, dans le peu que j'ai bfé leur dire, je me flatte de ne leur avoir offert que ce qu'ils fentiont tous en euxmêmes, lorfqu'ils voudront y (S 3) chercher 7 *Conclu/ton.* chercher avec courage, & se désendre i h íok d'une crédulité aveugle & de la précipitation dans leurs jugemens, deux vices qui menent également à l'ignorance & à l'erreur.

Dès-lors, quand je n'aurois pas ma propre conviction pour preuve, je croirois toujours les avoir rappellés à leur Principe & à la Vérité.

En effet, ce ne sera jamais tromper l'homme, que de lui représenter avec sorce, quelle est sa privation & sa mjsere, tant qu'il est Hé aux choses passageres & sensibles; & de lui montrer que parmi cette multitude d'Etres qui l'environnent, il n'y a que lui & son guide qui jouissent du privilege de la pensée.

S'il veut s'en convaincre, qu'il consulte dans cette classe sensible, tout ce qu'il apperçoit autour de lui; qu'il demande aux Elémens pourquoi, tout ennemis qu'ils sont, ils se trouvent ainsi rassemblés pour la sormation & l'existence des Corps; qu'il demande à la Plante pourquoi elle végete; & à l'Animal, pourquoi il erre sur cette sursace; qu'il demande même aux Astres pourquoi ils éclairent, & pourquoi depuis leur existence ils n'ont pas cessé un seul instant de suivre leur cours.

Tous ces Etres sourds à la voix qui les interrogera, continueront de saire chacun leur œuvre en silence, mais ils ne rendront aucune saris".fcction w desirs de l'homme parce que leurs. faits muets ne parlant qu'à fes yeux corporels, n'a; prendront rien à fon intelligence.

Bien plus, que l'homme demande à ce qui eft infiniment plus voifin de lui-même, je veux dire, à cette enveloppe corporelle qu'il porte péniblement avec lui; qu'il lui demande, dis-je pourquoi elle fe trouve jointe à un Etre avec lequel, fuivant les Loix qui le conftituent, elle eft fi incompatible. Cette aveugle forme n'éclaircira pas mieux ce nouveau doute, & laiffera encore l'homme dans l'incertitude.

Eft—il donc un état plus à charge, *St* en même temps plus humiliant, que d'être relégué dans une Région où tous les Etres qui l'habitent, font autant d'étrangers pour nous? Où le langage que nous leur parlons ne peut pas en être entendu j où enfin, l'homme étant enchaîné mal g ré lui un corps qui n'a rien de plus que toutes les autre» productions de la Nature, traîne par-tout un Etre avec lequel il ne peut pas converfer?

Ainfi, malgré la grandeur & la beauté de tous ces ouvrages de la Nature, parmi lefquels nous fommes placés, dés qu'ils ne peuvent ni nous comprendre, ni nous parler , il eft certain que nous fommes au milieu d'eux comme dans un défera Si les Obfervateurs euffent été perfuadés de ces vérités, ils n'auroient donc pas cherché dans cette Nature corporelle, des explications & des folutions qu'elle ne peut jamais leur donner; ils n'kuroieac *Conclusion.* h'auroient pas non plus cherché dar.s i'homniê atfuel le vrai modele de ce qu'il devroit être j puifqu'il est si horiblement défiguré; ni à expliqt:er l'auteur des choses par ses productions matérielles dont l'existence & les Loix étant dépendantes, ne peuvent rien faire connoître de. celui qui a tout en soi.

Leur annoncer alors que la voie qu'ils ont prise met elle-même le premier obstacle à leurs progrès, & les éloigne entiérement de la route des découvertes, c'est leur dire une vérité dont ils conviendront facilement , quánd ils voudront la considérer.

En même temps, puisqu'ils ne peuvent nier qu'ils n'aient une faculté intelligente, n'est-ce pas leur parler le langage de leur raifort mêrne, que de leur dire qu'ils sont faits pour tout connoître & tout embrasser; puisqu'une' faculté de cette classe ne seroit pas aussi noble que nous le sentons, si parmi les choses passagères, il y en avoit qui fussent au dessus d'elle; & puisque les efforts continuels des hommes tendent comme pair un mouvement naturel, à les délivrer des entraves importunes de l'ignorance, & à les rapprocher de la Science, comme d'un domaine qui leur est propre.

S'ils ont si peu à s'applaudir de ieurs succès, ce n'est donc plus à la soiblesse de leur nature, ni aux limites de leurs facultés qu'ils doivent i'at tribuer cribuer, mais uniquement à la fauíïe route qu'ilá prennent pour arriver au but: & parce qu'ils n'observent pas avec assez d'attention que chaque classe ayant sa mesure & sa Loi, c'est au sens à juger des choses sensibles, puisque, tant qu'elles ne se sont pas sentir au corps, elles ne sont rien; puisque c'est à l'intelligence à juger des choses intellectuelles auxquelles les sens ne peuvent rien connoître; puisqu'enfin, vouloir ainsi appliquer à l'une de ces classes, les Loix *Sc* la mesure de l'autre, c'est aller évidemment contre l'ordre dicté par la nature même des choses, & par conséquent s'écarter du seul moyen qu'il y eût pour en discerner la vérité.

J'ai donc pu croire n'offrir à mes semblables que des Vérités faciles à appercevoir, en leur disant que ce qu'ils cherchent n'est que dans le centre; que par cette raison, tant qu'ils ne seront que parcourir la circonférence, ils ne trouveront rien, & que ce centre qui doit être unique dans chaque Etre *y* nous étoit indiqué par ce quarré universel qui se montre dans tout ce qui existe, & se trouve écrit par-tout en caracteres ineffaçables.

Si je ne leur ai sait connoître que quelquesuns des moyens de lire dans ce centre fécond, qui est le seul Principe de la lumiere, c'est qu'indépendamment de mes obligations, c'eût été leur nuire que de me dévoiler davantage; car très-certainement ils ne m'auroient pas cru; c'est *II. Patrie,* (T) donc, l8z *Conclufiom* donc, comme je me le fuis promis, à leur proi pre expérience que je les rappelle, & jamais comme homme, je n'ai prétendu avoir d'autres droits.

Mais quelque peu nombreux que foient les moyens dont je leur ai donné des idées, & les pas que je leur ai fait faire dans la carriere, ils ne pourront manquer d'y prendre quelque confiance en voyant l'étendue qu'elle a découverte à leurs yeux, & l'application que nous en avons faite fur un fi grand nombre d'objets différens;

Car je ne préfume pas que ce champ par cette raifon qu'il eft infiniment vafte, puifle leur paraître impraticable, & il feroit contraire à toutes les Loix de la Vérité, de prétendre que ce fût la multitude & la diverfité des objets qui fût interdite à la connoiflance de l'homme. Non, fi l'homme eft né dans le centre, il n'eft rien qu'il ne puifle voir, rien qu'il ne puiffe embraflèr; au contraire, la feule faute qu'il puifle commettre, c'eft d'ifoler & de démembrer quelques parties de la fcience, parce qu'alors c'eft attaquer dire&ement fon Principe, en ce que c'eft divifer l'Unité.

Et dans ce fens, que mes Lecteurs décident entre cette marche & la mienne; puifque, malgré la variété prodigieufe des points qui m'ont occupés, j'unis tout & ne fais qu'une Science; au lieu que les Obfervateurs en font mille, & que que chaque queftion parmi Eux devient l'objec d'une doctrine & d'une étude à part.

je n'ai pas befoin non plus de leur faire remarquer qu'après toutes les obfervations que je leur ai préfentées fur les différentes fciences humaines, ils doivent m'en fuppofer au moins les premieres notions; ils peuvent en outre, d'après la réferve marquée qui regne dans cet écrit, & d'après les voiles qui y font répandus j préfumet que probablement j'aurois plus à leur dire que ce qu'ils y ont vU, & plus que ce qui eft connu généralement parmi eux;

Cependant, loin de les méprifer, en confidérant l'obfcurité où ils font encore, tous mes vœux; tendent à les en voir fortir pour porter leurs paâ vers des fentiers plus lumineux qUe ceux où ils rampent.

De même auffi, quoique j'aie eu le bonheur d'avoir été conduit plus loin qu'eux , dans la Carriere de la Vérité;

loin de m'en énorgueillir, & de croire que je fâche quelque chofe j je leur avoue hautement mon ignorance, & pour prévenir leurs foupçorts fur la fincérité de cet aveu, j'ajouterai qu'il me féroit impoffible de m'abufer moi-même là-deffus car j'ai la preuvef que je ne fais rien.

Voilà pourquoi je me fuis annoncé fi fouVent, comme ne prétendant pas les mener jufqu'au terme; c'eft affez potir moi de les avoir ta

i?4 *Cohclufion* en quelque sorte sorces de convenir que la marche aveugle des sciences humaines les approche bien moins encore du but auquel ils tendent, puisqu'elle les conduit à douter même qu'il y en ait un. .

Je les oblige par-là à s'avouer qu'en destituant les sciences du seul Principe qui les dirige, & dont par elles-mêmes elles sont inséparables, loin de s'éclairer, ils ne sont que s'ensoncer dans la plus affreuse ignorance, & que c'est uniquement pour avoir éloigné ce Principe, que les Observateurs cherchent par-tout laborieusement, & qu'ils; ne sont presque jamais d'accord.

C'est donc aflèz, je le répete, de leur avoir découvert aujourd'hui le nœud des difficultés qui les arrêtent; dans l'avenir la Vérité répandra plus abondamment ses rayons, & elle reprendra *dans son temps* l'empire que les vaines sciences lui disputent aujourd'hui. ,.

Pour moi trop peu digne de la. contempler, j'ai dû borner mes.-desirs. 'à, saire, sentir.qu'elle existe, §£ que,l'homme, malgré sa. misere pourroit s'en convaincre tous lss..jours de. *ùi* vie, s'il régloit mieux sa volonté. Je cràiroi donc jouir de la récompense,la plus délicieuse, íi chacun âpres m'avoir lu, se disok dans le secret de son_ coeur, il y a une Vérité', *mai je peux m'adrejser mieux qu'à des hommes , pour la connoître. s*

CPSIA information can be obtained
at www.ICGtesting.com
Printed in the USA
BVOW08s1229190617
487268BV00009B/87/P